XXL

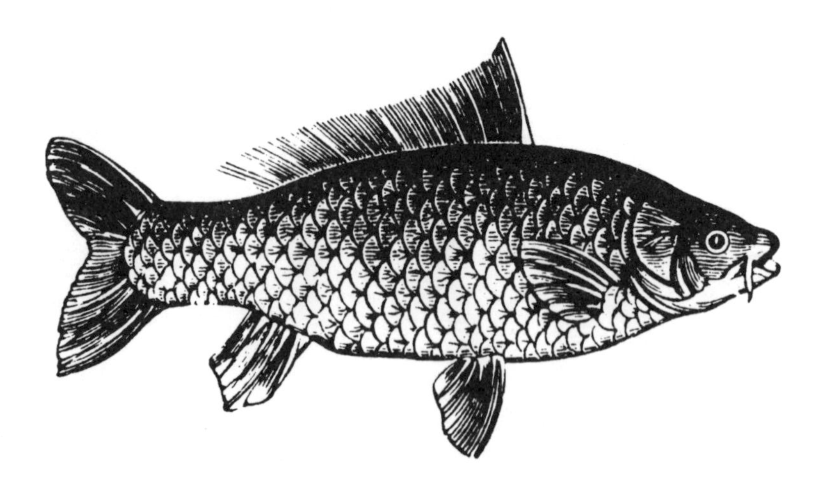

Van Jon Ewo verschenen bij Davidsfonds/Infodok:
De zon is een maffe god (15+)
De maan is een spelbreker (15+)
De aarde is hard en naakt (15+)
Zwart-wit (15+)

Verteld in zeven vissen door JON EWO

XXL

Een maximalistische roman over het leven, de liefde en de grote snoek

Vertaald door MAAIKE LAHAISE

Davidsfonds/Infodok

Ewo, Jon
XXL

Davidsfonds Uitgeverij nv
Blijde Inkomststraat 79, 3000 Leuven
www.davidsfondsuitgeverij.be

Oorspronkelijke titel: *XXL. En maksimalistisk roman om livet, kjærligheten og den store gjedda*
Vertaling: Maaike Lahaise
Omslagontwerp: Bart Luijten
Vormgeving binnenwerk: Peer De Maeyer

D/2010/2952/10
ISBN 978-90-5908-299-1
NUR: 284
Trefwoorden: liefde, identiteit, tienerproblemen

Dit boek werd uitgegeven met de productiesteun van Norla.

MINIVOORN
=
MAANDAG

NULPUNT

Het schijnt dat de kans om in de Super Loterij te winnen 37 keer groter is dan de mogelijkheid om getroffen te worden door een gloeiende, dodelijke steen uit de ruimte. Met andere woorden: de kans om gelukkig te worden is veel groter dan de kans om te eindigen als een knapperig brokje bacon.

Toch blijf ik ervan overtuigd dat als er een asteroïde uit het heelal kukelt, ik die op mijn kop krijg.

Het gevoel dat ik gedoemd ben, verdoemd, verloren, geen kans maak op het winnende lot, dat ik ronddobber in een lekke reddingsboot, heb ik gehad sinds de avond na de brand op het sportterrein achter de school.

De e-mail die ik vanochtend ontving, bracht daar niet bepaald verandering in. Hij kwam van Herman Starbokk en versterkte het voorgevoel dat een reuzenkomeet zich een weg zou banen door mijn pupillen en door mijn oogzenuw om in mijn hersenen uit elkaar te knallen. Het komt door de gortdroge en rottige zinnen waarmee hij het bericht beëindigt: 'En naar mijn weten heb je mij nog steeds niet op de hoogte gesteld van hetgeen er gebeurde tijdens die nachtelijke brand. Ik herinner je aan onze afspraak. Die luidt dat je mij dit verslag per brief of e-post verstrekt, en wel binnen zeven dagen, dus uiterlijk komende zondag. Indien ik dan niets ontvangen heb, wordt jouw plaats op Tipling Vakschool, richting automechanica, zonder meer toebedeeld aan degene die boven aan de wachtlijst staat. Mvg, H. Starbokk, schoolpsycholoog.'

Niemand begrijpt wat hier zo vreselijk aan is. Je gaat voor de computer zitten, hamert het hele verhaal, drukt op de verzendtoets en klaar is Kees.

Maar het staat me tegen, het staat me kolossaal tegen om terug te denken aan de reden waarom ik brandstichtte achter Tipling Vakschool. Het is te droevig en te gek voor woorden.

Mijn ouders denken dat ik het uitgepraat heb met Starbokk. Ik heb hen een smoesje verkocht.

Selma denkt dat ik het uitgepraat heb. Ook haar heb ik bedrogen.

Het is al maandag, de nieuwe week is begonnen en de tijd is niet te houden. Ik ben er inmiddels heilig van overtuigd dat het slechts een kwestie van een paar dagen is voor de komeet mij midscheeps treft en mijn bootje op de blubberige zeebodem parkeert.

Het eerste wat ik me voornam toen ik die e-mail gelezen had, was dat ik mijn afschuw zou bedwingen en dat ik mijn huiswerk zou doen. Maar een seconde later besefte ik dat ik geen tijd heb. Want er is namelijk een tweede natuurcatastrofe op komst.

Mijn neef Jerry arriveert zo meteen, en hij blijft de hele week.

Dat betekent dat ik het verslag moet schrijven terwijl hij hier op bezoek is. Tenminste, indien ik automonteur wil worden en een kans wil maken op een baan in de garage van mijn oom, waar ik nu nog klusjesman ben. Het probleem is echter dat een bezoek van Jerry een gecombineerde aardbeving en vulkaanuitbarsting is die geen ruimte laat voor andere geintjes dan de 122 avonturen en noodsituaties waarin hij ons doet verzeilen. Van vrije tijd zal geen sprake zijn. Ik kan dus mooi vergeten dat ik in dit leven iets ga worden.

Dit is de status op bodemniveau. Ik doe een poging om te ontbijten, maar stuur al gauw een sms'je naar Selma zodat ik even later naar het bushokje sjok om daar met haar te babbelen en te vergeten dat de wereld binnenkort vergaat.

OP VAN DE ZENUWEN

'Het is 99% aannemelijk dat deze week in een catastrofe eindigt', vertrouw ik haar tien minuten later zwartgallig toe.

'Je bent zo negatief, Bud Martin', antwoordt Selma met haar diepe, hese stem, die me doet denken aan een blueszangeres. 'Je hebt nog steeds 1% kans dat het goed afloopt.'

'Dan ken jij mijn neef niet', zeg ik en ik prop een kingsize chocogum in mijn mond.

‘Die ken ik wel’, zegt ze. ‘Jerry is een lieve knul. Compleet hopeloos. En volslagen knettergek. Dit is zeker de vijfde zomer dat hij komt logeren?’

‘Nee, de zesde. En voor de zesde keer gaat hij er een puinhoop van maken, die ik mag opruimen. Ditmaal wordt het erger dan ooit...’ Mijn stem piept zowat. Maar ik verklap niet waarom het aanstaande bezoek van Jerry mij zwaarder op de maag ligt dan anders.

‘Bud!’ zegt ze scherp, omdat ze denkt dat ik ga hyperventileren. (Ik heb dat pas twee keer gedaan, maar Selma denkt dat ik het om de haverklap doe.) ‘Hoe kun je dat in hemelsnaam van tevoren weten?’

‘Noem het bange voorgevoelens’, antwoord ik en ik steek mijn hand uit naar een nieuwe chocogum. Maar ik trek hem terug als ze me doodleuk een tik op mijn vingers geeft.

‘Afblijven!’ Ze kijkt me streng aan. ‘De laatste is van mij.’

‘En ik dan?’ antwoord ik paniekerig. ‘Ik ben op van de zenuwen. En hij is er nog niet eens.’

‘Je staat één voor, dikzak’, antwoordt ze. Ze duwt de buit naar binnen en grijnst met chocobruine tanden. ‘Zoek maar troost bij Zappa. Hij heeft vast wel een nummer dat bij dit soort situaties past.’

‘Ik ben gedoemd’, zucht ik.

‘Hi hi hi’, grinnikt ze.

‘Jij hebt makkelijk lachen’, mompel ik bitter. ‘Maar ik ga zo dood.’

VETTE PLANNEN

We zitten in het bushokje waar de bus van Angler naar Dorg halt houdt. Wij zijn Selma Mardou en Bud Martin, buren in een mug van een gehucht dat Tipling heet. Een nederzetting die ontstond omdat twee kerels met een motorzaag hier de weg kwijtraakten.

En aangezien ze niets anders te doen hadden terwijl ze op hulp wachtten, begonnen ze bomen te kappen. En toen men eindelijk hier naar de twee mannen kwam zoeken, bleek dat ze wat huisjes in elkaar hadden geflanst. De reddingsploeg bleef plakken en begon ook te zagen en te bouwen. Op die manier zag Tipling het licht.

Daarna dook er een tweede reddingsbrigade op, die naar de eerste brigade zocht. Enzovoort. Volgens mij is het zo gegaan.

Tipling groeide en werd de grootste houtleverancier van het land.

En dat is nog steeds zo. Bovendien trekt deze plaats lieden aan die willen vissen en jagen. Bijna de hele bevolking werkt in de deurenfabriek of in een van de 53 winkels in het centrum.

De rest is verhuisd.

Naar Angler. Naar Dorg.

Naar de wereld buiten dit kleine wereldje.

Om nooit meer terug te komen.

Vroeger had ik ook vette, glorieuze plannen. Ik was groot, sterk en moedig. Ik zou reizen maken. Imposante dingen ondernemen. Maar dat was vóór die brand. Vóór de gebeurtenissen die aan de brand voorafgingen...

Nu wil ik het liefst een miezerige muis in een donker muizenhol zijn.

Nu is Selma van ons tweeën de enige die vette, glorieuze plannen heeft.

SELMA'S GROTE DROOM

'Het duurt niet lang meer voor je vertrekt', zeg ik. Omdat een ander gespreksonderwerp mij Jerry misschien doet vergeten. Jerry en datgene wat ik eigenlijk had moeten doen.

'Nog maar een week', zegt ze dromerig. 'En dan sjees ik het scherm op.'

Selma is namelijk een van de twaalf zwaarlijvige jongeren die mogen meedoen aan Fat-Burning-Camp, TeleVisioWorlds nieuwe realityshow. De deelnemers moeten proberen om beestachtig snel af te vallen. Om de andere dag worden ze gewogen en degene met het minste gewichtsverlies wordt naar huis gestuurd. De kijkers hebben ook een vinger in de pap. Ze kunnen deelnemers die ze sympathiek vinden, in het spel houden en lieden die ze haten, wegstemmen.

Selma is van plan om beroemd te worden. En ik geloof in haar. Ze heeft een wil van roestvrij staal en het uithoudingsvermogen van een titan. Over het Fat-Burning-Camp raakt ze niet uitgepraat.

'Ik heb twee dromen', zei ze toen ze wist dat ze geselecteerd was. 'De eerste is op de televisie komen. Ik wil model worden en dan MOET je wel op de buis verschijnen. Droom nummer twee is dat ik een vriendje aan de haak sla, het liefst op de set.'

'Ik dacht dat je niet van dikke jongens hield', zei ik terwijl ik verwoede pogingen deed om mijn buik in te houden. Van praten over lichaamsgewicht krijg ik de kriebels.

'Heus wel, jou vind ik hartstikke aardig. Maar ik heb het over een vriendje, dikzak', antwoordde ze. 'En ergens op die set ga ik een gespierde knul vinden, met de kop van Tom Cruise. Eentje die overdag een belangrijke baan heeft en in zijn vrije tijd van die mannendingen doet.'

'Zoals auto's repareren?' vroeg ik.

'Jij en die auto's van je', antwoordde ze lachend. 'Het wordt hoog tijd dat ik je een lesje in mannendingen geef. Tussen de inboorlingen in een oerwoud leven en op de Zuidpool overwinteren en de bodem van een oceaan onderzoeken, daar gaat het om. Onder een motorkap snuffelen zit er niet bij.'

Volgens mij is auto's repareren een typisch mannending. Hoeveel meisjes halen wel eens een motor uit elkaar? Op de monteuropleiding waar ik na de vakantie begin, zitten twintig zestienjarige jongens, zeker weten.

Herstel. Die opleiding is niet langer een feit. Mijn kansen worden daarentegen met het uur kleiner. Ik denk dat het op dit moment 10% aannemelijk is dat ik op Tipling Vakschool begin.

Toen ik die deal maakte om vóór de vakantie een verslag te versturen naar Starbokk, had ik het idee dat ik duizenden dagen ter beschikking had. Genoeg om misschien de puf op te brengen om iets te schrijven over de brand en dat wat de aanleiding was.

De uren verstreken. De dagen slopen voorbij. 'Vandaag begin ik', zei ik tegen mezelf. Maar ik deed het niet.

'Ik doe het vanavond', zei ik elke ochtend. 'Ik doe het morgenochtend', zei ik elke avond als ik naar bed ging. 'Ik ga het zo meteen doen. Maar eerst moet ik naar dit Zappanummer luisteren', zei ik elke dag.

En naarmate de dagen omvlogen, voelde ik dat ik steeds meer op een bange muis begon te lijken.

Een angstige, kleine muis die niet wilde denken aan de vlammen en de politie.

Voor een bange muis was het een koud kunstje om boogjes te lopen om de computer. Om niet te schrijven. Om de afspraak voor me uit te schuiven. Om alles gewoonweg te vergeten.

Dat deed ik dan ook. Alles vergeten.

Tot Starbokk me vanochtend die e-mail stuurde.

En nogmaals, als Jerry er is, kan ik het schrijven van dat verslag vergeten.

Nee! Ik moet van groef verwisselen. Er zit een kras in mijn hersenen. Dezelfde vreselijke gedachten blijven rondjes draaien.

Denk aan mannendingen! Luister naar Selma, die er verstand van heeft. Want ik ken haar door en door. Haar vader is een bedreven jager en skiloper. Hij heeft een jeep en sledehonden. Hij heeft een bos haar en een baard en hij ruikt naar dennen en sparren. Hij liep de marathon toen hij jong was. Vroeger werkte hij als arts in een vluchtelingenkamp en redde hij levens en deed hij nog meer belangrijke dingen. Hij is een kei van een kerel. Nu is hij dokter op de Sporthogeschool in Angler.

Alleen al de naam Angler is genoeg om opnieuw aan Jerry en mijn problemen te denken.

JERRY DE GIGANT

Uit het sms'je dat ik deze ochtend ontving, kan ik concluderen dat Jerry op dit moment in de bus uit Angler zit. In mijn hoofd wordt Jerry gemaximaliseerd tot een reusachtige, reuzegrote reuzenreus die als een ruiter boven op de bus zit, terwijl hij met een rotvaart op me af dendert.

Ik voel de grond trillen. Er gaan schokjes door mijn benen. Het bushokje kraakt vanwege de gigant die op komst is. Net als vogels, honden en andere dieren die op voorhand schijnen te voelen dat er een aardbeving losbarst.

Er zit een spanning in de lucht.

Jerry's enorme, manische smoel plakt tegen de voorruit van de bus en ogen zo groot als schotelantennes staren in mijn richting. Hij is een kolossale springvloed die op Tipling af golft. Een gigantische kracht die mij spoedig verbrijzelt onder een scheepslading rampzalige invallen.

Selma begrijpt wat ik denk.

Dat is het beste met boezemvrienden. We kennen elkaar al sinds ze op de kleuterschool een slagroompunt in mijn gezicht wreef. Waarna ik haar trakteerde op een glas limonade in haar haren. We waren vier jaar en het daaropvolgende uur zaten we de slagroom van mijn toet te likken en onze neuspullekjes te vergelijken en breeduit naar elkaar te grijnzen.

Dat is twaalf jaar en een smak kilo's geleden. Nu weegt Selma 83 kilo en vindt ze zichzelf ongelooflijk dik. Maar wat moet ik zeggen, die de 105 gepasseerd is?

Jonge mannen met mijn gewicht die dagelijks snacks schransen lopen 77% kans om problemen te krijgen met: hun hart, benen, maag, rug en tal van andere onderdelen van het lichaam.

Toch moet ik bekennen dat ik in mijn sas ben met mijn gewicht.

's Winters heb ik geen last van de kou. Vet is draagbaar isolatiemateriaal.

Ik heb een kont die breed is en waar ik lekker op zit.

Mijn buik is bijzonder geschikt om een blikje cola op te zetten. En heerlijk zacht als ik mijn handen erop laat uitpuffen.

Mijn nek heeft een mooie vetrol, die dienstdoet als kussen.

Zowel mijn armen, dijen als kuiten kunnen tegen een stootje.

Kortom, bij een botsing ben ik uitgerust met natuurlijke airbags, of liever gezegd, fatbags.

En dat boezemt respect in. De laatste keer dat ik gepest werd, ging ik boven op de leukerd zitten. Toen was het uit met het pesten van Bud.

De andere kant van de zaak is, dat ik niet veel vrienden heb.

Selma is een uitzondering. Ik ben niet verliefd op haar. Ze is gewoon een hele trouwe vriendin. Ik zou willen dat we de rest van ons leven buren konden blijven. En dat we elkaar dagelijks ontmoetten, bijvoorbeeld in een bushokje, zoals nu.

Dat is een mooie droom. Want Selma is de enige bij wie ik me op het moment kan ontspannen. Met haar is er geen sprake van blozen, stamelen, halve zinnen, nerveuze gebaren of geheugenverlies. Ik denk geen seconde aan alles wat er dit voorjaar gebeurde en mij aanzette om die brand te stichten.

Maar nu staat ze op het punt om te vertrekken. En ik blijf achter in mijn muizenhol. En zo dadelijk arriveert J... De naald in mijn hoofd huppelt weer naar mijn neef. En opnieuw voel ik zijn manische energie op me af stromen.

DIK IS MOOI

'Je gaat toch wel naar de opwarmingsronde kijken?' vraagt Selma en ze hijst me uit Kopzorgland.

Vanavond begint namelijk 'Fat-Intro'. Dan laten ze de eerste van de zes afleveringen met hoogtepunten uit het afgelopen Fat-Burning-Camp zien.

'Natuurlijk!' antwoord ik. 'Afgezien van het feit dat er 75% kans bestaat dat Jerry een lievelingsprogramma heeft dat we NIET MOGEN MISSEN.'

'Niet als hij weet dat er naast oude opnames ook clips vertoond worden van de toekomstige deelnemers', zegt ze en ze staat op en begint met haar heupen en billen te wiegen. 'Shake it, shake it, baby', zingt ze met haar bluesstem.

Vanaf de dag dat Jerry haar voor het eerst zag, is hij verliefd geweest op Selma. Hij heeft geprobeerd het te verbergen. Maar Selma kijkt dwars door hem heen. En ze plaagt hem harteloos.

'Doe je een beetje aardig tegen hem?' vraag ik daarom.

'Ja, hoor', zegt ze en ze ploft weer op het bankje neer. Het hele bushokje kreunt. 'Maar hij hoeft maar één grapje te maken over mijn gewicht en ik vermorzel hem!'

Ik heb Selma lieden zien vermorzelen. Ik huiver.

'Moet je kijken', zegt ze en ze knijpt in de vetrollen op haar buik. 'Ik walg ervan. Nu gaan ze eraan. En ik duld niet dat iemand er ook maar iets over zegt! En dat geldt in het bijzonder voor Jerry! Ik ben die grapjes van hem spuugzat. Demotivatie vlak voor het Camp kan ik niet gebruiken!'

Ik kijk weg.

Ik kan er niet tegen als mensen persoonlijk worden en aan hun lijf friemelen. Bovendien val ik op meisjes die eruitzien als Selma. Meisjes met vetrollen en grote borsten en dikke billen en enorme dijen. Als er ergens een meisje rondloopt dat voor mij bestemd is, dan lijkt ze op Selma. Anderen zullen haar misschien vet en vadsig noemen. In mijn ogen is ze een schoonheid.

Iemand zou Selma moeten vertellen dat ze volmaakt is. Ik voel me daar te opgelaten voor.

'Daar heb je de bus!' zegt Selma plotseling en ik kukel weer in Kopzorgland.

'NOEM ME JERRY, IN ALLE EENVOUD!'

De bus uit Angler komt de heuvel op. Ik strek mijn nek om meer te zien en word een gedaante gewaar die voorin zit te zwaaien.

Ik sta op.

En ga zitten.

En ga weer staan.

Weet niet goed waar ik mezelf moet laten.

'Relax!' beveelt Selma. En ik zak als een zoutzak in elkaar. Dat had ik niet moeten doen. Want plotseling breekt het bankje in tweeën. Ik bevind me in vrije val richting begane grond. Mijn 105 kilo treffen de aarde als een container die op twintig meter hoogte uit de takels van een hijskraan dondert. Het is een dreun van je welste, die mij het gevoel geeft dat mijn ruggengraat verandert in een te lang gekookte wortel.

Het volgende dat ik voel, is Selma die tegen mijn ene flank rolt en me daarna onder zich vermorzelt. Mijn vriendin verloor haar evenwicht toen het bankje brak en belandt boven op me.

Ik lig platgewalst tegen de muur van het bushokje als de bus met kermende remmen tot stilstand komt. Het haar van Selma hangt voor mijn gezicht, maar ik hoor zeer goed dat de deur van de bus met een droge klik openklapt. En dat de chauffeur roept: 'Maak dat je uit mijn bus komt, halvegare!'

'Mij best, maar ik vroeg me alleen maar af wat u uit het leven wilt halen', antwoordt een stem die ik maar al te goed ken. 'Is dat zo moeilijk?'

'Ja, als je zowat op mijn schoot zit en al urenlang de oren van mijn kop kakelt', schreeuwt de man en hij wijst naar het bordje boven de spiegel. 'Ik zou je aan moeten geven, vanwege het lastigvallen van de chauffeur.'

Nu komt Jerry de drie treetjes af. Ik zie zijn benen. Ze zijn kwiek en lichtvoetig. Maar zodra hij de berg die uit Selma en mij bestaat, in het oog krijgt, houdt hij zijn pas in.

Sommigen zouden vinden dat we op twee worstelende nijlpaarden lijken.

Of op een geweldige klont spekvet.

'Hoi hoi', piept hij en hij klinkt pijnlijk getroffen. 'Hier ben ik dan.'

'Eh... hoi...' mompel ik en ik krabbel moeizaam overeind. Mijn kop is vuurrood. Niet alleen van de inspanning, maar ook omdat ik vermoed dat Jerry een verkeerde indruk krijgt van Selma en mij.

En wie weet denkt Selma wel dat ik een onhandige poging deed om haar te versieren.

Ik ben een en al knalrode kluns.

Het is 100% zeker dat ik in het niets wil oplossen. Dat ik de tijd wil terugspoelen naar het moment voordat de bank het loodje legde. Dat ik terug naar af wil. Dat ik wil metamorfoseren in een zelfverzekerde Bud die zijn neef Jerry op een geciviliseerde manier welkom heet en geen enkele van zijn typische stommiteiten uithaalt.

'Ja, ik hoef je niet voor te stellen aan...' zeg ik en ik voel dat het schaamrood naar mijn stembanden is gezakt. Mijn hand zwiept uit naar Selma. Helaas kijk ik niet goed uit mijn doppen. Ik geef haar zo'n mep tegen haar hoofd dat ze voorover tuimelt. Ze is een berg van 83 kilo die op Jerry afkomt.

Selma klampt zich vast aan zijn borstkas. Alsof ze duizend jaar op hem heeft gewacht.

Selma wordt roder dan ik.

Jerry kijkt van haar naar mij en weer naar haar. 'Wat een ontvangst!' zegt hij uiteindelijk. 'Hier... eh... heb ik geen woorden voor.'

Dat doet me ongeveer 2% triomferen. Jerry is sprakeloos! In zijn hart denkt hij dat de tijd stilstaat en dat we nooit een millimeter veranderen. Nu weet ik dat hij in de gaten heeft dat dit niet klopt. Er is iets gaande, als het ware. We zijn blijkbaar niet meer hetzelfde als afgelopen zomer. En nu staat hij met een mond vol tanden.

Selma rukt zich los van zijn borstkas en staart me woedend aan, alsof ik het expres deed.

'Wat heb ik jullie gemist!' zegt Jerry. 'Vooral jou!' zegt hij een beetje verlegen tegen Selma. 'Ook al ben je...'

En dan weet ik wat hij wil zeggen. Iets banaals over haar gewicht. Selma begrijpt het ook. De blik die ze op hem afvuurt, doet vast niet onder voor die van een psychopatische seriemoordenares op het moment dat ze haar slachtoffer te lijf gaat met een twintig centimeter lang slagersmes. Maar ook zij heeft na de botsing haar tong verloren.

'Gezellig... eh, dat je er bent, Storm', onderbreek ik hem voor hij iets zegt in de geest van dat ze moet zorgen dat ze mij te snel af is als ze de breedste broek van Tipling te pakken wil krijgen, of iets anders waarvan ze zo laaiend wordt dat ze hem stante pede fijnprakt. Ik voel me even zelfverzekerd als een buffel in een supermarkt.

'Noem me Jerry, Bud', grijnst hij. 'Noem me Jerry, in alle eenvoud.'

Jerry krabbelt weer overeind. Een paar seconden was hij uit het veld geslagen. Maar langer is hij niet buiten werking. Jerry Storm, de geschifte gozer die anderen altijd naar het randje van de afgrond manoeuvreert, is weer in ons midden.

JERRY STORM, EEN OVERZICHT

Jerry en ik zijn in hetzelfde jaar geboren, in de maand mei, met drie dagen tussenruimte. Hij is de zoon van mijn tante, die de zus van mijn vader is. We zijn familieleden en bijna even oud. Maar dat is de enige overeenkomst.

Want Jerry is mager. Zo mager dat zijn ribben buitenboord hangen.

Hij is lang. Ook al ben ik 1 meter 87, Jerry torent met zijn 1,96 hoog boven mij uit.

Hij is rap. Rap van tong. Rap van geest. Ik ben eerder een schildpad.

Jerry vindt het belangrijk dat alles tussen hemel en aarde onderzocht en uitgeprobeerd wordt. Dat er overal aan geroken, gevoeld en gelikt wordt. Jerry wil het liefst dat elke dag anders is.

Er is maar één interesse die we delen, en dat is de muziek van de Amerikaanse gitarist en componist Frank Zappa. We hebben de meeste van zijn cd's en zelfs een paar van de zeldzame vinylplaten. Van de encyclopedische kennis die we op dit gebied bezitten, rent een niet-Zappafan gillend weg. Daarom zal ik jullie niet vervelen met een boel details. Bovendien heb ik geen enkel Zappanummer gespeeld sinds ik eerder deze zomer een miezerige muis werd. Genoeg daarover.

Zijn ouders vroegen zich jarenlang af of hij ziekelijk hyper was. Maar duizend testen en miljoenen bezoeken aan geleerde artsen hebben uitgewezen dat het 99,9% zeker is dat hem niets bijzonders mankeert. Hij kickt gewoon op het leven.

De afgelopen zes jaar heeft hij elke zomer een week bij mij doorgebracht. Ik verdenk zijn ouders ervan dat ze een feestje bouwen als hij vertrekt. Jerry vindt de logeerpartijen een leuke traditie en ik geloof dat hij mij echt sympathiek vindt. Mijn ouders verafgoden hem. Maar wat mij betreft zijn deze weken vergelijkbaar met een dodenrit zonder stuurman.

Ik mag Jerry heus wel. Een uurtje of twee. Als hij hier een week geweest is, ben ik meerdere kilo's afgevallen. Iemand zou Jerry moeten verbrokkelen en als dieetproduct op de markt brengen.

Jerry is XXL als we het over energie hebben.

JERRY KRIJGT WEER PRAATJES

'Er is iets met deze plek', zegt hij en hij tolt om zijn as terwijl hij de geur opsnuift van Tipling, van het bushokje, van verse kattenpis in de berm en het gemaaide gras van een nabijgelegen tuin. 'Ruik!'

Hij krijgt ons zover dat we nagaan of er iets nieuws onder de zon is. 'Goed ruiken!'

Het gekke met Jerry is dat hij mensen een andere kijk geeft.

Want een kort ogenblik ruiken we de onbekende geur van Tipling. Een beetje gekruid. Exotisch. Een geur die ons vreemd is.

Jerry's neus snuffelt en snuift als een hond met astma. 'Ik zat er de hele busreis over te prakkiseren, behalve dan toen ik de chauffeur wilde laten nadenken over zijn leven & van alles en nog wat waar hij vast nooit over gepiekerd had & ik bedacht dat het toch wonderbaarlijk is dat ik telkens als ik hier beland, het idee heb dat de tijd trager gaat. De tijd hier verstrijkt niet zoals thuis. Alsof jullie in een tijdmachine leven, in een andere dimensie. Het is ongelooflijk & ik zou willen dat ik jullie kon vertellen wat er allemaal in mijn hersenpan opdook toen ik in de bus zat & me liet transporteren naar Tipling & jou, grote beer & ik besefte dat je me dit jaar alles moet leren over motors, Bud & hoe het komt dat bussen en dergelijke zich kunnen verplaatsen. Het is toch fenomenaal dat schroeven & moeren & pluggen misschien wel duizend keer per minuut tekeergaan in cilinders & daar moet ik toch het fijne van weten & Bud, jij bent de man die me dat allemaal vertellen kan & ik dacht aan jou & onze Selma & er schoten me talloze zaken te binnen die ik...'

Uit zijn mond klatert een wilde waterval van meningen en gedachten die hij met ons wil delen. Zo praat Jerry. Wij hebben genoeg aan het leven zelf. Jerry daarentegen lijkt het leven telkens opnieuw uit te vinden.

Maar nu bevindt hij zich in gevaarlijk vaarwater. Ik voel dat hij op het punt staat om een opmerking te maken over de kilo's van Selma. En dat moet ik beletten, voor zijn eigen bestwil. Jerry is een schamel sloepje in een zee waar de golven hem elk moment kunnen verzwelgen. Onder het oppervlak popelt Selma als een hongerige haai om een bloederige slijmbal van hem te maken.

'We moeten even de stad in', zeg ik en ik trek hem met me mee. 'Zeg maar dag.'

Ik doe een oprechte poging om een catastrofe te verhinderen.

'Maar ik ben nog maar net gearriveerd', protesteert Jerry verbaasd. 'Ik heb Selma zo veel te vertellen. Zaken die me al een tijdlang bezighouden & die van het hoogste belang zijn & waar ik nooit bij heb stilgestaan. Maar die lagen te broeien & nu nodig voor de dag moeten komen.'

Mijn bruine ogen boren zich in zijn groene en ik gis dat er onder de clown, de maniak, de gek en de kletsmajoor nog steeds een verliefde Jerry schuilgaat.

Misschien is hij echt aan Selma verslingerd?

Jerry is namelijk nogal onstabiel wat vrouwen betreft. Maar als ik in zijn groene kijkers tuur, heb ik het idee dat het dit keer menens is en dat hij haar zo meteen zijn warme gevoelens recht in haar gezicht smijt. (Tja. Met Jerry kun je natuurlijk nooit weten. Maar de mogelijkheid zit erin.)

En aangezien hij zo high is, gaat hij uiteraard de verkeerde woorden gebruiken. En als ze de indruk krijgt dat hij haar pest, of haar uiterlijk op de korrel neemt, dan gaat hij eraan.

Ze zal zijn ziel als een elastiek uit zijn lijf trekken en het zootje daarna loslaten zodat het met een akelige pets tegen zijn bakkes klapt.

Ik zie het als mijn plicht hem bijtijds te redden. Ik moet Jerry uit de buurt houden van Selma, de meedogenloze haai en zielentrekker.

'Kom nou', zeg ik en ik sleur hem mee.

En als 105 kilo een zware druk op hem legt, kan zo'n mager scharminkel als Jerry niet achterblijven.

'Dag', roept hij naar Selma. 'We MOETEN met elkaar praten. Straks.'

Ik ruk en trek en verwijder ons meerdere meters van Selma.

'Wacht!' roept ze en ik zet het op een holletje, met Jerry als een zweefvliegtuig achter me aan.

'Ik loop met jullie mee naar het centrum.'

Zelfs heuvelafwaarts piept de adem in mijn longen en de spieren in mijn dijen zeggen dat we het beter kalm aan kunnen doen. De haai zit ons op de hielen! denk ik alleen maar.

'Bud, doe toch eens rustig', klaagt ze.

'Mijn idee', zegt Jerry en hij probeert me af te remmen door zijn hielen in het grind te planten. Maar die poging is even zinloos als het rukken aan een dorstige olifant die water ruikt. 'We hebben toch geen haast?' vraagt hij.

'Ik... ik...' Liegen is niet mijn sterkste kant. 'Ik moet een brief posten', stotter ik ten slotte.

'Jeetje, wat pezen jullie', zegt Selma, die ons heeft ingehaald.

'Hoi, Selma', zegt Jerry met honing en suiker in zijn stem. 'Wat heerlijk dat ik je zo snel terugzie.'

'O?'

Precies zoals ik dacht. Ze is meteen op haar hoede.

'Opschieten... de tijd dringt', hijg ik. Mijn hart stuitert en mijn longen schreeuwen het uit. Het is niet niks om Jerry mee te krijgen als zijn voeten mij dwarsbomen.

We jakkeren de lange weg af. Gelukkig is het tempo zo hoog dat onze longen onze stembanden blokkeren.

'Sorry, Selma, hier scheiden onze wegen.' Ik trek Jerry het eerste het beste gebouw binnen.

'Huh?' zegt ze. Ik probeer goeiig te glimlachen, maar ik zie er waarschijnlijk uit als een Dracula met kiespijn. 'Je hebt nog nooit een voet in de bibliotheek gezet!'

'Ik moet... eh...' Mijn gedachten galopperen. Wat zou ik nodig kunnen hebben in een bibliotheek? 'Moet een folder halen, over... eh... crèches', antwoord ik, omdat me niets anders te binnen schiet.

Selma's mond valt open, terwijl ik Jerry de gang in sleur, langs de balie en op een statief met kranten af.

Komt ze achter ons aan?

Nee, ik geloof van niet.

HET UUR VAN DE WAARHEID

'Wat bezielt jou?' vraagt Jerry. 'Je verpest het belangrijkste moment van mijn leven. Ik heb namelijk gigantisch veel aan Selma gedacht & nu weet ik zeker dat ik van haar houd & dat is een fantastisch gevoel & toen ik in de bus zat, twijfelde ik nog & dacht ik dat ik haar eerst moest zien, om te weten of het echt serieus was. Maar toen ik haar bij de bushalte zag – wat deden jullie daar eigenlijk op de grond? Eerst dacht ik dat jullie aan het vrijen waren & ik had je wel kunnen vermoorden omdat je de mooie Selma ingepikt had – ja, ik wind er geen doekjes om: ze is mooi, ook al zou ze best een paar kilo mogen afvallen – maak er maar tien kilo van, om & nabij. Maar wat ik wilde zeggen was, dat toen ik haar bij de bushalte zag, dat ik begreep dat ik absoluut dolverliefd op haar ben & dat ik haar niet kan laten lopen & dat de tijd rijp is dat ik het tegen haar zeg & dat er niets romantischer zou zijn dan dat ik uit de bus stapte & me aan haar overgaf & mijn liefde aan haar cadeau deed. XXL, Bud! Minder bestaat niet. Dus nu...'

'Jerry!' Ik probeer zijn woordenstroom te onderbreken. Wat even eenvoudig is als het tegenhouden van de dorstige olifant Bud. Maar uiteindelijk lukt het me om zijn mond te snoeren.

'Ik... eh... weet niet precies hoe ik het... eh... zal zeggen', begin ik en ik vervloek mijn stuntelige uitdrukkingsvermogen.

Ik zou hem moeten vertellen dat Selma een haai is.

Ik zou hem moeten vertellen dat zulke spontane liefdesverklaringen 92% kans lopen om te mislukken. (Als ze op een bushalte plaatsvinden wordt het faalpercentage nog hoger – 96%.)

Ik zou hem moeten vertellen dat Selma op zoek is naar een jongen die stoerder, cooler en aanzienlijk knapper is dan wij tweeen. Wij bevinden ons op zeroniveau, terwijl Selma's aanstaande vriendje zich in de superstardivisie geplaatst heeft.

In plaats daarvan stamel en stotter ik dat Selma over een week vertrekt om tot op het onherkenbare af te vermageren en model te worden en de man van haar leven te vinden. Ik doe vijf minuten over een relaas waar anderen hoogstens een minuut voor nodig hebben.

Eerst snapt Jerry niet wat de strekking is. Hij babbelt over het nut van zulke vermageringskuren en de ongezonde gevolgen van het te snel verliezen van gewicht en dat Selma vanzelfsprekend...

Dan houdt hij ineens zijn mond. Alsof de bibliothecaresse achter de balie een scherpschutter is die met haar olifantenbuks een kogel in zijn borstkas heeft gejaagd.

'Uhhh', knort hij met glasachtige blik. 'Ehhh.'

Na meerdere van dat soort geluiden sputtert zijn motor weer op gang. 'Dus dat betekent dat ze metamorfoseert?! Zodra ze op de tv is geweest, is ze niet meer degene die ze was & die ze had moeten blijven. Dan is ze niet meer de Selma die we kennen van de zomers van vroeger & het is nog de vraag of we haar ooit terugzien – want niemand die dit oord verlaat, komt weer terug & dit alles is een catastrofe wat mij betreft & nu moet ik mijn plannen drastisch veranderen & heb ik je trouwens al verteld wat voor heerlijk gevoel het was om in de bus te zitten & mijn gedachten over Selma te laten glijden – alsof ze een standbeeld was – een prachtig standbeeld – & nu moet ik eventjes nadenken.'

Zijn woorden spoelen over me heen als lome golfjes op een strand tijdens een doezelige zomerdag. Het kan zijn dat ik indut. Mijn brein is een dobber die op de golven deint en in slaap schommelt.

Ben ik vijf minuten weg? Maar drie? Of misschien wel tien?

Hoe het ook zij, ik word uit een zorgeloze wereld gesleurd door Jerry, die op een onbarmhartige wijze tegen mijn knie beukt.

Hij doet dat met een oud boek.

'Hier hebben we het antwoord', zegt hij opgetogen en hij smijt het boek op mijn schoot. Het heeft een groene kaft en een rare geur die me doet denken aan het schoonmaken van vis. Ik pak het op en lees op de eerste bladzijde: *Henry Walden: De vis van mijn leven. De jacht op de Kanjersnoek.*

Mijn wenkbrauwen maken een vragende sprong en hij zegt met een listige grijns: 'Dit is geniaal & puur toeval & meestal gaat dat samen – wist je dat? Ik strekte mijn arm uit & trok zomaar een boek uit het rek & wat voor een boek! Ik bladerde er even in & toen had Walden me al op het meest lumineuze idee gebracht dat ooit in mijn hoofd is ontsproten. Je gaat het niet geloven!'

Ik wil het niet geloven.

Ik wil er niets over horen.

In mijn gedachten spreiden een hele week met rustige zomervakantiedagen hun vleugels om weg te fladderen naar andere oorden. Het verslag dat ik hoognodig schrijven moet, kan ik aan mijn laars lappen.

Ik zou eigenlijk bloed moeten zweten omdat ik maar 5% kans heb dat ik de komende dagen doorkom zonder lichamelijk of geestelijk letsel op te lopen. Jerry's ideeën zijn altijd XXL. En dat is zeven maten te groot, naar mijn smaak.

JERRY'S FANTASTISCHE IDEE

'Je zegt dat Selma een stoere bink aan de haak wil slaan. Iemand die spijkers met koppen slaat & van aanpakken weet & een smak charme heeft. & toen ik het boek van Walden inkeek, snapte ik hoe ik Selma ervan kan overtuigen dat de ware geliefde – ik dus – zich hier in deze contreien bevindt. Voor een gedreven sportvisser als jij, Bud, is de Kanjersnoek oude koek, nietwaar? Jij trekt eropuit in weer & wind & smijt de ene kanjer na de andere op het droge & houdt van...'

Het klopt dat ik een hengel heb. Maar Jerry overdrijft. Zo nu en dan slenter ik naar een van de meren die zo'n 30-40 minuten van ons huis vandaan liggen om een dobbertje uit te werpen. Meestal 's middags. Geen ideaal moment om te vissen, maar prima tijdverdrijf.

Ik kom er eerlijk voor uit, mijn vangst tot nu toe is op twee vingers te tellen: een kleine baars en een armzalig, piepklein forelletje. Maar van de Kanjersnoek heb ik natuurlijk gehoord. In Tipling heeft het beest een legendarische reputatie. Vroeger waren de jongens uit mijn klas altijd aan het wedden wie van hen deze knoert uit het water zou trekken. Ze deden hun uiterste best met allerlei soorten spinners en pluggen, hengels en technieken.

Maar tot op heden is het niemand gelukt. Ik neem aan dat het een sluwe snoek is en bovendien een oude knar. Want als ik in het boek van Walden blader, zie ik dat het tien jaar geleden geschreven is. Toen was de Kanjersnoek blijkbaar al bekend.

En Walden kreeg hem dus niet te pakken.

'Er gaat me geen lichtje branden', zeg ik en ik geef Jerry het boek terug.

'Het is zo klaar als een klontje', zegt hij en zijn ogen glimmen van gekte. 'Met behulp van de tips van Walden ga ik die snoek vangen & dan heb ik dubbel beet.'

'Dubbel beet?' Mijn wenkbrauwen maken weer een sprong.

'Selma wil een kerel die presteert, nietwaar? & daar kom ik ten tonele met de grootste & meest befaamde & wonderbaarlijkste vis die ooit in Tipling vertoond is & ik word niet alleen de held van de dag, maar die van de week, vooruit, zeg maar die van het hele jaar & mijn foto prijkt in de krant & ik word beroemd – weliswaar niet zo beroemd als zij, zeker weten, maar beroemd genoeg om een divisie of twee op te klimmen & dat maakt indruk op haar – want daar komt het in de liefde op neer, nietwaar, dat je indruk maakt en opvalt. Zo moeilijk kan dat toch niet zijn, om een grote vis te vangen?'

'Het is statistisch bewezen dat slechts... eh... 11% van alle meisjes... eh... in hun handen klappen als een knul met een grote vis komt aanzetten', zeg ik. 'Maar verder denk ik niet dat ze zo... eh... heel erg...'

'Bud, Bud, Bud', zucht hij. 'Heeft niemand je ooit verteld dat je iets te negatief bent ingesteld? Dat is jouw grote last. Je fabriceert problemen voor ze een feit zijn & zodra er een kleine moeilijkheid opduikt, zeg je tegen jezelf: "Nou, wat zei ik?" & als die potentiele problemen uitblijven, dan zeg je tegen jezelf: "Wacht maar! Zo meteen zitten we in de penarie. Het is slechts een kwestie van tijd." Je bent een typische zwartkijker, terwijl het leven uit grijze, witte & ik weet niet wat voor kleuren bestaat. Als je zo doorgaat, glipt het leven uit je handen & sta je op een dag te koekeloeren & je af te vragen wat er in hemelsnaam fout ging. Heb ik gelijk? Of heb ik gelijk?' Hij onderstreept elk woord met een tik op de tafel.

Door het gehamer wordt de bibliothecaresse achter de balie wakker. 'Alles oké, jongens?'

'Geweldig oké', antwoordt Jerry en hij leunt naar voren en fluistert: 'Nu moeten we alleen zorgen dat ze niet ziet dat we Walden jatten.'

Ik vrees dat ze hem buiten op straat gehoord hebben.

SCHAAMROOD IS HIER NIKS BIJ

'Maar... eh... kunnen we het niet gewoon lenen?' Ik krijg de zenuwen.

'Zo'n boek moet je BEZITTEN', stelt Jerry vast. '& nu opschieten.' Met macht stopt hij – perst hij – het boek onder mijn shirt, tussen mijn riem en mijn rug, terwijl ik hem weg probeer te duwen zonder veel stampij te maken zodat de bibliothecaresse niets in de gaten krijgt.

Hij geeft zich niet gewonnen en plotseling glijdt het boek op zijn plaats. Het snijdt in mijn billen.

'Ik kan geen stap verzetten!' sis ik. 'En toneelspelen is mijn ding niet. Ik kan niet langs haar heen lopen zonder te verraden dat ik een boek in mijn broek heb. Je kent mij!'

'Dat is waar', antwoordt hij. 'Iedereen kan het aan je smoel zien als je de boel probeert te beduvelen. We hebben een plan B nodig.' Hij grijpt zomaar een boek van het rek en zegt: 'Dit kun je lenen. Dan hoef je niet te liegen of te doen alsof. Je vergeet zogenaamd dat je er ook eentje in je broek hebt.'

'Ik heb geen bibliotheekpas', stribbel ik tegen.

Het gefluister van ons tweeën op de bank wekt opnieuw de belangstelling van de bibliothecaresse. Ze kijkt ons onderzoekend aan en trekt haar wenkbrauwen vragend op.

Van die blik krijg ik het Spaans benauwd. Ik krabbel overeind en waggel op haar af. Ik zie er vast uit alsof ik een of andere aanval krijg, want ze kijkt me bezorgd aan.

'Hij heeft de zomergriep', vertrouwt Jerry haar toe. 'Koorts, buikpijn, zwakke zenuwen & een evenwichtsstoornis. Maar ik heb hem onder mijn hoede. Vooruit, Bud, geef die aardige mevrouw het boek dat je wilt lenen.'

Jerry moet me het laatste stukje duwen en mijn hand met boek en al op de balie leggen.

'Mag ik je pasje?' vraagt ze.

'... ah... eh... heb ik niet', antwoord ik verward. Er bestaat ongeveer 12% kans dat ik in de loop van tien seconden flauwval. Mijn ademhaling verdubbelt in snelheid en ik heb moeite met focussen.

'Dan heb ik een legitimatiebewijs nodig', zegt ze vriendelijk en ze wijst naar een stoel. 'Ga maar zitten, als je je niet lekker voelt.'

Ik geef haar mijn schoolpas, strompel naar het meubel, plof neer en merk dat er iets losraakt in de stoelrug. Maar hij begeeft het niet.

Jerry kletst erop los en ze kijkt hem af en toe nieuwsgierig aan terwijl ze het pasje invult.

Waarom kan *Jerry* dat stomme boek niet stelen?

Waarom word ik niet met rust gelaten?

Ik klamp me vast aan de armleuningen. Met als gevolg dat het onderstel van de stoel vervaarlijk kraakt. Ik schrik en blijf roerloos zitten, ademloos en zo stijf als een stuk knäckebröd. Dan sta ik uiterst langzaam op. Ik span mijn dijen en kuiten en werk me omhoog tot ik een lengte van 1,87 meter heb. Ze denken vast dat ik buikloop heb, dat ik mijn billen tegen elkaar moet knijpen om alles binnenboord te houden.

De bibliothecaresse en Jerry kijken hun ogen uit.

'Een zomergriep kan soms akelige vormen aannemen', zegt Jerry rustig. 'Ik herinner me dat mijn vader het dit voorjaar goed te pakken had. Hij...'

Jerry's stem ratelt en hij houdt haar aandacht gevangen terwijl ik als een stervende schildpad naar de balie sukkel.

'Zo, nu kan ik het boek registreren', zegt ze en ze glimlacht naar mijn kwieke, jonge vriend.

Ik daarentegen ben allesbehalve kwiek.

Lieden die door pudding baggeren, komen sneller vooruit dan ik.

Ik beweeg me voort in bijna geharde lijm.

Langzaaaaaaam reeeeeeik iiik haaaaaar hettt booooooek aaan ennn zeggg heeeeeel traaaaaag: 'Hiiiiiierrrrrr iiiiiisssss hettttttt.'

Ze werpt er een blik op en staart me daarna verbaasd aan. 'O, goh...' zegt ze dan.

Ze houdt mijn nieuwe pasje onder de laser en de streepjescode wordt met een korte piep gearchiveerd. Nadat ze lange tijd aan het boek gefrommeld heeft, piept de machine een tweede keer. Het boek staat op mijn naam.

Maar mijn hand is nog steeds die van een slome, stervende schildpad. Het boek glijdt uit mijn vingers.

Het valt op de grond en klapt ongeveer in het midden open. We krijgen een grote illustratie van het vrouwelijke geslachtsorgaan te zien, met namen van dingen en plekken waarvan je niet wist dat je het bestaan wilde weten.

Het is nu 100% zeker dat ik dit pand niet in levenden lijve verlaat.

'Mijn vader deed ook de gekste dingen toen hij die zomergriep had', zegt Jerry om het pijnlijke incident glad te strijken. Alsof dat haalbaar is. 'Hij smeerde jam op een boterham met leverpastei & reed zeven keer per ongeluk over de hond van de buurman & praatte alsof hij een kikker in zijn mond had.' Jerry lacht hysterisch en uit zijn afwezige blik moeten we opmaken dat hij aan zijn grieperige vader denkt.

Zowel de bibliothecaresse als ik kijken alsof hij zojuist beweerde dat hij zijn moeder vermoord heeft met een zachtgekookt eitje.

Jerry bukt, aangezien ik me niet kan verroeren. Hij trakteert de bibliothecaresse op een vriendelijke glimlach en geeft mij het boek, dat getiteld is: *Hoezo midlifecrisis? Het rijke seksleven van de rijpe vrouw.*

Ik staar Jerry aan zoals Jezus naar Judas moet hebben gekeken. De bibliothecaresse weet blijkbaar niet wat ze zeggen moet.

'Een fijne dag nog', hikt Jerry met een piepstem.

Op hetzelfde moment zakt de stoel waarop ik zat in elkaar.

Ik zucht en sluit mijn ogen.

Jerry geeft een ruk aan mijn arm en zelfs een stervende schildpad weet wanneer hij zich terug moet trekken. Ik knik naar de bibliothecaresse, die afwisselend naar ons en naar de stoel gluurt.

Ze ziet me nooit meer terug. Ook al sturen ze me stapels aanmaningen en sluiten ze me levenslang op, ik zet hier geen voet meer over de drempel.

DAT BLOTE GEDOE

Ik sta op het punt om Jerry een klap tegen zijn kop te verkopen met het boek en hem te vertellen dat hij voortaan zijn diefstallen zelf mag opknappen.

'Je bent geniaal, Bud', zegt hij voor ik de kans krijg. 'Die vrouw zal nooit op het idee komen dat wij dat boek gestolen hebben.'

Ik zou kunnen zeggen dat die vrouw ons nooit meer zal vergeten. En dat ik het liefst uit haar geheugen gewist wil worden. 'Je... eh... had dat boek best zelf kunnen stelen', zeg ik zurig.

'Waar had ik het dan moeten verbergen?' zegt hij. En hij heeft gelijk. Zijn rugzak is zo volgeladen dat er geen bladzijde bij kan. Jerry zelf is zo mager als een lucifer en hij heeft bovendien een nauwsluitend T-shirt aan. Eentje waarop *Het leven is om te zoenen!* staat. Zijn broek zit zo krap dat je kunt tellen hoeveel geld hij in zijn zak heeft.

'We moeten naar huis', zeg ik dan maar. 'Mijn ouwelui zitten te wachten. Met haring.'

'Haring! Wat zijn het toch een lieverds. Die ouders van je kun je echt...' Er volgt een ode aan mijn ouders, die zo ongelooflijk zijn en totaal niet op die van hem lijken.

Dat kan best.

Mijn vader, Georg Martin, is een beroemde hoogleraar in de Amerikaanse literatuur. Hij weet alles van Herman Melville, de schrijver van *Moby Dick*. Een boek dat gaat over een waanzinnige jacht op een witte walvis.

Mijn moeder, Liss, is een nog beroemdere hoogleraar, en wel in uitgestorven talen, zoals Latijn en andere gefossiliseerde praatgroepen, waar we nu geen tijd aan gaan verspillen. Allebei werken ze aan de universiteit van Angler. Het zijn typische romantici en ze geloven er heilig in dat je in een klein stadje dichter bij de natuur bent en 'het pure leven'. Het gekke is dat ze nooit gebruik maken van de natuur die rondom hun huis ligt.

Maar dat het zulke bijzondere mensen zijn, dat gaat er bij mij niet in.

'Dit gaat een fantastische week worden, zeker weten', vervolgt Jerry op zijn manische manier. 'Er is zoveel waar ik met je over moet praten dat er van slapen weinig zal komen, vrees ik.' Hij kijkt me onderzoekend aan. 'Even terug naar wat ik al zei, je bent me te gespannen, Bud. Is er soms iets gebeurd? Er zit toch geen slag in je wiel? We gaan er toch geen slome zomer van maken?'

Ik brom iets waaruit hij moet begrijpen dat er geen vuiltje aan de lucht is. Zelfs Jerry weet niets van de brand af en ik ben niet van plan om hem op de hoogte te brengen. Ik moet er niet aan denken.

'Hoe dan ook, ik ben ervan overtuigd dat je vanbinnen bruist van de levenslust & de knettergekke invallen, Bud', gaat hij door. 'Jouw probleem is dat je niet weet hoe je je moet uiten. Ieder mens heeft een kraan die geopend kan worden waardoor de vreugde naar buiten spuit. Zodra men zijn kraan gevonden heeft, wordt het leven een spetterende gebeurtenis. Gebeurt dat niet, dan wordt de druk te groot en raak je overspannen, Bud. Het gaat erom dat je loslaat & jezelf bent & onbekommerd in het leven staat & wat je ouders betreft, beste neef, daar is alles toch nog bij het oude? Ik bedoel wat hun kledij & dergelijke betreft?'

Ja, daar kun je donder op zeggen.

Er is één zaak die me zorgen baart – nee, dat lieg ik – maar mijn ouders in het zomerseizoen maken me wel tureluurs. Vrienden mee naar huis nemen, zoals zestienjarigen gewoonlijk doen, kan ik mooi vergeten. Het probleem is namelijk dat mijn ouders niets aanhebben, dat ze poedelnaakt rondlopen!

Mijn ouders zijn naturisten. Wie niet weet wat dat betekent, mag zich gelukkig prijzen. Naturisten geloven dat het hun gezondheid, moraal en zelfbewustheid ten goede komt als ze zo bloot mogelijk door het leven gaan. Ze noemen zich ook nudisten.

Wat de buren hen noemen, dat weet ik niet. Maar ik vermoed dat het geen leuk woord is. Mijn ouders houden rekening met anderen. Ze hebben een hoge, dichte haag om de tuin geplant, zodat ze het huis in en uit kunnen lopen zonder iemand te kwetsen.

Niemand, behalve mij.

Je zou verwachten dat ik eraan gewend raakte. Zoals ik de rest van hun gewoontes heb leren pruimen: macrobiotisch voedsel, lange uiteenzettingen over de aardbol die beter zou aarden als de koeien minder winden zouden laten, lijsten op de deur van de koelkast met conserveermiddelen en alle ziektes die je daarvan kunt oplopen. Om nog maar te zwijgen van hun dagelijkse potje gymnastiek. Ze doen dat buiten op het terras op een matje en met een grote, zilverkleurige bal. Daar rollen en tollen ze op rond, liggend en zittend en noem maar op. Een gewoon mens heeft dan niets meer te zoeken op het terras. Van oefeningen die je een kijkje geven in alle hoeken en spleten van het menselijk lichaam word ik in ieder geval pijnlijk getroffen.

Ja, je zou denken dat het je na verloop van tijd koud liet.

Of dat je het alleen maar komisch vond.

Ik weet het. Ik zou er gewoon om moeten lachen. Maar in plaats daarvan schaam ik me dood als ik mijn vader het gras zie maaien terwijl de zon zijn blote billen bruin bakt. Ik ril als ik mijn moeder naakt op de bank zie zitten. Ik moet er niet aan denken dat ze staan te kokkerellen in hun volwassen velletje.

'Ja... eh... die zijn... eh... geen haartje veranderd', stamel ik.

'Ze zijn echt ongelooflijk', zegt Jerry en hij vertrouwt me toe dat hij zou willen dat zijn ouders ook uit de kleren gingen.

Ik heb geen zin in beelden van Jerry's blote ouders in mijn kop. Daarom brom ik alleen maar, met gesloten ogen.

EREGAST

Thuis staat de buitendeur wijd open, aangezien het anders zomers niet te harden is zonder dat het overal tocht.

Jerry gooit zijn rugzak in de gang en we lopen het huis door naar het terras aan de achterkant.

'We dachten dat julle nooit zouden komen!' roept mijn vader vanuit de schommelbank waar hij languit ligt te luieren.

Gruwelijk bloot.

Mijn vader staat op.

Afschuwelijk onaangekleed.

Alles lilt en drilt en slingert.

Nee, eigenlijk is het niet zo bar. Mijn ouders zitten best strak in hun vel voor lieden van midden in de veertig. Dat zullen ze vast te danken hebben aan dat gepees op die mat en dat zweten met de zilverkleurige bal. Maar dat alles even nauwsluitend is als bij een twintiger kan ik niet beweren. Het lubbert een beetje hier. En het zakt een beetje af daar.

Jerry is dol op hen en zij zijn dol op hem. Maar de begroeting is een pietsje moeilijk, zelfs voor hem. Hij buigt zo ver naar voren dat alleen zijn hoofd in contact komt met hun hoofden.

'Jullie zien er geweldig uit!' blaat hij nerveus.

'Vind je?' zegt mijn vader en hij wrijft over zijn bijna platte buik. 'Gezonde kost, geen koolhydraten, ecologische levensstijl, snap je?'

Mijn moeder grinnikt gelukzalig terwijl ze met haar billen wiegt. Ik griezel en knijp mijn ogen vijf lamlendige seconden dicht. 'Producten met gevaarlijke E-nummers zijn uit den boze', zegt ze. 'Je bent wat je eet.'

We gaan aan tafel en mijn moeder showt haar haringcollectie: gepeperde haring, knoflookharing, zure haring, kerrieharing enzovoort enzovoort en inclusief de smurrie die ze vegetarische haring noemt. Vraag mij niet naar het recept. Het enige wat ik weet, is dat ze de haring heel bij de visboer koopt en de beesten zelf vilt en verschillende smaakjes geeft. En dat mijn moeder denkt dat ze er Jerry een groot plezier mee doet.

Zo niet, dan laat mijn beleefde neef dat niet merken.

'Zalig!' zegt hij. 'Heerlijk!' zegt hij. 'Apart!' zegt hij en hij smakt en spoelt alles weg met een sapje en kakelt over haring alsof hij een kenner is. 'Vanwege de vitamines & alle onontbeerlijke vetten is vis het gezondste wat je kunt eten', zegt hij. 'Hebben jullie je wel eens afgevraagd hoe het is voor een vis als hij onder het oppervlak zwemt & zijn buikje vult met heilzame voedingsstoffen, terwijl wij als bleke puddingen boven zijn hoofd drijven & er ineens een knots van een houten sloep het water in tweeën splijt? Om nog maar te zwijgen van een buitenboordmotor die geluiden uitbraakt die vast en zeker niet om aan te horen zijn voor vissenoren, dat wil zeggen, als ze uitgerust zijn met oren & het soort gehoor dat wij mensen...'

Jerry kan eindeloos zwammen over onderwerpen waar hij totaal geen verstand van heeft.

'À propos, vis, Bud & ik hebben een leuk vakantieplan uitgedokterd', zegt hij. 'We gaan de Kanjersnoek vangen. Bud zal me alle finesses van het hengelvak leren & samen slepen we deze sloeber in een mum van tijd op het droge, zeker weten.'

'Ja, als iemand deze klus klaren kan, dan ben jij het, Jerry', glimlacht mijn moeder terwijl ze van haar koffie nipt.

'Dat voorgevoel heb ik ook. Het kan niet anders dan een koud kunstje zijn om die oude knar aan de haak te slaan', grijnst Jerry.

'Jullie kunnen er bovendien op rekenen dat er deze week elke dag vis op het menu staat. Met deze bijbel bij de hand kan er niets mis gaan!' Hij smijt Waldens boek op de tafel.

'Als we jou niet hadden!' zegt mijn vader en hij kijkt mijn moeder enthousiast aan. Ik ben er bijna zeker van dat ze denken: hoe kunnen we onze oude Bud inruilen voor een nieuw model met de eigenschappen van Jerry? Het kan zijn dat ik paranoïde neigingen heb, maar na de brand op het schoolterrein heb ik mijn ouders tal van dat soort blikken zien uitwisselen.

'Vis schijnt goed te zijn tegen sinaasappelhuid onder je billen', zegt mijn moeder en ze maakt aanstalten om op te staan om Jerry te laten zien dat er aan haar schil weinig mankeert. Gelukkig (voor mij) gaat net op dat moment het mobieltje van mijn vader. Hij staat zo plotseling op dat mijn moeder gloeiend hete koffie op haar edele delen had gemorst als ze niet supersnel achteruit was geschoven.

Mijn vader trapt kringen in het gras terwijl hij praat. Het is geen gezellig gesprek, dat is duidelijk. Zijn gezicht wordt steeds roder en de bochtjes die hij neemt steeds krapper.

Uiteindelijk verbreekt hij de verbinding. Hij komt terug met mondhoeken die naar beneden wijzen en schenkt een nieuwe kop koffie in.

'Dat waren de schilders', zegt hij somber. 'Ze hebben afgezegd. Vanwege ziekte of iets dergelijks. Dat hoeven ze mij niet te vertellen. Misselijke pummels, dat zijn het.'

'Wat doen we nu?' zegt mijn moeder.

'Ik zal het huis zelf moeten schilderen, Liss.' Mijn vader werpt een mismoedige blik op ons afgebladderde huis.

DE BOZE SCHOONVADER

Het huis is een cadeau. Mijn grootvader van moederskant woont namelijk naast ons en hij liet het huis op zijn grondgebied bouwen als een geschenk aan mijn ouders.

Een geschenk met een bijsmaakje.

Mijn grootvader is een zuurpruim. Geen van de vriendjes van mijn moeder kon door de beugel. Inclusief mijn vader. Mijn ouders zijn nu al achttien jaar getrouwd, maar mijn grootvader noemt mijn vader nog steeds 'die vent waarmee Liss getrouwd is'.

'En daar neem je genoegen mee', bromde mijn grootvader toen mijn moeder mijn toekomstige vader voor het eerst mee naar huis nam. 'Kon je echt niets beters op de kop tikken? Hij lust niet eens een malse biefstuk. Het enige wat de knul eet, is konijnenvoer.'

De deurenfabriek in Tipling is het levenswerk van mijn grootvader. Lieden die zich bezighouden met literatuur zijn volgens hem niet goed bij hun hoofd. Het maakte de zaak niet beter dat mijn vader bazelde over scharrelkippen en macrobiotische tomaten en vond dat mijn grootvader moest overwegen om de verbrandingsoven van de fabriek te voorzien van een zuiveringsinstallatie.

Toen mijn grootvader klaar was met de bouw van ons huis (dat beschikt over een ongewoon aantal prachtige deuren), zei hij volgens zeggen: 'De jongere generatie heeft geen verantwoordelijkheidsgevoel. Hun huizen vervallen waar ze bij staan. Met dit geschenk gooi ik parels voor de zwijnen. Maar ik heb het mijne gedaan. Mijn dochter heeft een dak boven het hoofd en ik kan pitten met een schoon geweten.'

Nee, mijn grootvader is geen gemakkelijk heerschap. Toen ik zei dat ik automonteur zou worden, was hij in zijn nopjes. Volgens hem was er in onze familie in geen jaren zoiets heuglijks voorgevallen. De aap kwam al snel uit de mouw. Ook automonteurs vond hij grote sufferds. Maar uit mijn beroepskeuze bleek dat alles wat hij over mijn ouders beweerd had, klopte. Twee professoren die het niet verder schopten dan het produceren van een automonteur, bevestigde opnieuw dat de wereld er niet op vooruitging. Leuk, hoor, opa!

Hoe dan ook, na grootvaders preek over jonge mensen en huizen, besloot mijn vader dat hij het tegendeel zou bewijzen en dat ons huis altijd in prima staat zou zijn. De eerste jaren was mijn vader noest in de weer met kwast en hamer. Daarna werd zijn animo iets minder. Het is inmiddels vijf jaar geleden dat hij iets aan het huis deed.

Mijn grootvader trakteert hem dagelijks op een lading afkeurende opmerkingen. Alleen 's zomers houdt hij zich een paar weken koest. Dan is hij namelijk op vakantie.

En dit jaar was mijn vader zo slim om werklieden in te huren. Die moesten de buitenboel schilderen, voor mijn grootvader aanstaande zondagavond thuiskomt.

Het zou een verrassing zijn.

Om de buurman te plezieren.

Om de eer van mijn vader te redden.

Daarom is hij een gebroken man als de schilders het laten afweten.

EEN AANBOD WAARTEGEN IEMAND NEE HAD MOETEN ZEGGEN

Er valt een doodse stilte. Mijn moeder slurpt bijna geruisloos van haar koffie. Het enige wat we duidelijk horen, zijn de krekels die in het gras hurken en vrolijk in hun handen wrijven.

'Dit gaat te ver', zegt Jerry plotseling en hij zet zijn glas neer. We kijken hem aan alsof hij voorstelt dat we als wraak het huis van mijn grootvader in de fik steken. 'Iedereen heeft recht op een prettige vakantie. Bud! We moeten je vader helpen!'

Ik staar Jerry aan en verwacht het ergste.

'Bud en ik schilderen het huis. Dat spreekt vanzelf', zegt Jerry.

'Nee', kerm ik zachtjes. Maar niemand hoort het.

'Dat aanbod kunnen we niet accepteren', zegt mijn moeder.

'Nee', piep ik. Maar wie hoort een muis?

'Dat kunnen jullie best', zegt Jerry hartelijk. 'Elke zomer kom ik hier mijn buikje vol eten & bij jullie onder de wol kruipen & teren op jullie gastvrijheid & vriendelijkheid. Het wordt tijd dat ik iets voor de kost doe & mijn schulden afbetaal. Dat genot moeten jullie me gunnen & in schilderen ben ik een kei. Dit voorjaar heb ik de garage van mijn vader een beurt gegeven. Een lik grondverf en twee likken groen. Het kostte me amper een etmaal. Laat dit gerust aan Jerry over. Nou, wat zeggen jullie?' Hij spreidt zijn armen zo fanatiek dat ze bijna uit de kom vliegen.

'Tjaaa...' Mijn vader doet alsof hij aarzelt. Hij heeft zo'n zin om toe te happen dat het bijna zielig is. Mijn moeder houdt de boel nog steeds tegen.

'Jerry, schat', zegt ze en ze strijkt over zijn arm. 'Je hebt vakantie nodig. De geest moet ontspannen, dat is belangrijk voor je gezondheid.'

'Vakantie? Vakantie is voor niksnutten', grijnst Jerry. 'Bovendien blijven er genoeg vrije dagen over. Bud & ik klaren deze klus zo gezwind dat jullie het doodjammer zullen vinden dat jullie ons maar met één taakje hebben opgezadeld.'

'Mijn hemel, Liss, als die jongen zin heeft om te schilderen, moeten we hem niet tegenhouden', zegt mijn vader en zijn glimlach groeit zowel in de breedte als de lengte. Tot hij van oor tot oor loopt en van zijn kruin tot zijn navel. (Misschien nog verder, maar daar bemoei ik me niet mee.)

'Super!' jubelt Jerry.

'Even naar de wc', lieg ik diep bedrukt, terwijl Jerry geniet van het applaus en de bewonderende blikken.

EEN YOGI KOMT UIT DE KAST

Ik loop het huis in, maar in plaats van naar de wc te gaan, been ik door de voordeur naar de ingang van mijn eigen stulp. Afgelopen voorjaar, toen ik de strijd aanbond tegen gymleraar Valen, deed ik het moedigste wat ik ooit ondernomen heb. Ik verhuisde naar de begane grond en ging op mezelf wonen. Jarenlang hebben mijn ouders de kamer van dertig vierkante meter verhuurd om de kosten van levensonderhoud te drukken. Toen ze beter gingen verdienen, kwam de kamer leeg te staan. Dat ik de kamer op een goede dag zou kraken, lag misschien voor de hand. Er werd me in ieder geval geen strobreed in de weg gelegd.

Ik had het gevoel dat ik een zware, zwarte zak achterliet in mijn oude kamer op de tweede verdieping en aan een nieuw leven begon. Ook al was de school een hel, thuis was er iets veranderd, en dat hielp.

Nu sta ik in de zithoek en ik kijk om me heen. Naar alle dingen van me. Al het vertrouwde, veilige en knusse. Mijn luie stoel. Mijn lekkere bed. Het bureau waaraan ik mijn huiswerk doe. Mijn computer. De kleine tv waarop ik naar Fat-Burning-Camp ga kijken.

Mijn eigen wereldje.

Hier word ik niet getroffen door meerdere aardbevingen per uur.

Ik loop naar de klerenkast. Een kolos die tot het plafond reikt, met schuifdeuren en een spiegel. Ik duw de ene deur opzij en kruip in de kast. Trek de deur dicht. Leun met mijn rug tegen de achterwand en haal adem.

Voor het eerst sinds Jerry 90 minuten geleden arriveerde, adem ik rustig in.

En uit.

En in.

Niet alleen ben ik ingehuurd om de Kanjersnoek te vangen, ik zit ook in het team dat ervoor zorgen moet dat er dagelijks vis op tafel komt. En dat het hele huis geschilderd wordt. Het kostte meneer slechts anderhalf uur om me in deze vallen te lokken.

Hij is manischer dan ooit. Starbokk kan fluiten naar het verslag over de brand en Valen en de rest van de ellende. Dat is duidelijk.

Er verstrijkt een zalige zee van tijd. Ik ben omringd door duisternis en stilte. Door de geur van mijn eigen kleren.

'Bud!' wordt er in de buitenwereld geroepen.

Ik kom eraan, denk ik. Zo meteen. Moet nog even in mijn donkere hol naar adem happen. Zoals de Kanjersnoek na een lange dag zigzaggen tussen de haken. Ze kunnen de pot op, denkt het bakbeest en het blaast stiekem de aftocht. Als ik geen kik geef, kan ik ook ontsnappen, dan kan niemand me wat aandoen...

'Bud!' roep Jerry van erg dichtbij. Hij is in mijn kamer. Mijn hart ploft in mijn schoenen. 'Nee, hier is hij ook niet', roept hij naar mijn ouders, die blijkbaar in de buurt zijn. Daarna sluit hij de deur en wordt het weer stil.

Ik doe als de snoek en houd me gedeisd.

Verroer geen vin.

Beweeg geen schub.

Krabbel na een paar minuten met gespitste oren overeind.

Duw de kastdeur open en sluip naar buiten.

Luister.

Hoor niets.

Loop naar het raam en kijk naar buiten.

Haal opgelucht adem. De gevaarlijke haak ging aan mijn neus voorbij.

'Budje, Budje, wat ben je toch een slimme duvel', klinkt het vanaf mijn bed.

Ik sterf drie keer. Mijn hart wordt aan vijftien vlijmscherpe haken geregen, voor ik me omdraai en zie dat Jerry op mijn bed ligt, grijnzend en met zijn handen onder zijn hoofd.

'Een leuk trucje, Bud', zegt hij. 'Maar mij neem je niet zo snel beet. Dat je nieuwe kanten laat zien, bevalt me. Het verbaast me keer op keer dat mensen die gewoontjes lijken, dat eigenlijk niet zijn. We hebben allemaal een kast in ons lijf met bijzondere spullen waar anderen niets van af weten. Het leven zit zo vol verrassende gebeurtenissen dat ik er helemaal draaierig van word. Alsof je naar de sterrenhemel kijkt & probeert te begrijpen dat er achter elk lichtpuntje een hele wereld schuilgaat van manen & planeten met bewoners die net als wij in de ruimte turen & die zich even raadselachtig gedragen als jij, Bud. Bud, de yogi, die de stress & de drukte ontvlucht & in een kast kruipt om te mediteren. Maar ik kan je geruststellen & beloven dat we er een heerlijke & ontspannen vakantie van gaan maken. Een beetje vissen, een middagje schilderen, luilakken in het zonnetje & langzaam genieten van het leven.'

'En Selma?' vraag ik als mijn hart weer wat gekalmeerd is.

'Goh, ja, Selma', zegt hij verrast. 'Een paar seconden was ze uit mijn gedachten geglipt. Niet te geloven. Selma is een hoofdstuk apart. Een adembenemende persoon. Zullen we even bij haar langsgaan & een praatje maken? Als ik aan haar denk, proef ik honing & suiker & drop & chocolade tegelijk. Er resten ons nog maar een paar dagen voor ze naar dat Fat-Burning-Camp vertrekt. Is het geen goed idee om...'

'En de Kanjersnoek?' zeg ik. 'Hoe zit het daarmee?'

'Je bent briljant!' Hij veert op van het bed, stormt op me af en drukt een natte kus op mijn voorhoofd. 'Je hebt groot gelijk, Budje. We kunnen, ik bedoel, *ik* kan natuurlijk niet met lege handen aankomen, niet zonder die gladjanus. Ik smijt hem op de tafel & maak duidelijk dat ik dit unicum speciaal voor haar uit het water heb gevist & dan ziet ze me met nieuwe ogen & is diep onder de indruk & dat terwijl het me geen enkele moeite heeft gekost. Heb ik gelijk of heb ik gelijk? Hallo!'

Ik doe de kast open en pak de hengels.

Het wordt tijd dat we het pand verlaten.

WEETJES OVER HET WOUD

Ik woon tien minuten buiten het centrum van Tipling, tegen de zonnige helling die de bewoners het Paradijs noemen. Om in het bos te komen, loop je de straat af tot hij bij de bomen uitkomt en verandert in een pad.

Na een wandelingetje van een minuut of twintig beland je in een uitgestrekt en heuvelig gebied, het Vossenveld, waar verdwalen een koud kunstje is. De heuvels lijken allemaal op elkaar en wegwijzers die aanduiden waar Tipling ligt, zijn ver te zoeken.

Rasechte woudlopers bepalen hun positie aan de hand van de meren. De in totaal achttien meren zijn met elkaar verbonden door rivieren. Het gebied is niet alleen geliefd bij vissers. Er wordt ook druk gekanood en gekanteld.

De rivieren monden ten slotte uit in de Joekel, het eerste meer waar je langsloopt als je het pad volgt. Waaraan dat ven die naam te danken heeft, moet je mij niet vragen, want het is het kleinste van alle meren. De Joekel geeft mij altijd koude rillingen. Er staan hoge bomen die met hun takken in het water graaien en het water is zo zwart als pek.

Van de Joekel stroomt een woeste rivier in de richting van Tipling. We hebben het over – driemaal raden – de Tiplingrivier.

De rest van de meren hebben namen die ze aan hun vorm te danken hebben, zoals de Kurkentrekker, de Halve Maan, de Negen en de Arend. Van de achttien heb ik er maar een stuk of vijf met eigen ogen gezien.

EEN ZWARTE DAG

Het is 99% aannemelijk dat we de Kanjersnoek nooit te pakken krijgen. Daarom neem ik de moeite niet om helemaal naar de meren te sjokken waar de meeste snoeken zitten. Ik vind het tweede meer mooi genoeg.

'Wat is er mis aan dit meertje?' vraagt Jerry als we de Joekel passeren. Hij werpt een blik op de donkere poel.

'... eh... het brengt ongeluk om... eh... hier je hengel uit te werpen', brom ik en ik ril, zelfs op een heldere, zonnige dag als deze. Op de waterspiegel kronkelen zwarte schaduwen. De Joekel ademt onheil uit. Het doet me denken aan dode mensen en ongelukken.

We lopen door en bereiken het Bassin. Het meer is rechthoekig en lijkt inderdaad op een bassin. De oevers lopen overal even schuin af naar het water, alsof het meer ooit door mensenhanden uitgegraven is.

Ik laat hem zien hoe je de molen vastzet aan de hengel, de lijn spant en de spinner bevestigt.

Ik druk een pet op zijn schedel.

'Wat is daar de lol van?' vraagt hij.

'Wacht maar af', antwoord ik. Ik vertel hem dat evenwicht en zwaartepunt van cruciaal belang zijn.

Ik til de hengel omhoog en naar achteren.

Houd een vinger op de lijn.

Zwiep de hengel en mijn lichaam naar voren.

Zwaai als het ware met de worp mee.

Zie de spinner en de lijn een lange vlucht maken.

Dat wil zeggen, Jerry's lijn en spinner gaan ervandoor en treffen het water met een fraaie 'plop'.

De haak van mijn spinner blijft in de bosjes achter ons haken. Met veel moeite krijg ik hem los.

Nadat ik hem alles heb uitgelegd over hengels, lijnen en worpen, zegt hij: 'Bud, ik ben diep onder de indruk. Hier komt een stoffig stadsmens zaken aan de weet waarvan zijn oren wapperen terwijl jij rustig & bedreven & alsof het niets is je hengel uitwerpt. Wat een schouwspel. Je zou jezelf moeten zien! Je bent baas boven baas, Bud! Een ongekroonde koning! Waarom heb je die kunsten nooit eerder vertoond?'

Ik geniet van het moment en voel me zelfs een beetje wereldkampioen, ondanks de mislukte eerste worp. Hij heeft gelijk. We zijn nog nooit samen gaan vissen. Daar hadden we het altijd te druk voor.

Op mijn tweede en derde poging is niets aan te merken, maar de vierde gaat weer goed mis. Morrend ruk en trek ik aan de lijn, maar de struik laat mijn spinner niet los. Uiteindelijk zie ik me genoodzaakt om de lijn af te kappen.

Ondertussen hengelt Jerry braaf door. Hij werpt en haalt in. En ik moet bekennen dat het hem goed afgaat. Er is geen sprake van toeval en geluk. Hij is een natuurtalent.

Ik bevestig een nieuwe spinner aan de lijn en slinger het ding in het water. Met mijn pet en al.

'Aha', zegt Jerry en hij probeert de blunder goed te praten. 'Die petten dienen om geen haak in je kop te krijgen. Geniaal, Bud! Nog even en mijn pet drijft naast die van jou.'

Maar er gebeurt niets met zijn pet.

Jerry is een winnaar.

Wat mij betreft, ik beleef een zwarte dag. Hij was tot zwartheid gedoemd toen ik de mail van Starbokk las.

Kan het erger worden?

Ja, dat kan.

Veel erger.

EEN PIKZWARTE DAG

'Hé, daar!' wordt er vlak achter ons geroepen en ik kukel zowat in het water.

Het is een meisje van een jaar of achttien, negentien. Ze heeft zwart haar dat in een lange vlecht over haar schouder hangt en ze heeft legergroene kleren aan, van het soort dat alleen stoere woudlopers dragen. Op het eerste gezicht lijkt ze geboren en getogen te zijn tussen bomen. Een kruising van Tarzan en Rambo, een vrouwelijke versie welteverstaan. Ze weegt misschien evenveel als Selma, maar haar kilo's zijn anders verdeeld. We hebben het over een getraind lichaam met solide biceps, triceps, dijen en kuiten. Ze ziet eruit alsof ze elke ochtend zware halters de lucht in zwiept en een bord staalvezels verorbert. Bovendien oogt ze woedend.

'Die plek is van mij.' Ze steekt haar wijsvinger uit. En dan pas zien we het klapstoeltje, de kleine rugzak en de hengel die tegen een boom is gezet. We staan er slechts een paar meter vandaan.

Mijn dag is zo beroerd dat ik bereid ben om overal over te twisten. 'Ja, maar... eh... je was niet bepaald... eh... druk bezig met vissen', zeg ik. 'We zijn hier al zeker een half uur.'

'Maakt niks uit', zegt ze. 'Ik was er het eerst. Ik heb alleen maar een rondje gejogd om op te warmen.' Ze trekt een handdoek uit de rugzak en wrijft het zweet van haar gezicht.

'Kun je niet... eh... een stukje opschuiven?' Ik wapper naar een plek iets verderop.

'Geen sprake van', zegt ze rustig en ze rommelt weer in de rugzak. 'Ophoepelen, allebei.'

'Dit meer is niet van jou', zeg ik verrassend vastberaden.

'Nee, maar ik ben hier de prof', zegt ze en ze haalt een doos met spinners en een mes tevoorschijn. 'Ik wil niet gestoord worden. Leken verpesten de vangst.'

Wat moet ik nog meer zeggen? Rappe replieken zijn eerlijk gezegd niet mijn ding. Er komt geen letter uit mijn mond.

'Sorry, maar hoe heet je eigenlijk?' vraagt Jerry plotseling.

'Wat voor belang heeft dat?' antwoordt ze argwanend terwijl haar vlecht onverwachts losraakt zodat het haar voor haar gezicht valt.

'Geen enkele.' Zijn ogen krijgen de vreemde glans die maar één ding betekent. Hij vindt haar leuk.

'Maggie', zegt ze en ze strijkt het haar geïrriteerd uit haar ogen. 'En jij?' Ze doet nog steeds haar best om boos te zijn. Maar ik heb dit eerder meegemaakt. Zo meteen slaat haar humeur om. Ze heeft het alleen nog niet in de gaten.

'Jerry', zegt hij vrolijk.

'Jerry.' Ze zuigt op de naam alsof het een snoepje is. 'Toffe naam.' Ze smakt en glimlacht stuurs.

'Toffe outfit', zegt Jerry. 'Helemaal mijn stijl.'

'Hm', zegt ze. Ze werpt het hoofd in de nek om het weerbarstige haar naar achteren te schudden. En met die beweging verraadt ze zich. Ze wil ons haar gezicht laten zien, de ogen, de mond, de blik.

Vanaf nu lijkt er een vierbaansweg te lopen die maar één kant opgaat: naar zoenen en geflikflooi. Een brede snelweg naar het moment dat Jerry en Maggie hand in hand de ondergaande zon tegemoet lopen.

Het is slechts een kwestie van tijd.

Voor wie Jerry niet kent, is dit alles tamelijk warrig. Want hoe zit het met Selma, van wie hij naar eigen zeggen zielsveel houdt? Het antwoord is dat Jerry in staat is om veel verschillende gevoelens te hanteren. Zijn hart is als een knots van een huis met veel kamers en meerdere verdiepingen. Bovendien heeft hij de neiging om te vergeten wat hij een uur eerder beweerd heeft.

Ik maak daar gewoonlijk geen punt van.

Dit keer doe ik dat wel.

Dat maakt de dag nog zwarter. Pikzwart is er niets bij.

Op dit moment zou ik het liefst in mijn kast zitten. Zonder te denken. Alleen maar ademen. Uit en in.

Op dit moment zou ik het liefst in een diepe put vallen.

DE SMEEKBEDE VAN EEN DIKZAK

Wat er namelijk gebeurt, is dat de Liefde mij overvalt. Even onverhoeds als een snoek die in je spinner hapt. En dat terwijl ik niet eens in de smiezen had dat ik een lijn had uitgeworpen.

Ik kijk naar de vlecht die losraakt en het haar dat voor haar ogen valt. Kijk naar de hand die het opzij strijkt. Zie hoe ze haar hoofd naar achteren gooit.

De Liefde sluipt naderbij terwijl Maggie zulke gewone dingen doet.

Mijn hart zakt in elkaar als de kamers getroffen worden door giftige liefdespijlen. Ik weet dat ik haar hebben wil. Dat ik Maggie hebben wil. Ik wil van haar houden. Ik wil van haar zijn.

Ik bewonder elke millimeter van haar sterke, prachtige lichaam en ik zou er het liefst in willen wegzinken en wegdromen. Ik wil wiegen in haar armen.

De tragische kant van de zaak is dat ik geen kans maak. Niet nu Jerry zich aangemeld heeft en zij daar niets op tegen schijnt te hebben. Blijkt te hebben.

Ik ken geen gebedjes uit mijn hoofd. Dus verzin ik er eentje ter plekke: 'Lieve God. Ik bid niet vaak. Voor smeekbedes ben ik te bescheiden. Dit is een uitzondering. Naar mijn weten is er in de wereldgeschiedenis geen enkel voorbeeld van een dikzak die iets bijzonders gepresteerd heeft. Maar toch vraag ik U: geef deze liefde aan mij! Jerry mag alles hebben wat overblijft. Als ik Maggie krijg, dan ben ik gelukkig. Dan zal ik U nooit meer lastigvallen. Wees gegroet en amen. Bud.'

MICROVIS

'Oké, jongens. Ik geef jullie vijf minuten om jullie slag te slaan', zegt Maggie iets vriendelijker. 'Meer tijd heb ik niet nodig om mijn gerei klaar te maken.'

Ze gaat op het klapstoeltje zitten, met het viskistje op schoot, terwijl wij beginnen te vissen alsof de dood ons op de hielen zit.

'Jullie tijd is bijna om', zegt ze een paar minuten later. 'Hoe heet je ook weer? Jerry?'

Jerry draait zich juist een halve slag om als zijn hengel begint te trillen. Niet vreselijk en schrikbarend. Een beetje.

Hij haalt in en we nemen de vangst in ogenschouw. Dat wil zeggen, we doen ons uiterste best om het beestje waar te nemen.

'Een zeldzaam exemplaar', zegt Maggie. 'Zo'n klein visje heb ik nog nooit gezien!' Haar lach klinkt als rinkelende parels.

Jerry bestudeert de vis van alle kanten. 'Is het echt een vis?' vraagt hij verwonderd. 'Kijk eens goed.'

'Sorry, maar ik heb geen microscoop bij me', grinnikt Maggie.

'Zeg, aangezien jij een echt natuurmens bent,' zegt Jerry tegen haar, 'vind je het misschien leuk om te weten dat we eigenlijk op zoek zijn naar de Kanjersnoek. Die schijnt hier ergens rond te lummelen, nietwaar?'

Maggie schudt haar hoofd. 'Amateurs met ambities! Op zoek naar de beroemde snoek die vaak gezien, maar nog nooit gevangen is. Hoewel, ik heb gehoord dat een sportvisser, een zekere

Walden, hem ooit aan zijn haak had bungelen. Eerlijk gezegd geloof ik niet dat het beest bestaat. Er doen meer verhalen over snoeken de ronde dan er vissen zijn. Dat zegt genoeg.'

'Maar stel dat je ons een gouden tip moest geven', zegt Jerry. Er laait een blauwe lasvlam tussen hen op. Het regent vonken. Ik kan er niet naar kijken en draai me weg om in mijn hengeltas te rommelen.

'Als ik een tip moest geven, dan stuurde ik jullie naar de Klauw', antwoordt ze. 'Maar aangezien alle meren met elkaar verbonden zijn door riviertjes, kan de legendarische snoek zich in feite overal bevinden.'

Ze verwenst ons naar een plek ver van haar eigen stek vandaan. Een tocht naar de Klauw kost ons één uur, de terugreis niet inbegrepen.

Wie wordt gedwongen om dat hele eind te lopen? Ik natuurlijk.

Jerry zal het niet eens merken. Die heeft een grote mond op pootjes.

Ik weet het goedgemaakt. We gaan naar huis.

VIS OP TAFEL

'Vandaag komt er zoals afgesproken vis op tafel, vrienden', zegt Jerry alsof hij met een vol leefnet thuiskomt.

Hij legt de piepkleine voorn op het aanrecht. Als we naar boven afronden, dan is hij misschien vijf centimeter.

Mijn vader buigt naar voren en bekijkt hem met grote ogen. 'Is dit een vis?'

'Ja, een voorn', zegt Jerry zelfverzekerd en hij voegt eraan toe: '*Rutilus rutilus* luidt de Latijnse naam.' (Dat heeft hij natuurlijk uit de lijst achter in het boek van Walden.)

'Goh, dat je dat weet.' Mijn moeder is diep onder de indruk. 'Er is tegenwoordig bijna niemand meer die interesse toont voor Latijn.'

'Ik ben er verzot op', antwoordt Jerry onmiddellijk. 'Op alles wat oud & klassiek is, zoals de Grieken, de Romeinen, de Galliërs & andere volkeren die een taal spraken waarvan we vandaag de dag vrijwel geen woord begrijpen. Het is niet te vatten, alles wat die lieden duizenden jaren geleden dachten & opschreven & dat in een taal die vast & zeker even moeilijk was als die van ons. Je wordt er gewoon tureluurs van. Van de gedachte aan het verre verleden & aan de mensen die vóór ons leefden & alles wat zij meemaakten & de verhalen die zij ons hadden kunnen vertellen. Is het niet wonderlijk & onvoorstelbaar? Alsof je naar de sterrenhemel tuurt & bedenkt dat...' Jerry vergast ons op zijn geliefde tirade over sterren en planeten.

Ik staar naar het miezerige visje, het kleinste voorntje dat ooit in onze wateren gevangen is.

Mijn ouders zijn er echter stil van. Van zijn woordenstroom. En van het feit dat het hem gelukt is om deze, zeg maar, uitzonderlijke vis aan de haak te slaan. Ze beschouwen het als een hele prestatie. Mijn ouders zijn natuurliefhebbers die geen stap buiten het terras en de tuin zetten. Ze halen hun vis, vlees, bessen en groente in de supermarkt en van jagen en verzamelen hebben ze totaal geen verstand. Heel soms stappen ze in hun biodieselauto om ergens op een geasfalteerd wandelpad een stukje te kuieren. De prestatie die Jerry geleverd heeft, komt in hun ogen overeen met de bezigheden die Tarzan dagelijks in het oerwoud verricht. Ze kijken dan ook hun ogen uit als Jerry met een extra scherp stanleymesje het lijkje opensnijdt en er de ingewanden uitpeutert. Met grote gebaren hakt hij het kopje en het staartje eraf, voor hij de romp eerst in tweeën en daarna in vieren deelt, zodat we allemaal kunnen proeven.

'Wie niet aan zijn trekken komt, neemt maar wat meer groente & aardappelen', grijnst hij als mijn moeder de vier reepjes vol eerbied in de braadpan legt.

'Het water loopt me in de mond', zegt mijn vader terwijl de vis in de boter knispert.

'Wat een verwennerij', zegt mijn vader als zijn bord volgeladen wordt met aardappelen en groente en mijn moeder er een flintertje vis bovenop legt.

'Zalig, dit is pas vis, Jerry!' zegt mijn vader en hij kauwt en smakt alsof hij een hap malse buffelbiefstuk in roomsaus in zijn mond heeft.

Ik knik en probeer enthousiast over te komen, maar niemand interesseert zich voor mijn doen en laten.

'Trouwens', zegt mijn vader als we aan het toetje beginnen. 'Liss en ik hebben met elkaar gesproken over die schilderklus. Je bood aan om ons gratis uit de brand te helpen en ook al ben je geen gediplomeerde schilder, toch willen we je de helft aanbieden van het salaris dat we de schilders beloofd hebben.'

'Dat is in orde, Georg', zegt Jerry stoer en hij steekt een hand uit naar mijn vader.

Mijn vader heeft een traantje in zijn ene ooghoek. Ze schudden elkaars hand met het air van staatshoofden die na een bijzonder uitputtende wereldoorlog een vredestraktaat ondertekend hebben.

'Hier is het geld', zegt mijn vader.

'Nee, we moeten eerst ons best doen', werpt Jerry tegen.

'Ik ben de baas', zegt mijn vader en hij duwt de briefjes in zijn hand. 'En hier heb je jouw aandeel.' Hij draait zich om naar mij en geeft me een stapeltje bankbiljetten.

'Deze zomer kan niet meer stuk', zegt Jerry en hij loopt achter mijn ouders aan naar de zitkamer.

Daar blijven ze de rest van de avond zitten keuvelen.

Ik zit er ook, maar ik zeg niets. Wat zou ik daarmee opschieten?

Om acht uur trek ik me terug om Fat-Intro niet te missen en de twee minuten en dertig seconden met een blozende, gelukkige Selma, die iedereen vertelt wat ze uit het leven wil halen en hoe blij ze is dat ze uitgekozen is en hoe hard ze haar best gaat doen om te winnen.

Jerry zou eens moeten zien hoe mooi en moedig ze is.

Maar ik schrik me wild als ze eindigt met de woorden: 'Ik wil de groeten doen aan een vriend van me met een voornaam die begint met een B. Als hij me niet had overgehaald om de sprong te wagen, dan had ik hier niet gezeten. Hoi, B! Als je nu zit te kijken, moet je goed luisteren. Wie niet waagt, niet wint! Springen B!'

BUDS EERSTE BRIEF AAN STARBOKK

In de stilte na de stilte nadat ik de tv heb uitgeschakeld, kost het me evenveel moeite om te denken als niet te denken. Ik zweef in een gewichtloze ruimte. Ik zweef als na een explosie. Ik zweef, zonder te weten waar ik zal landen.

Het is alsof ik een teken heb ontvangen.

Regelrecht uit het niets. Regelrecht aan mij gericht. Regelrecht uit de buis. Onverwacht en ongenadig en toch van zoveel liefde getuigend dat ik ontroerd ben. Selma doet me de groeten en daagt me uit om te springen, op de tv! Dat voelt zo'n beetje alsof God Zijn wijsvinger in mijn borstkas prikt en vraagt of ik Hem een dienst kan bewijzen.

En dat overkomt mij, die vanochtend het idee had dat er geen hoop meer was. Ik had te lang gedraald met het schrijven van het verslag en nu Jerry plots op mijn lip kwam zitten, was mijn toekomst totaal verknald.

Deze toespraak van Selma is echter als een reddingsboei. Ik besluit dat ik het noodlot zal tarten. Ik laat me niet kisten!

Ik word fel. En ik doe iets wat ik nooit van mezelf verwacht had. Ik zet de computer aan, open het e-mailprogramma, klik op 'Nieuw bericht' en begin te schrijven.

Dit gaat bloed enzovoort kosten. Ik moet de juiste woorden kiezen. De man is tenslotte psycholoog. Zelfs als ik mijn uiterste best doe om de geschiedenis een ietsje mooier te maken dan hij is, zal hij mij aanstonds doorhebben. Bovendien kent hij de andere kant van de zaak, dat wil zeggen: de versie van Valen. Maar speelt Valen met open kaart? Dat zou me verbijsteren! Ik herinner me elk woord dat de eikel zei. Het probleem is helaas dat men verwacht dat ik aantoon dat ik begrijp wat ik heb teweeggebracht. Het voelt als een straf. Het moet voelen als een straf. Het is een straf. Enzovoort enzovoort.

AAN: Herman_Starbokk@schoolpsychologischedienst.tipling
VAN: bumartin@ishmaelpost.net
ONDERWERP: Eerste verslag
\- - - - - - -

Het begon volgens mij toen alle gymnastiektoestellen ineens wit waren. We hadden gym van Valen en hij vindt het waanzinnig belangrijk dat lichamen in beweging zijn. Hij is verknocht aan zijn toestellen en dit semester had hij ze allemaal wit geschilderd. 'Dat betekent reinheid, geëerd zootje nietsnutten', zei hij. 'Een zuivere ziel in een zuiver lichaam in een zuivere zaal met zuivere, witte toestellen. De bedoeling is dat zelfs lieden als jullie in de juiste stemming komen en dientengevolge in staat zijn om de kleine inspanning te leveren die nodig is om jullie luie lichamen te veranderen in de heilige tempels die ze behoren te zijn. De grote vraag is natuurlijk of jullie beschikken over een gezond reactievermogen.'

Zo praatte hij. Letterlijk.

Omstandig en ervan overtuigd dat we allemaal idioten waren. Maar ik was er inmiddels aan gewend, aan Valen en zijn onbeschofte opmerkingen over mijn gewicht. Ik hoorde het niet eens meer, omdat ik er ook aan gewend was om niet naar hem te luisteren. Tijdens zijn lessen leerde ik hoe ik mijn oren dicht kon knopen.

Ik had het dus over witheid. Gedurende de wintervakantie was Valen uren zoet geweest met het witten van alle toestellen, dat wil zeggen, de kast, het paard, de balk en niet te vergeten de Bok. In plaats van een normale gymbok, had Valen een gigantische gymbok op de kop getikt, een bok in de maat XXL. Iedereen had moeite met dat ding en niemand sprong er zomaar overheen.

Maar wat mij provoceerde, was die witheid. Dat je bij wit aan zuiverheid moest denken. Wit, het symbool van vrede, van leven en positieve zaken.

Terwijl mijn omgang met gymtoestellen tot de grootste nederlagen van de week hoorden. Tweemaal per week verloor ik de strijd tegen die ellendelingen. De gymtoestellen waren mijn aartsvijanden.

'Opnieuw proberen, als je lef in je lijf hebt tenminste', zei Valen.

'Vergeet je dikke kont niet', zei Valen.

'En nu onze gazelle', zei Valen.

Daar trok ik me allemaal niets van aan.

Maar dat die toestellen krijtwit naar me stonden te grijnzen, daar kon ik niet tegen.

Ik balanceerde, klom en sprong slechter dan ooit.

Omdat ze me woedend en radeloos maakten. En vernederden.

Januari, februari, maart en april. Elke maand hetzelfde liedje.

Witte spot en witte razernij.

Witte schande en witte wanhoop.

Ik kwam met geen mogelijkheid over die Bok. De rest van de klas had een geheime techniek ontdekt waardoor ze als geiten over het witte monster sprongen.

Maar ik – ik dreunde tegen de Bok aan. Ik stootte mijn kloten tegen de kant van de Bok. Ik hing te bungelen aan de Bok. Het lukte me maar één keer om op het achterwerk van de Bok te belanden. En toen moest ik mijn lichaam op een onnozele manier naar voren zien te hotsen.

'Wat een gezicht!' zei Valen.

'Het lijkt wel alsof je op een dolle stier zit', zei Valen.

'Ik geloof warempel dat je ook billen aan de voorkant hebt', zei Valen.

Witte spot en witte woede.

In mei kon ik niet meer.

We stonden in een lange rij klaar om hem te lijf te gaan. De Bok. Mijn grootste vijand. Ik was nummer drie.

Sanner sprong het eerst. Eroverheen. 'Prima!' zei Valen.

Daarna sprong Kent. Eroverheen. Een perfecte landing. 'Schitterend!' zei Valen.

Toen was het mijn beurt. Maar ik bleef staan.

'Kom op. Hij bijt niet', zei Valen. 'Hij kijkt wel uit na al die dreunen die je hem verkocht hebt.'

Iedereen lachte en ik verroerde geen vin.

'Vooruit, Martin', zei Valen. 'Doe niet zo kinderachtig. Flaters zijn we van jou gewend. Denk maar niet dat we hoge verwachtingen hebben.'

Ik bleef staan.

Valen kwam op me af en dacht dat ik bang zou worden. Maar aangezien hij een halve kop kleiner is dan ik, was het eerder komisch toen hij naar me opkeek en zei: 'Houd op met dat getreuzel. Spring!'

Ik keek hem lange tijd aan voor ik antwoordde: 'Nee.'

Hij probeerde me te duwen. Maar een kleine vlieg als Valen krijgt mij geen millimeter vooruit.

'EN NU SPRING JE!' schreeuwde hij.

'Nee', zei ik, nog steeds even kalm.

Valen keerde zijn rug naar me toe en de jongens uit mijn klas staarden me met grote ogen aan. Valen liep naar het raam en keek naar buiten. We konden zien dat hij zijn uiterste best deed om niet te exploderen. Er kwam nog net geen stoom uit zijn oren.

Toen bleek hij een besluit te nemen en hij draaide zich weer om. 'Ga opzij, Martin', zei hij.

Ik slofte weg. 'Nee! Je blijft vóór de startstreep staan. Je hebt de opdracht niet uitgevoerd. En je blijft daar staan tot je gehoorzaamt.'

Dus bleef ik staan, terwijl Finn, John, Alex en de rest om de beurt over de Bok sprongen.

Ik bleef braaf staan.

Ook toen mijn klasgenoten naar de andere toestellen liepen.

Valen hield me in de smiezen. Lette erop dat ik pal op dezelfde plek bleef staan. En dat deed ik tot de les afgelopen was en hij zei: 'Nu heb je geleerd hoe het niet moet. De volgende keer laat je die stomme streken achterwege, nietwaar?'

Dat had hij goed mis.

Met vriendelijke groeten,

Bud Martin.

– – – – – – –

BUDS ONTSNAPPING

Ik voel de koude rillingen over mijn rug lopen. Ik zie het niet meer zitten om door te gaan. Nu niet en misschien wel nooit.

Ik verstuur de e-mail naar Starbokk en zet de computer uit.

Op hetzelfde moment komt een opgetogen Jerry mijn kamer in. Hij wil kletsen en daar heb ik geen zin in. Daarom voert hij het woord terwijl ik antwoorden mompel en naar de tv kijk. De komende uren.

Tot hij midden in een zin in slaap valt. Ik leg een dekbed over hem heen en kijk op mijn horloge. Het is vijf over twee en iedereen in Tipling ligt te pitten.

Alleen de vrachtwagens die met ladingen planken over de hoofdweg denderen, zijn te horen. Ze trekken eropuit om de wereld in een nieuw jasje te steken.

Ik heb een besluit genomen!

Ik moet mijn eigen ding doen, ook al zit Jerry boven op mijn lip. Zo niet dan word ik knettergek. Dan verlies ik de laatste 3% van mijn zelfvertrouwen.

Ik stap over de matras waar de slapende kletsmajoor ligt op te laden. Grijp een T-shirt en sluip de kamer uit. Trek het kelderluik open en daal af in de duisternis. Een gangetje door en dan naar rechts. Ik hurk neer voor de onderste plank. Hoeveel dagen zit ik met Jerry opgescheept?

Zeven dagen.

Overdag kan ik geen kant uit.

Alleen 's nachts kan ik ontsnappen.

Vandaag is het maandag en hij vertrekt op zondag.

Zes nachten heb ik ter beschikking.

Ik omklem zes flessenhalzen en neem mijn vangst mee naar buiten.

Mijn voeten beroeren het gras en mijn tenen krullen van genot. Er gaat niets boven het gevoel van blote voetzolen op koel, vochtig gras.

Op mijn grootvader valt veel aan te merken. Maar smaak heeft hij wel. Dat zie je aan het prieel waarnaar ik nu koers zet. Ik sluip over het gazon en door het gat in de haag naar het terrein van mijn grootvader. Een tegelpad leidt naar de lange ladder onder aan het tuinhuis. Mijn grootvader heeft het kunstwerk namelijk op een heuvel gebouwd die uitzicht biedt over de hele nabije omgeving.

Het prieel heeft hij eigenhandig opgetrokken van dikke balken en houten pluggen, zonder ook maar één spijker te gebruiken. Elke balk heeft hij op maat gezaagd, gladgeschaafd en gelakt. Het prieel doet denken aan een foto van een Japanse tuin die ik een keer zag. Het is stijlvol en primitief, alsof het uit de aarde omhoog is gekomen en bij de natuur hoort.

Ik loop over het tegelpad naar het huisje. Daar kan ik kiezen tussen twee mogelijkheden. Ik kan de lange, roestige ladder opklimmen die tegen de steile helling staat. Of ik neem het smalle grindpad dat aan de oostzijde naar boven slingert.

Ik vrees dat ik te weinig lucht in mijn longen heb voor de ladder en daarom kies ik het pad. In de loop van een paar minuten ben ik bij de Satelliet. Zo noemt hij namelijk zijn prieel. En nu, midden in de nacht, begrijp ik pas waaraan het prieel die naam te danken heeft.

ONDER DE STERREN

Hierboven voel ik de zachte zomerwind langs mijn huid strijken. Ik zit met een flesje bier in mijn hand voor me uit te staren. Ik ben een astronaut die in een ruimteschip op weg is naar de verste sterren.

Ik til het flesje naar mijn mond en neem een slok van mijn vaders bier. De smaak valt tegen. Dit bier is me te bitter. Zou de houdbaarheidsdatum verstreken zijn?

Ik geniet van het prettige gevoel dat ik de enige mens in Tipling ben die wakker is. De enige die erop let dat de wereld ook 's nachts op de been blijft. Ik ben een bewaker die een stevige borrel drinkt om de nacht door te komen. Een kerel die alle schurken en demonen op een afstand houdt.

Ik laat mijn ogen over de woonwijk glijden. De huizen liggen als een kudde schapen om me heen. Ze vertrouwen erop dat herder Bud een oogje in het zeil houdt en elke vijand onder zijn hielen vermorzelt.

Daar heb je het huis waar Selma achter een open zolderraam ligt te slapen. Ze droomt van televisieoptredens en beroemdheid en rijkdom en alles wat hier niet te krijgen is. Alles wat maat XXL heeft en thuishoort in een andere wereld.

Waar woont Maggie? Ik zou willen dat ik wist welk huis van haar was, dat ik wist welke kant ik moest uitkijken. Met een stukje schoorsteen zou ik al tevreden zijn. Dan kon ik ernaar wijzen en zeggen dat daar, onder dat dak, het liefste meisje van de wereld woonde. Het mooiste. En het moeilijkste.

Het zou hoe dan ook een troostvolle gedachte zijn.

Voor bewaker Bud.

Ik drink zo snel dat ik het hoor ruisen tussen mijn slapen. De sterren floepen aan en uit en soms valt er eentje naar beneden.

Ik leeg het flesje en laat een tevreden boer voor ik het op de tafel zet.

Misschien heb ik te snel gedronken. Misschien vond de wereld dat ik vandaag mijn portie geluk heb gehad. Hoe het ook zij, ik zet het flesje naast de tafel. Het kukelt op de grond en verbrijzelt met een rinkelend geluid.

Ik staar paniekerig in het schemerdonker en denk aan mijn blote voeten. De vloer ligt vol scherven en ik vermaan mezelf om me niet te verroeren. Mijn grootvader is god zij dank gezegend met een vooruitziende geest. In het kastje in de hoek heeft hij stoffer en blik liggen. Ik maak me lang en doe mijn uiterste best om mijn voeten niet te verplaatsen. Met de stoffer veeg ik de scherven opzij zodat ik een paadje krijg waaraan ik me niet kan snijden.

Daarna berg ik de rest van de flesjes op in het kastje. De stoffer gooi ik in de hoek voor ik weer naar buiten en naar huis sluip.

'Koekoe', fluister ik onderweg. Vreemd genoeg ben ik in mijn nopjes met mezelf.

Ik ga languit op mijn rug in het gras liggen en tuur naar de sterren, die gaatjes prikken in de zwarte nachthemel. Ze blinken blingbling naar mij en zeggen: 'We zien je, Bud. We denken aan je. Het ga je goed.'

Ik zou willen dat ik een Jerry was. Ik zou willen dat ik geen muisje in een hol was.

Dan bedenk ik ineens dat ik misschien aan het muizenleven kan ontsnappen. Ik kan proberen om iemand anders te worden. Morgen bijvoorbeeld. Ik kan van Jerry leren. Hij wisselt aan één stuk door van humeur en van persoonlijkheid.

Morgen verander ik in... in een... ik kan niets beters verzinnen dan 'een helse demon'. Het is een twijfelachtige rol. Een demoontje dan maar?

Een muizendemon?

Een microdemon?

'Koekoe', fluister ik een laatste keer voor ik in het gras in slaap val bij het geluid van de vrachtwagens die dag en nacht op pad zijn naar andere en meer betoverende plaatsen.

Citaat uit
De vis van mijn leven. De jacht op de Kanjersnoek
van Henry Walden.

'Ik wind er geen doekjes om: ik ben ouderwets. Daarom gebruik ik een hengel van bamboe die ik jaren geleden voor een fortuin heb gekocht – een Paradise de Luxe. Hij is handgemaakt en bestaat uit zes korte bamboestokken die in driehoekige stukjes zijn gezaagd die vervolgens weer tegen elkaar zijn gelijmd. De bamboe komt uit China en is van de beste Cassady-kwaliteit.

Nadat zo'n stok lange tijd heeft liggen drogen, wordt er een punt aan geslepen voor hij minutieus wordt gladgeschuurd. De beste stokken, ongeveer 25% van de hele voorraad, krijgen het etiket 'de Luxe'. Die gaan naar men zegt een heel leven mee.

De fout die het gros van de sportvissers maakt, is dat ze hun hengel in de schuur laten slingeren als er niet gevist wordt.

Maar op die manier sla je nooit een vis als de Kanjersnoek aan je haak. Natuurlijk, iedereen kan weleens boffen. Het gaat er mij echter om dat je weet op welke wijze je je kansen kunt verbeteren. Zou je een geweer buiten in de regen laten liggen en je patronen rondstrooien op het erf? Of je Rolls Royce laten ondersneeuwen?

Dat bedoel ik!

Daarom haal ik de hengel als ik thuiskom uit het foedraal. Ik maak hem schoon en daarna hang ik hem voorzichtig tegen de muur – bij voorkeur in de huiskamer – zodat hij goed droogt.

Als het visseizoen voorbij is, haal ik de hengel helemaal uit elkaar. Alles hang ik netjes weg op een plek in het huis waar het niet te klam is en niet te droog. Een vochtige kelder is vragen om ellende. Aan de onderkant van de stokken bevestig ik een stuk lood zodat ze in de loop van de winter kaarsrecht worden.

Een hengel die op een vochtige plaats staat of schuin tegen een muur leunt, gaat kapot. De eigenaar laat duidelijk zien dat hij het snoekvissen niet serieus neemt.

Ik begin deze jacht zo: ik leg mijn hand eerbiedig op mijn Paradise de Luxe en beloof plechtig dat ik met deze hengel de grootste vis van Tipling ga vangen.

Een goed begin is het halve werk.'

PLATTE FOREL
=
DINSDAG

EEN MOOIE DOOD

De helse demon droomt dat hij de dag heerlijk uitgeslapen zal beginnen, zo rond een uur of tien.

In plaats daarvan wordt mijn schouder ruw beetgepakt en beland ik in een nachtmerrie waar ik word aangevallen door een bijterige hond. Ik maai met mijn armen en geef het beest een harde trap.

Ik tref iets zachts en dat 'iets' kreunt: 'Aauu, doe eens normaal!'

Ik rol op mijn zij om aan het 'iets' te ontsnappen, maar krijg te veel vaart. Ik ben in slaap gevallen op een helling en buitel holderdebolder op de aalbessenstruiken van mijn vader af.

De takken kraken en de bessen vliegen om mijn oren. Erger is het dat de brandnetels hier welig tieren. Ik heb het gevoel dat ik in een mierenhoop ben beland. Eerst lijkt het alsof honderdduizend beestjes over mijn lijf marcheren. Daarna denk ik dat mijn benen in de fik staan. Ik krabbel in recordtempo overeind. Zie Jerry's van pijn vertrokken gezicht. Hij wrijft over zijn dij, waar een plek steeds blauwer wordt. De zon ligt onder de horizon zodat de mens moet gissen hoe laat het is.

Ik kijk op mijn horloge. Het is vijf uur. Nu begrijp ik waarom de zon het vertikt om zich te laten zien.

'Eh... Jerry...? Wat ben je aan het doen?' stamel ik.

'We zijn hier niet om te luieren & lol te trappen', zegt hij.

'Eh... nee?' Ik bekijk mijn geteisterde schenen. Het lijkt wel alsof ze van een slagveld komen. Ze zijn een demon waardig, dat wel.

'We zouden die snoek gaan vangen, nietwaar?' vraagt Jerry geïrriteerd en hij spreidt zijn armen, alsof ik de sufste vraag van de wereld heb gesteld. 'Ik heb Walden geraadpleegd en hij schrijft dat je de grootste vissen kunt vergeten als je laat uit je nest komt. Walden adviseert alle echte vissers om bij het krieken van de dag te beginnen. Dan krijg je bovendien een portie mooie ochtendglorie op de koop toe. Daar zeggen we geen nee tegen. Heb ik gelijk of heb ik gelijk, Bud?'

'Ik... eh... zeg liever nee', beken ik.

'Oelewapper', zegt Jerry uit de hoogte. 'Trek je kleren aan. En haast je, want we staan op het punt om te vertrekken. Het is van het hoogste belang dat we zo snel mogelijk het bos in verdwijnen & het juiste meer vinden. We mogen die kanjer waar duizenden vissers op geaasd hebben niet aan onze neus voorbij laten gaan. Ik wil wedden dat de snoodaard op dit moment ongeduldig op ons ligt te wachten & popelt om aan onze haak te bengelen & op de borden te belanden van je uitermate vriendelijke & gastvrije ouders, die gek zijn op vis. Ik geef hem groot gelijk. Bestaat er een mooiere dood dan te sterven in jullie keuken?'

Die neef van me mag het voor mijn part proberen. De demon brengt zijn ziel met plezier naar de hel. Stante pede. En ik doe het nog gratis ook. Zo nodig begraaf ik zijn lijk onder de brandnetels bij de aalbessenstruiken. Voor een paar uurtjes pitten heb ik alles over.

'Ontbijt', piep ik in plaats van dat alles.

'We eten onderweg', zegt hij genadeloos en hij laat me zien wat er in zijn rugzak zit: visgerei, boterhammen en een volle thermosfles. 'Waarom sliep je eigenlijk in de tuin?'

Ik haal mijn schouders op en hij beveelt: 'En nou opschieten! *Chop-chop!*' Hij wijst naar de hoop kleren en schoenen waarvan ik de eigenaar ben.

Ik slaak een zware zucht.

En zet een zware stap.

Het leven is loodzwaar.

En deze ochtend is een ware hel.

'Doe niet zo kinderachtig.' Hij gespt de rugzak dicht. 'Ik ga alvast vooruit & jij komt als de gesmeerde bliksem achter me aan. Dat lijkt me niet zo moeilijk.'

Ik trek mijn kleren en mijn schoenen aan en als ik opkijk, zie ik de rug van Jerry op de heuvel. De rugzak staat voor mijn voeten. Mijn rol is die van pakezel. Ik had het kunnen weten.

Ik been achter hem aan, maar haal hem pas in op het Vossenveld.

'Dit is leven', zegt Jerry en hij keert zijn gezicht naar de zon, die net boven de horizon uitsteekt en ons trakteert op een straal bleek ochtendlicht. 'Proef van het leven, Bud!'

Ik draai me om, tuur naar de zon en bedenk met spijt dat ik de antimuggenspray ben vergeten. Het is 75% aannemelijk dat we worden gebeten door de kleine monsters. Ik kan me voorstellen hoe muggenbeten jeuken op brandnetelblaren. Het is 95% aannemelijk dat dat niet om uit te houden is.

'Wat willen we eigenlijk uit het leven halen?' vraagt Jerry. Ik weet niet of hij het tegen mij of tegen de zon heeft. 'Als je zoiets als dit beleeft & de warmte van de zon op je lichaam voelt & hier in het bos staat & de lucht van bomen opsnuift & van alle dieren om ons heen, dan geloof ik dat ik hier genoegen mee neem. Dit is perfect. Volgens mij ontbreekt er niets aan.'

Terwijl hij praat, haal ik de boterhammen tevoorschijn. Ik werk er twee naar binnen. Het brood, de ham en de kaas verhogen mijn bewustzijn en ik voel iets van wat Jerry voelt.

Hij babbelt door over het goede leven en is als betoverd door zijn eigen woorden. Ik gun mezelf een bak koffie terwijl we onze gezichten laten strelen door de stralen van de zon.

'Maar nu moet er nodig gevist worden!' zegt hij ineens en weg is hij.

EEN INTENS GELUKSMOMENT

We passeren de Joekel, die er zo vroeg in de ochtend nog naargeestiger uitziet. Een poel voor lijken. De helse demon ruikt een stank van rotte botten als we langs het meer lopen. Een ranzige, scherpe geur die in je neusgaten bijt.

We passeren het Bassin en ik geloof dat ik het geluid hoor van een hengel die een lijn met een spinner over het water zwiept. Het is vast en zeker Maggie. Als Jerry er niet bij geweest was, dan was ik naar haar toe gegaan. Alleen al om haar te zien staan. Met dat haar. En die hengel. En die sterke armen...

Jerry hoort haar niet, want hij kakelt als een kip zonder kop.

We passeren meer nummer vier en bereiken het vijfde meer dat langs het pad ligt. Het is kwart over zes en we staan aan de oever van de Negen.

Na de les van gisteren is Jerry wereldkampioen vissen. Ik laat hem zijn gang gaan. Misschien kan ik hem afmatten, zoals je met kinderen doet die te veel suiker gegeten hebben. Niet storen en rustig wachten tot zijn batterijen leeg zijn, dat lijkt me het beste.

We werpen erop los tot we elkaar aan de lijn hebben. Om meer gedoe te voorkomen besluiten we een meter of twintig van elkaar af te staan. Ik grijp de rugzak en verdwijn naar een nieuwe stek.

Troost me met een hapje eten.

Met de derde en vierde boterham.

Werp mijn lijn uit en laat de zon los op mijn lijf.

Word kilo's lichter.

Alsof mijn schedel vleugeltjes heeft en boven mijn schouders zweeft.

Ik werp en geniet van de warmte en voel dat alles zo goed als volmaakt is.

We bevinden ons diep in het woud om een waanzinnig plan uit te voeren. Het is zo vroeg dat de wijzers van mijn horloge op voor mij onbekend terrein verkeren.

Dat is prima.

De hengel hoort bij mijn lichaam. Mijn hand, de molen, de lijn en de spinner zijn van dezelfde materie en vormen een ideaal team.

Ik en het woud en het water en de grote snoek – die waarschijnlijk lekker ligt te pitten en in zijn droom op de voeten van een visser knaagt – leven in symbiose.

Ik beleef een intens geluksmoment.

Er bestaat dus nog steeds geluk. Door alle heibel vóór de vakantie was ik daaraan gaan twijfelen. Ik besluit dat als ik nogmaals ga vissen, het op deze manier zal verlopen: vroeg uit de veren en met een rugzak vol boterhammen en een thermosfles met koffie. In mijn eentje samen met de stilte.

Wat er aan de haak hangt, heeft geen belang. Alleen het gevoel dat alles klopt, is van betekenis.

Stilletjesaan wordt het zeven uur.

We werpen en onze spinners maken de ene schitterende boog na de andere. Ik grijns naar Jerry, die terug wuift. Hij houdt eindelijk zijn bakkes, want volgens Walden – Jerry's nieuwe profeet – moet je zo min mogelijk lawaai maken tijdens het vissen. Vissen schijnen bijzonder fijngevoelig te zijn.

Alles wat Walden schrijft, is waar.

Ik vind het best. Ik kan goed tegen rust. Maar als de grote wijzer voorbij de acht is, zie ik dat er een eind komt aan Jerry's geduld. Hij heeft het verbazingwekkend lang uitgehouden.

Nog heel even en hij begint aan een uiteenzetting over Walden en tijdstippen. Ik voel het aan mijn water.

EEN BEJAARDE MUIS VAN ZESTIEN

'Walden schrijft dat de kans op het vangen van een grote vis aanzienlijk vermindert na acht uur', zegt hij en hij wijst naar zijn horloge.

Het kon niet blijven duren. Maar twee heerlijke uren zijn niet niks.

Zelfs muizendemonen kunnen twee gram geluk beleven.

We hebben nog niets gevangen, maar ik vraag niet welke oplossing hij heeft voor het probleem van het familiediner. De jongen zou nog meer in de stress kunnen raken.

Hoewel ik niet kan weten of hij in het geniep aan de lege borden denkt.

Of piekert hij over Selma? Of Maggie?

Ik heb geen idee, want zijn mond is weer dichtgemetseld.

De volgende twintig minuten word ik met rust gelaten en ik dompel mezelf opnieuw onder in het geluksgevoel. Ik geniet van mezelf, het bos en de gedachte aan de grote vis. Besef dat ik me niet druk hoefde te maken over de muggen. Aan brandnetelblaren geen gebrek, maar muggenbeten schitteren door afwezigheid.

We belanden bij het Bassin.

'Hoor je dat?' zegt Jerry.

'Ik hoor niets', zeg ik onverschillig.

Hij gebaart dat ik stil moet zijn. We lopen op onze tenen naar de plek waar het bos ophoudt en het water begint.

Eerst zien we enkel een hengel. We sluipen naderbij.

En daar staat Maggie.

Vandaag heeft ze alleen maar een T-shirt en een short aan. De woudloperskleren van gisteren liggen op een nette stapel op het stoeltje achter haar. In plaats van een vlecht heeft ze van haar haren een grote knot gemaakt.

'Oei', zucht Jerry.

En ik sluit mijn ogen. Het doet zeer om naar haar te kijken. Ze is zo... zo ongelooflijk mooi.

Dat vindt Jerry ook, daarvan ben ik overtuigd. Tot hij zegt: 'Kijk eens naar die techniek! Naar de manier waarop ze werpt. Wat een kracht. Mijn hemel!'

Ik heb geen moment aan haar techniek gedacht. Ik keek naar haar heerlijke borsten. Naar de manier waarop haar dijen spanden als ze haar lichaam naar achteren boog. Ik bewonderde haar gespierde bovenarmen en bedacht hoe het voelde om door haar omarmd te worden.

'Maar ze zou niet zo hard moeten trainen', zegt Jerry nuchter. 'Meisjes moeten er niet uitzien als krachtpatsers.'

Dat ben ik niet met hem eens. Maggie is volmaakt in mijn ogen. Als zij mijn meisje was, dan was ik een jongen die aan één stuk door stiekem naar haar mooie lichaam gluurde. Zeker weten!

Als ik dat soort dingen denk, word ik meteen depressief.

Want de werkelijkheid zit anders in elkaar. Ze mag Jerry. Ze heeft met hem gekletst. Mij heeft ze amper aangekeken. Naar mijn naam heeft ze niet gevraagd. Of ik een toffe naam heb, interesseert haar niet.

Ik ga in het gras zitten, met mijn rug tegen een boomstam. Eerst staar ik naar de hemel en dan werp ik een blik op Jerry. Hij is net een klein kind. Naïef en speels. Alsof hij om de haverklap iets nieuws onder de zon ontdekt. Jerry is en blijft een kleuter.

'Oei!' zegt hij.

'Woow!' zegt hij.

'Mieters!' zegt hij.

De peuter.

Wie raakt niet ontroerd bij het zien van een jochie dat zo intens geniet, dat alles even wonderlijk en fantastisch vindt? Dat straalt van levenslust en bijna ontploft als hij iets nieuws ontdekt?

Naast hem ben ik stokoud.

Een bejaarde, aftandse muis van zestien.

Ik benijd kleuter Jerry, die leeft als een knetterende lont. Die van de wereld smikkelt alsof het zijn eigen taart is. Niets zal aan zijn neus voorbijgaan, om de eenvoudige reden dat hij overal met hart en ziel voor gaat en zoveel enthousiasme uitstraalt dat je een zonnebril moet opzetten om je niet aan hem te verblinden.

Ik begrijp Maggie. En andere meisjes. Ik begrijp mijn ouders.

De oude muis slaakt een diepe zucht.

Jerry jubelt: 'Oi!'

JAGER EN PROOI

Ze heeft beet. De hengel buigt en de lijn staat strak. De vis gaat aan de haal en Maggie geeft hem speling. Het enige wat we horen is het gesnor van de molen.

De vis neemt even rust, het gesnor verstilt en ze draait meteen in.

Maar de vis geeft zich nog niet gewonnen.

Hij gaat er weer vandoor. Met meters lijn. Drrrrrrr!

Zodra hij een pauze inlast, draait ze in.

Het is geen slapjanus die ze te pakken heeft.

Want ze moet al haar krachten gebruiken. Zelfs beresterke Maggie heeft problemen met deze weerbarstige kornuit.

'Misschien heeft ze hem aan de haak', fluistert Jerry. 'De Kanjersnoek!'

Ze haalt de lijn in, buigt de hengel naar achteren en trekt de vis naar zich toe terwijl hij tegenstribbelt en in de diepte met zijn staart zwiept.

Ze beweegt de hengel weer naar voren en windt een paar meter lijn op.

Daarna geeft ze hem weer lijn cadeau zodat hij weg kan zwemmen en goed moe wordt.

Dan houdt ze hem tegen.

De vis vecht voor zijn leven. Hij rukt en trekt. De lijn roteert als een springtouw in het water.

Beetje bij beetje sleept ze hem naar de oever. Ze grijpt het schepnet. Daarna zet ze haar ene voet in het water.

Ze haalt in en geeft lijn vrij.

Het is een strijd tussen twee oerkrachten.

Ik heb het gevoel dat ik naar een natuurfilm kijk en een stem hoor die spreekt van de aloude kamp tussen de jager en zijn prooi.

Naast mij staat Jerry te hijgen. 'Wat zei ik je over techniek?' zegt hij op de toon van een professor in de sportvisserij.

Ik zie alleen maar de mooiste meid van de wereld vechten met een enorme vis.

Het beest breekt door de waterspiegel.

Hij spartelt en Maggie haalt binnen.

De vis woelt en wentelt terwijl ze hem naar de waterkant trekt. Hij is doodop. In tweestrijd. Wil het water niet uit. Wil de moed opgeven.

De jager is te sterk.

De vis ligt nu vlak vóór haar. Ze zwaait het net door het water, schept het beest eruit en kiepert hem op het droge. Een paar houwen met het mes en de vis is morsdood.

Jerry hijgt abnormaal hevig en ik vrees dat hij een aanval krijgt. Zijn hoofd torent zo hoog boven het gebladerte uit dat ik hem naar achteren ruk. We willen toch niet gezien worden?

'Moet je kijken wat een boel vissen', fluistert Jerry en hij wijst.

Inderdaad, de knoert belandt in een vistas waar al vijf staarten uitsteken. En dat zijn geen staarten van minivoorntjes.

We kruipen geruisloos terug naar het pad. We kijken elkaar aan. 'Amateurs!' zeggen we bijna gelijktijdig. En we slenteren naar huis.

Jerry ratelt als een bezetene. Hij is niet te stuiten. 'Zag je die worpen? Wat een kracht gaat er in die meid schuil! Ik zou bij haar in de leer moeten gaan zodat ik alles te weten kom over worpen & vissen & al die fantastische trucjes waarvan ik zojuist getuige ben geweest. Dat ze die Kanjersnoek aan haar laars lapt, is niet te geloven. Maar ik wil wedden dat ze diep onder de indruk is als ik hem aan mijn haak sla. Misschien ga ik wel gewoon achter haar zitten om af te kijken &...' Hij staat plotseling stil en kijkt me indringend aan. 'Bud! Vergeet niet dat we dit alles meegemaakt hebben omdat ik per se iets avontuurlijks wilde ondernemen! Is dit puur avontuur of is dit puur avontuur? Nou?'

Hij gunt me precies één seconde om te antwoorden.

Maar zo lang kan hij niet wachten.

Hij vervolgt: 'Wie had dat durven dromen, toen ik zat te duimendraaien in mijn droevige Angler, dat er zoiets in het verschiet lag? Een belevenis die uit het leven gegrepen is! De strijd tussen de jager & zijn prooi. Nooit ofte nimmer zal ik dit vergeten. Het is van het allerhoogste belang dat dit soort momenten in je geheugen gegrift blijven. Eeuwig jammer dat we het niet vastlegden op de gevoelige plaat. Dit was een film waard, Bud!'

Hij werpt me een ernstige blik toe, alsof ik het in mijn hoofd zal halen om hem tegen te spreken, voor hij doordraaft over het universum en de eeuwigheid en noem maar op.

EEN SCHILDERSEZEL

'Ja, vandaag beginnen jullie zeker aan het huis?' vraagt mijn vader glunderend als we het tuinpad oplopen. Hij is – driemaal raden – poedelnaakt in het rozenperk onkruid aan het wieden. 'Wat gevangen?' Mijn vader is een man die van aanpakken weet. Gisteren is hij na de lunch meteen in zijn biodieselauto gestapt om verf, kwasten en verfrollers te kopen. Zelfs overalls. Hij heeft alles voor ons klaargelegd.

'We zitten midden in de voorbereidende fase', antwoordt Jerry. 'Er is een plan in de maak. Meer verklappen we niet. En vanavond komt er weer vis op tafel. Vertrouw op Jerry!'

'Een plan?' Ik schud mijn hoofd.

Ik loop een rondje om het huis terwijl Jerry mijn vader om de tuin leidt. Hij wisselt doodleuk van onderwerp en begint aan een uiteenzetting over het voordeel van rozen in vergelijking met andere tuinbloemen.

Het huis lijkt gigantisch in het felle ochtendlicht. De vierkante meters zijn niet te tellen.

En ik wist niet dat het zo hoog was!

Ik heb hoogtevrees. Jerry zal het gedeelte van de tweede verdieping tot aan de nok voor zijn rekening moeten nemen. Hadden we geen steiger moeten huren?

Verf spettert. Ik ben als de dood voor verf in mijn ogen. Is dat niet giftig? Kun je er blind van worden?

Verflucht kan nooit goed voor je gezondheid zijn. Je krijgt er vast kanker van. Ik realiseer me dat ik begin te klinken als mijn moeder. Of mijn vader. Ik herinner me dat hij het weleens over de schadelijke gevolgen van oplosmiddelen heeft gehad. Je kunt er volgens hem zelfs zenuwziek van worden.

Het is 49% zeker dat lieden die schilderwerk verrichten op de spoedeisende hulp belanden. 2% van hen gaat dood. Dat heb ik ergens gelezen. Dat betekent dat één van ons met de dood bedreigd wordt.

Wie is de klungel van ons tweeën? Ik.

Aan de andere kant van het huis zijn mijn vader en Jerry nog steeds vrolijk aan het babbelen. Waarom maken zij zich nooit zorgen? Waarom ben ik de enige?

'Bud!' zeg ik tegen mezelf. 'Je bent geen klungel! Je bent een helse demon!' Toch voel ik een lichte paniek door mijn lijf gieren.

Ik ga voor de huismuur staan en sluit mijn ogen. 'Ik ben geen klungel. Ik ben een demon', fluister ik. Ik prevel een schietgebedje en leun met mijn brede rug tegen de blikken pijp die de regen uit de dakgoot opvangt.

'Laat me alstublieft geen...' Voor ik de zin kan afmaken bezwijken de beugels waarmee de pijp aan de muur bevestigd is. Ik doe een poging om de pijp te grijpen, maar ik ben niet snel genoeg.

De hele pijp smakt tegen de grond. De klap is zo immens dat het in het centrum van Tipling te horen moet zijn.

De pijp verbrijzelt namelijk eerst de trots van mijn vader, de fontein die gekoppeld is aan een zonnepaneel. De fontein is van namaakmarmer en stelt een mollige engel voor die in een schaal plast. Ik vind het kunstwerk niet om aan te zien, maar mijn vader poetst het elk voorjaar netjes schoon voor hij het op dezelfde plek als altijd plaatst.

Vervolgens versplintert de pijp het dak van de kas met de trots van mijn moeder, haar ecologische kruidentuin.

Ik ben geen klungel? Zie hier een verbrokkelde fontein, een vermorzelde kas en een vloerkleed van geprakte peterselie, oregano, bieslook en rozemarijn. Drie pompoenen zijn uit elkaar gespat en geven het geheel een feestelijk tintje. Hoe kleurrijk ook, het is een catastrofe.

Mijn vader en Jerry komen aanrennen.

'O, nee', kreunt mijn vader. 'Al dat lekkere en gezonde eten!' Daarna kijkt hij als versteend naar de fontein. De engel heeft zijn hoofd verloren. Mijn vaders mond gaat open en dicht, als een vis op het droge.

'Als jij maar ongedeerd bent, Bud', zegt Jerry. 'De rest staat zo weer overeind. Geen probleem.'

Voor Jerry. Hij biedt meteen aan om alles in ere te herstellen. 'Mijn vader en ik hebben vroeger ook een moestuintje gehad & ik moet zeggen dat het ons aardig wat zweetdruppels kostte, maar wat een plezier hadden we van ons groene paradijsje & daarom moeten we die kas de hoogste prioriteit geven. Zeker weten! Zodra we een muurtje geverfd hebben, gaan we aan de slag. Voor dit soort klussen ben ik in de wieg gelegd', zegt hij bemoedigend tegen mijn bezorgde moeder.

Ze werpt een boze en teleurgestelde blik op mij, de grote kluns, en verdwijnt naar binnen.

We trekken ons werktenue aan en voelen ons bijna als echte schilders. Maar als we de enorme verfblikken zien, wordt zelfs Jerry een beetje pips. 'Ik denk dat het van het hoogste belang is dat we met een van de makkelijke muren beginnen', zegt hij. 'Op die manier schieten we meteen lekker op & dat geeft de burger moed. Genoeg moed om de lastige vlakken te lijf te gaan.'

We kiezen voor de muur op het westen. Het grootste gedeelte ervan wordt in beslag genomen door ramen en schuifdeuren, aangezien deze muur aan het terras grenst. Pas als we daarmee klaar zijn, beginnen we aan de noordwand. Die is enorm. Een voetbalveld is er niets bij.

Ik werk.

Jerry praat.

Ik schilder.

Jerry kletst over schilderkunst.

Ik ben in de weer met witte verf.

Jerry is in de weer met het plannen van de nieuwe kas.

Ik smeer verf op de planken en giet verf in de verfbak.

Jerry staart naar de kwast alsof het een verdacht voorwerp is.

Het lijkt allemaal verdacht veel op onze vorige vakanties.

'Hoi hoi!' klinkt er van de weg.

ZIELIGHEID

'Goh, hebben jullie een vakantiebaantje?' vraagt Selma.

Jerry neemt de houding aan van een jachthond die een hert lokaliseert.

Hij vergeet Maggie, het schilderwerk en mij.

Hij zoomt in op Selma. Zijn hoofd en zijn ogen worden haar kant op gezogen en zijn hersenen draaien op volle toeren.

Het enige wat niet werkt, is zijn grote mond.

'Hoi... eh... hoi', mompelt hij en hij klinkt als een knuffelversie van de muis Bud.

'Wat goed van jullie', zegt Selma. 'Hebben jullie hulp nodig?'

'Ja!' zeg ik met een diepe zucht.

'Nee!' kwaakt Jerry. 'Jij hebt vast wel wat beters te doen.'

'Echt niet', zegt Selma. Ze grijpt een verfrol en komt naast me staan. 'Doet hij niet een beetje raar?' fluistert ze.

'Ja, en dat belooft wat', zeg ik en ik hoop dat ze begrijpt wat ik bedoel.

Jerry heeft ook een verfrol gepakt en hij perst zich tussen Selma en mij in. Dat wil zeggen, hij duwt me gewoon weg.

Het deert me niet.

Een klungel moet tegen een stootje kunnen.

Ik zet een paar passen achteruit en doe alsof ik de muur bestudeer.

Ik zou willen dat ik kon zeggen dat we opschoten.

Maar dat doen we niet.

Als we alle drie de handen uit de mouwen hadden gestoken, zou het lekker snel gaan. Als minstens twee van ons hard hadden doorgewerkt, dan waren we binnen twee uur klaar met de muur. Maar als Jerry aldoor hetzelfde stukje plank schildert terwijl hij tegen Selma mompelt en haar van haar werk afhoudt, komt de som niet uit.

Ik zucht en zoek toevlucht in de rechterhoek. Weg van de ramen en de deur. Weg van die twee.

Een raar en naar gevoel borrelt in mijn binnenste. Het gevoel dat ik moederziel alleen ben. Ik ben één bonk eenzaamheid en weet me geen raad met mezelf.

Waar die zieligheid vandaan komt?

Als je het mij vraagt, begon het toen Selma vlak naast me stond. Het was alsof de geur van een meisje een sluis opende. Een sluis naar een droom waar ik me bijna voor schaam.

EEN DROOM VAN EEN FILM

Mijn hersenen sudderen op een laag pitje. Mijn hersenen brouwen een betoverende film waarin Maggie en ik hand in hand door het bos lopen. We zijn een twee-eenheid en voelen beiden dat we deel uitmaken van iets groters, van elkaar en het bos en de vissen en de jacht en alles wat leeft en beeft.

Maggie en ik kunnen elkaars gedachten lezen. Onze handen zijn elektriciteitscentrales die via onze ineengevlochten vingers berichten versturen naar onze hoofden.

Als vanzelf draaien we onze gezichten naar elkaar toe en onze lippen vinden elkaar blindelings. Maggie en Bud leunen met hun zware lijven tegen elkaar aan. Met onze gebundelde kracht kunnen we planeten verplaatsen, als we daar zin in zouden hebben.

En in deze droom hebben we er zin in. We vinden een weiland met gele en witte bloemen en vlijen ons neer en zoenen elkaar en onze lippen en onze hoofden en onze lijven zijn niet van elkaar te onderscheiden. Bud fluistert woorden die hij nooit eerder gezegd heeft en hij luistert naar woorden die hij alleen maar kent uit films.

En dat op zich is genoeg om een planeet te verplaatsen. Geen luttele centimeter. Maar minstens een lichtjaar. Het hemellichaam wordt uit zijn baan gewipt en rolt gierend van plezier het heelal in.

In de droom maak ik de knoopjes van Maggies bloes los en in de droom laat ze me mijn gang gaan en kijkt ze me verliefd aan. Zij is een ster die van plek wil veranderen en ik doe de bloes helemaal open en pak haar ene borst vast en liefkoos hem met mijn tong.

En de ster raakt de weg kwijt en schittert en schatert.

Het is net als in een droom.

Het is een droom. Helaas.

LAAT ME NIET ALLEEN!

Ik leg mijn spullen neer om naar de wc te gaan.

'Zeg, je haakt toch niet af?' vraagt Jerry meteen. 'Hier moet iedereen zijn mouwen opstropen. Dat weet je toch?'

'Ik moet alleen maar eventjes naar... naar de je-weet-wel', antwoord ik.

'Kan dat niet wachten?' Jerry gedraagt zich als een dwingeland, als een sergeant van staal die dagelijks springstof vreet en verwacht dat zijn soldaten voor hem door het vuur gaan.

'Eh... nee.' Ik wapper heftig met mijn handen om duidelijk te maken dat ik geen keuze heb.

'Niet te geloven! Die blaas van je heeft de grootte van een erwt', zegt hij en hij kijkt op zijn horloge alsof elke seconde telt.

Ik verdwijn in de richting van de tuindeur terwijl ik overweeg of ik me stiekem in mijn klerenkast zal verstoppen. Maar die kast deugt niet meer als schuilplaats. Ik loop de badkamer in, doe de deur op slot en ga op de bril zitten.

Ik moet denken aan een film waarin de hoofdrolspeler alleen maar aandacht heeft voor zijn krantje en zich niets aantrekt van zijn omgeving. Terwijl hij op de wc zit, duvelt de spiegel naar beneden en valt de wastafel in gruzelementen. De muren storten ineen en we zien een trein langs hem heen denderen. Twee auto's botsen achter zijn rug op elkaar en mensen rennen voor hun leven met een leeuw op de hielen.

De man in die stomme film gaat staan, haalt zijn broek op, wil zijn handen wassen en ziet dat de wastafel weg is. Hij fronst zijn wenkbrauwen en haalt dan zijn schouders op, alsof het hem niet uitmaakt. Ook als hij zich omdraait om door te trekken en ziet dat twee mannen de wc-pot wegdragen, reageert hij amper. Hij duwt de krant onder zijn arm en steekt zijn hand uit om de deur te openen. Pas als hij merkt dat ook de deur verdwenen is, verschijnt er een verbaasde uitdrukking op zijn gezicht. Hij slentert de straat op, waar iedereen schreeuwt, waar huizen in elkaar zakken en auto's in brand vliegen. Het enige wat de man doet, is om zich heen kijken.

Ik voel me als die man.

Afgezien van het feit dat ik de chaos niet over het hoofd zie. Ik ben me er terdege van bewust. Maar ook de wereld om mij heen stort in elkaar. Zonder dat ik kan ingrijpen. Zonder dat ik iets te zeggen heb. Net als de man in de film zie ik het gebeuren en sta ik er verbaasd naar te kijken. Verbaasd en met mijn handen in mijn zakken.

Het komt doordat ik het idee heb dat Jerry een onstuitbare natuurkracht is. Toen ik op hem zat te wachten bij de bushalte, dook het beeld al bij me op. Jerry in de vorm van een gigantische springvloed.

Nog zes dagen te gaan. Ik zit me af te vragen hoe lang zes dagen eigenlijk duren als er op de deur gebonkt wordt. 'De tijd staat niet stil, Bud!'

Sergeant Jerry beukt op de deur.

Zelfs op de wc wordt een demon niet met rust gelaten.

'Ik kom eraan', zeg ik zonder een vin te verroeren.

'Schiet toch op!' zegt hij.

Ik sta op en stap heen en weer om de indruk te geven dat ik mijn broek omhoogtrek. Draai de kraan open, houd mijn vingers eronder en droog ze af aan de handdoek. Doe de deur open en stoot mijn neus bijna tegen die van Jerry. 'Je MOET me helpen!' zegt hij radeloos.

Ik had het bij het verkeerde eind. Dit is niet meneer de sergeant. Dit is één brok wanhoop.

'Je moet me niet met haar alleen laten!' fluistert hij. 'Wat moet ik in hemelsnaam tegen haar zeggen? Hoe moet ik me gedragen?'

'Maar...' Dus daarom probeerde hij me tegen te houden. Jerry is bang. Bang en manisch. Een bijzonder gevaarlijke combinatie.

'Jij kent haar even goed als je eigen vader', brabbelt hij nerveus. 'Jij weet wat haar interesseert & hoe ze denkt & hoe je met haar praten moet & wat er in haar omgaat & hoe ze over mij denkt & stel je voor dat ze niets denkt of dat ze op een andere manier denkt dan ik & zo ja, dan is dat niet om uit te houden & bovendien is de kans groot dat ik een onbespreekbaar onderwerp aansnijd & in een mijnenveld beland...' Hij last een pauze in om adem te halen.

Zijn gezicht is krijtwit.

Van angst? Of zit hij gewoon onder de verf?

Hij grijpt mijn schouders en kijkt me diep in de ogen. 'Je moet me helpen! Jij kent alle antwoorden, Bud!' Hij slist en ziet er woest en waanzinnig uit.

'Kun je haar niet... eh... eenvoudigweg vragen wat ze... eh... uit het leven wil halen?' vraag ik. 'Niet moeilijk doen, maar... eh... makkelijk. Bijvoorbeeld vragen waarom ze per se model wil worden. En waarom ze meedoet aan die tv-serie.'

Hij denkt na. Daarna schudt hij zijn hoofd. 'Jij hebt makkelijk praten, Bud Martin. Ik zou willen dat ik in jouw schoenen stond. De ideeën liggen voor het rapen in jouw hoofd, als appels na een storm.'

'Hm', zeg ik. 'Prima. Mooi zo.' En we keren terug naar het terras, waar Selma in haar eentje aan het schilderen is. Ze heeft een veeg verf op haar voorhoofd. Het ziet er lief uit.

WINKELEN

Mijn ervaring is dat koffie en chocolade de meeste problemen oplossen.

Ondanks de paniek in Jerry's ogen en zijn lippen die BLIJF HIER! mimen, loop ik naar de keuken, waar ik een grote kan koffie zet.

Ik breek een dikke reep chocolade in stukken, leg ze in een schaal en zet kopjes, melk en de pot met suikerklontjes op een dienblad.

Ik roep mijn ouders, draag de hele mikmak naar buiten en dek de tafel.

Jerry babbelt. Hij heeft het hoogste woord. In zijn eentje. Hoewel je er geen touw aan kunt vastknopen, kletst hij maar door. Alsof hij doodsbenauwd is voor stilte. Hij praat en stelt vragen die hij beantwoordt voor iemand anders de kans krijgt. En hij antwoordt op vragen die helemaal niet aan de orde zijn.

Zo heb ik hem nog nooit meegemaakt.

Ik ken hem als iemand die altijd alles onder controle heeft. Nu heeft hij echter een bloedrode kop en hij zweet en stottert zodra ze hem aankijkt.

'O, dat is waar ook', zegt Selma plotseling. 'Op vrijdag geef ik een verjaardagsfeestje. Jerry en jij moeten ook komen, hoor!'

'Stel je voor, zeventien jaar!' zegt mijn vader dromerig. 'Wat was dat een heerlijke leeftijd!'

'Ja, ik... eh... we zijn van de partij', antwoord ik uit naam van mezelf en Jerry. 'Wat staat er op je verlanglijstje?'

'Blingbling, knappe knullen en alles waaraan je plezier kunt beleven', grijnst Selma.

'Dat wens ik me al jaren', zegt mijn moeder gemaakt gekwetst. 'Maar in mijn pakjes zit nooit zoiets. Nooit!'

'Heb je geen... eh... bepaalde wens? Iets waar je echt blij mee zou zijn?' vraag ik.

'Iets waar ik echt blij mee zou zijn...' Selma wacht even om de spanning op te voeren.

'NIET ZEGGEN!' brult Jerry.

Ineens blaakt hij weer van pit en overmoed. Jerry is de verlosser. De jongen die nergens zijn hand voor omdraait. Springvloed Jerry bruist van zelfvertrouwen.

'Ik! Weet! Waarmee! Ik! Je! Echt! Kan! Verwennen!' zegt hij en hij legt de nadruk op letterlijk elke letter.

Sommige mensen zijn uitgerust met een geboren talent om toehoorders te betoveren. Ik besef dat spanning echt te snijden kan zijn. De lucht zindert van verwachting en heimelijke verlangens.

Mijn vader, mijn moeder en Selma zien schatkamers vol edelstenen voor zich. En reizen naar exotische oorden en romantische nachten met een mooie, mysterieuze minnaar.

Ik daarentegen zie enkel contouren van een enorme chaos.

'Kun je een tipje van de sluier oplichten?' vraagt mijn vader nieuwsgierig.

'Het is net als met kerstcadeautjes, oom', antwoordt Jerry. 'Het is streng verboden om er van tevoren in te knijpen of mee te schudden.' Hij kijkt mij aan. 'Zullen we even de stad ingaan?'

'Ik ga mee', zegt Selma. 'Alleen om er zeker van te zijn dat jullie de juiste maat kopen.' Ze gniffelt.

'Jij blijft thuis', zeg ik streng.

'Mij best. Het maakt me eigenlijk niet uit wat jullie kopen', zegt ze zogenaamd onverschillig. 'Als het maar iets peperduurs is.'

We trekken onze werkkleren uit en wuiven naar mijn ouders, die de bal en de matjes tevoorschijn hebben gehaald. Mijn vader zwaait terug met de cd met walvisliederen die ze altijd opzetten als ze mediteren. Wij lopen de tuin uit, met Selma in ons kielzog.

'Hoe duurder hoe beter!' roept ze ons na voor ze zich in het bushokje nestelt en drie kauwgumballen in haar mond propt.

'Wat ga je voor haar kopen?' vraag ik een paar minuten later.

'Ik? Geen flauw idee', antwoordt hij die zijn grote liefde zojuist gouden bergen heeft beloofd. 'Ik weet alleen dat ze iets moois moet hebben. Hebben ze iets in die geest hier in Tipling?'

'Hm, dat is de vraag', antwoord ik.

'Wat geef jij haar?' vraagt hij.

'Blingbling', zeg ik. 'Ze is gek op sieraden.'

Na tien minuten ben ik twee briefjes van honderd armer. Het werd een ketting met een zilveren hartje. Ik ben een tevreden man.

In tegenstelling tot Jerry... 'Ik heb mijn twijfels, Bud', zegt hij. 'Het doet een beetje armetierig aan, één piepklein cadeautje. Ik moet iets geven wat een onuitwisbare indruk maakt, iets waardoor ze MIJ nooit meer vergeet. Iets waardevols. Gebruik je hersenen, Jerry!' Hij geeft een mep tegen zijn voorhoofd. 'Een geschenk vol mysterie & passie. Een geschenk grootser dan het leven. Een geschenk dat nieuwe horizonten openbaart. Een geschenk dat...'

'Rozen?' vraag ik.

'Je denkt te traditioneel, Bud', zegt hij.

'Een boek?'

'Te saai.'

'Schoenen?'

'Heb je nog meer slechte voorstellen?'

'Een handtas?'

'Ja, dus.'

'Een cd?'

'Veel te... te... weet ik veel.'

'Badschuim?'

'Ze wordt geen negentig, Bud!'

'Een trip naar de Malediven?'

Hij staat op het punt om ook dat idee de grond in te boren, maar verandert van gedachten. Ik hoor zijn hersenen overschakelen naar een hogere versnelling. 'Je komt in de buurt, Bud! Zo zie je maar weer dat een schildpad niet onderdoet voor een haas. Ze krijgt een BELEVENIS van me. Een belevenis die ze nooit zal vergeten.'

Ik huiver bij dat woord. Het doet me te veel denken aan een catastrofe.

Op dat moment horen we een vreemd thump-thump-geluid.

We kijken om ons heen.

BUD IS GEMAAKT VAN...

Op de parkeerplaats voor clubhuis Sportie zien we een rode bus die kopstoten lijkt te maken tegen een onzichtbare muur. Het is de reisbus van de TIGERS OF TIPLING, het plaatselijke meisjeshandbalteam. Ze moeten waarschijnlijk een uitwedstrijd spelen, want de bus zit vol spelers, trainers en sportspullen.

Maar in plaats van weg te rijden, maakt de bus vreemde sprongetjes. Vanuit de verte lijkt hij op een speelgoedkangoeroe met zwakke batterijen. Hij hobbelt steeds een paar centimeter vooruit voor hij weer met een schok tot stilstand komt.

De motor gromt en geeft het op.

De motor slaat weer aan, de bus begint te rijden.

De motor gromt en geeft het op.

'Die hebben een probleem', zegt Jerry. 'Op die manier schiet het niet op.'

'Hm', zeg ik.

De bus maakt een laatste stuiptrekking voor de motor het echt begeeft. De chauffeur en een trainer stappen uit, krabben in hun haar en trappen tegen de banden. De chauffeur zet de motorkap open en weer wordt er in haardossen gewoeld.

'Het is vast & zeker een akkefietje. Meer is er niet nodig om plannen te verknallen', zegt Jerry. 'Eén bagatel & het leven verandert van koers. Die wedstrijd kunnen ze vergeten & hoewel ik niets weet van handbalregels, neem ik aan dat ze hem niet op een ander tijdstip mogen spelen & bijgevolg waardevolle punten verliezen. Wie weet belanden ze in een lagere divisie. De kans is groot dat een van die meiden afhaakt & ander vertier opzoekt & daar de man van haar leven ontmoet & over een jaar of vijf zwanger raakt & vervolgens een meisje op de wereld zet dat ooit onze nieuwe premier wordt & niet zomaar een premier, maar een premier die wereldgeschiedenis maakt.'

'Die baby kan ook een... eh... seriemoordenaar worden', werp ik tegen.

'Je bent zo negatief, Bud', zegt hij geïrriteerd. 'Ik zou je net zo lang door elkaar moeten rammelen tot je op betere gedachten komt. Ze hadden jou allang een diploma zwartkijken moeten geven. Heb je totaal geen gevoel voor perspectief? Voor lichtpunten? Besef je niet dat elke tegenslag een goede kant heeft?'

De spelers zijn uit de bus gekomen en staan nu om de trainer en de chauffeur geschaard. Een verhitte discussie breekt uit en het langste meisje, waarschijnlijk de aanvoerster, slaat haar armen uit en lijkt de trainer duidelijk te maken wat ze vindt van de toestand.

'Wat een meiden!' zegt Jerry. 'Wat een schatjes!'

Ik kijk mijn ogen uit.

Het zijn meisjes in verschillende maten, maar het merendeel is lang en krachtig van postuur. Stuk voor stuk meisjes naar mijn hart. Ik mompel iets onverstaanbaars, maar ik ben het volledig met hem eens. Dit hier zijn lichamen waaraan je je vast kunt houden. Geen poppetjes die breken als je in de buurt komt.

'Op haar zou ik makkelijk verliefd kunnen worden', zegt Jerry en hij knikt in de richting van de aanvoerster. Ze heeft de breedste schouders. Ze is bijna even lang als ik, maar duidelijk beter getraind. Terwijl ik de gewone vorm van een peer heb, heeft zij die van een omgekeerde peer.

'Als ze niet vertrekken, dan zou het... eh... wel eens kunnen dat een van die meisjes... eh... haar grote liefde misloopt. Zo'n zaal krioelt natuurlijk van de knappe knapen. Dat is... eh... ook een kant van de zaak, nietwaar?' vraag ik, geïmponeerd over deze geniale gedachteflits.

'Daar zit wat in', mompelt Jerry afwezig. 'Ik krijg ineens een goed idee, Bud.'

'Een idee... eh... kunnen we daar niet even mee wachten?' zeg ik en ik klink als een angsthaas.

'Ben ik ooit met een idee op de proppen gekomen dat niet deugt?' vraagt hij streng. Tijd om te antwoorden gunt hij me niet. 'Je wordt de grote held van de dag, Bud. Ben je er klaar voor?'

Ik schud mijn hoofd.

'De bus is stuk', zegt hij en hij trekt me in de richting van de meisjes en de chauffeur, die nu hevig ruziën. 'Jij weet van alles & nog wat over motors. Je hebt die bus in minder dan een mum van tijd aan de praat. Laat zien uit welk hout je gesneden bent, Bud!'

We staan nu vlak achter de rug van de achterste meisjes. 'Kijk eens wat ik voor jullie gevonden heb? Een automonteur!' brult Jerry apetrots.

Ik zou het liefst keihard NEE hebben geroepen. In plaats daarvan laat ik zien waarvan ik gemaakt ben. Ik besta uit pap. Ik zeg geen boe of bah.

Ik ben alleen maar bang.

ARME BUD

Ik haat belangstelling. Ik kan er absoluut niet tegen als mensen me aanstaren. Op zo'n moment verander ik in een lappenpop zonder armen. Een lijf zonder spieren.

Meer dan twee paar ogen die me aankijken en ik werk niet meer.

Arme Bud, arme ik.

Een heel handbalteam met sterke en toffe meisjes die naar me gluren, overleef ik niet. Voor een lafaard als ik is dat de doodsteek. Ik sterf en wil janken. Ik sterf en wil Jerry wurgen. Ik sterf en hap naar adem. Ik sterf en voel de kracht uit mijn lichaam wegebben.

Ik zou willen dat iemand me wegdroeg.

Maar dat gebeurt niet.

Niet alleen staren ze me aan terwijl ik hier sta te niksen.

Ze zullen ook toekijken als ik met de motor bezig ben.

Over mijn relatie met auto's heb ik tot nu toe weinig losgelaten. Daar heb ik mijn redenen voor. In mijn leven heb ik maar twee keer echt lef vertoond. Namelijk toen ik op kamers ging wonen en toen ik besloot om automonteur te worden.

Mijn ouders kijken neer op auto's. En dus ook op motors en monteurs.

Ze praten nooit over koppelingen, remmen, accu's, ruitenwissers of schokdempers.

Ik ben gek op dat soort zaken. Maar ik heb geleerd om erover te zwijgen.

Het is een taboe.

Het is een tragisch taboe.

Het gaat voor mij over liefde. Het verschil met echte liefde is dat je een motor mag aanraken. Terwijl een Maggie buiten bereik is. Stel je voor dat ze even toegankelijk was als een Ford of een Toyota! Het leven zou één groot feest zijn!

Dat alles betekent niet dat ik popel om mijn kop onder de motorkap te steken.

Al die mooie ogen en zo veel heerlijke motor.

Dat is me te veel. Dat doet me de das om. Dat is een totale zonsverduistering.

HELDENDAAD

Ik slaapwandel naar de bus. Niet dat ik bang ben dat ik de motor helemaal om zeep help. Toen ik het geluid hoorde dat de bus maakte en die bokkensprongen zag, wist ik bijna zeker wat er loos was.

Toch peinsde ik er niet over om voor reddende engel te spelen.

Niet omdat ik niet behulpzaam ben aangelegd. Maar vanwege de hele situatie. Die kon ik niet aan. Die kan ik niet aan.

De wanhopige slaapwandelaar werpt een blik op de motor. Ik had gelijk. Ik tuur, ruik, stroop mijn mouwen op en steek mijn armen in het donkere gat.

'Moet je zien, wat een daadkracht!' wauwelt Jerry. 'Hij is een natuurtalent. Ik zou hem moeten verhuren aan een circus zodat hij zijn kunsten kan vertonen. Hij zou moeten deelnemen aan een quiz over motors. We zouden op slag stinkend rijk zijn. Kijk jullie ogen uit, meisjes!'

Ze strekken hun nek en koekeloeren alsof ik op het punt sta om een konijn of een rits zakdoeken uit de motor te trekken.

Ik moet doen alsof er niets gaande is om me heen. Anders overleef ik het niet. Ik beeld me in dat ik meedoe in een film die zich afspeelt in de garage van mijn oom. Ik sleutel aan een oude Fiat terwijl mijn oom wijst en commentaar levert.

Mijn hand tast in het donker.

Ik weet waarnaar ik zoek.

Mijn vingers vinden het kraantje en draaien eraan. Ze duwen de kleine hendel naar links.

Daarna kruip ik onder de wagen.

'Wacht!' zegt de aanvoerster en ze wappert met een handdoek. Ze trekt me overeind. Wow! Wat een spierkracht heeft die meid!

Jerry heeft ook oog voor de krachtpatser. Om niet te zeggen dat hij een oogje op haar heeft. Hij staat op het punt om voor de derde keer in twee dagen tijd smoorverliefd te worden.

Volgens mij is het 75% zeker dat hij een tic heeft op het gebied van meisjes.

Ik keer de werkelijkheid de rug toe en duik weer in de film over de garage van mijn oom. Nu is hij het die een handdoek op de grond legt, waarna ik opnieuw onder de bus verdwijn. Gelukkig staat hij zo hoog op zijn wielen dat ik met mijn forse borstkas nog net geen centimeter te kort kom.

Mijn oom gaat op zijn hurken zitten en vraagt of ik denk dat ik de bus aan de praat krijg.

Ik brom op de manier waarop echte monteurs brommen. Mijn oom begrijpt wat ik bedoel en laat me met rust.

Onder de bus voel ik me veilig. Als ik mijn hoofd optil, zie ik tientallen voeten voor het gat van mijn muizenhol. Maar mij ziet niemand. Onder de bus ben ik een helse demon met een enorme lading zelfvertrouwen.

Nu stuur ik mijn ogen naar de onderkant van de motor.

Ik zie het losse kabeltje en vraag om gereedschap. Het wordt mij stuk voor stuk eerbiedig in de hand gedrukt, alsof ik een neurochirurg ben die binnendringt in het belangrijkste orgaan van het menselijk lichaam.

Ik draai de schroeven los en haal de klep eraf. Daarna verricht ik de broodnodige herstelwerkzaamheden. Na alle kabeltjes en de aandrijfriemen meerdere malen gecheckt te hebben, zet ik de klep weer op zijn plaats en draai ik de schroeven vast.

'Start de motor, maar niet wegrijden! Begrepen?' roep ik. Ze doen wat ik zeg. Bud de neurochirurg commandeert zijn onderdanen en ze gehoorzamen als makke slaven. Hun heer is een geneesheer met magische krachten.

De motor start en het eerste wat er gebeurt, is dat ik een regen van olie over mijn gezicht en borstkas krijg. In een reflex richt ik mijn bovenlijf op zodat mijn hoofd tegen de carrosserie knalt.

Ik zeg iets wat alleen in garages gezegd wordt.

Het wordt muisstil in mensenland. De aanvoerster kijkt onder de wagen, ziet mijn pikzwarte bakkes en tovert nog een handdoek tevoorschijn.

Ik vergat een van de meest elementaire zaken. Ik vergat de laatste moer vast te draaien. Ik herhaal dat wat alleen in garages gezegd wordt en maak mijn werk af. Vraag vervolgens of ze de motor nogmaals starten.

De motor snort als een kat. Nog even en de handbalploeg kan vertrekken om de tegenstanders knock-out te slaan.

Ik kruip onder de bus vandaan en jaag iedereen de stuipen op het lijf.

EEN POTENTIËLE MOORDENAAR

Ik zie achttien verschillende versies van schok en verbijstering. Alsof ik uitgerust ben met slagtanden en slangenhuid.

Ik bekijk mijn kleren.

Die zijn tamelijk zwart.

Tamelijk pikzwart.

De hele voorkant van mijn T-shirt kleeft van de olie, die langzaam naar mijn navel en de gulp van mijn broek druipt.

Netjes is anders.

Ik strijk over mijn wang en kijk naar mijn vinger.

Zwart.

Ik strijk over mijn voorhoofd.

Zwart.

Mijn neus. Mijn kin. Mijn nek.

...

Ik draai me om naar Jerry.

Hij glimlacht verontschuldigend. 'Sorry, vriend, maar je ziet eruit als een reclame voor schoensmeer', zegt hij. 'Nee, dat was iets te zacht uitgedrukt. Door die blauwe & rode vlekken die door het zwart heen schemeren, krijg je iets macabers. Alsof je linea recta uit de hel komt om een paar moorden te plegen.'

Goed om te weten.

Ik – die volgens betrouwbare bronnen kandidaat was voor de held van de dag – zie eruit als een levensechte helse demon en een potentiële moordenaar.

'Dan vertrekken we maar', zegt de aanvoerster. 'Bedankt voor je hulp', zegt ze met een korte knik in mijn richting. 'En als we jou niet gehad hadden, dan stonden we hier morgen nog', zegt ze tegen Jerry. Hij krijgt een kus op zijn wang.

De ware held staat moederziel alleen in een plas olie. Jerry wordt geknuffeld en gekust door alle leden van de ploeg. Het laatste en kleinste meisje gaat zelfs op haar tenen staan om hem op zijn mond te zoenen voor ze met een brede grijns naar de bus rent.

Ik ben inmiddels versteend. Met mijn armen gespreid zoals je doet als je uit de buurt van jezelf wilt blijven. Iedereen zwaait, stuurt kushandjes en glimlacht. De chauffeur toetert en iedereen vertrekt naar een plek waar het leven hen toelacht.

Iedereen, behalve de helse held van de dag en Jerry, die door het dolle heen is van alle kusjes.

'Wat een meiden. Zoiets beleef je niet elke dag, Bud', zegt hij met een schaapachtige glimlach. 'Nu maken we dat we thuiskomen.'

Hij kijkt me niet aan. Vindt dat veel te gênant.

Ik zie mezelf in een etalage en begrijp dat hij het moeilijk heeft.
'Moest je geen cadeautje kopen?' vraag ik somber.

'Maak je niet druk, Bud', zegt hij. 'Dat regelen we later wel. Nu gaan we naar huis. Met wat water & zeep ben je zo weer de oude

& dan moet je me eens haarfijn uitleggen wat een mens allemaal dient te weten over auto's & motors & dergelijke...'

Ik beweeg me voort alsof ik een ei gelegd heb in mijn broek. Mijn kleren blijven bij elke stap tegen mijn lijf plakken. De olie dringt in al mijn poriën.

Mijn ziel wordt steeds zwarter.

Ik loop te sterven.

De held van de dag is de grote verliezer.

We komen aan bij het bushokje en zelfs Selma weet niets beters te zeggen dan: 'Jeetje! Waar hebben jullie gewinkeld?'

Mijn blik houdt nog meer van dat soort opmerkingen tegen.

Jerry daarentegen zet meteen zijn waffel open. Hij zwetst en zweet en zwermt op haar af als een vlieg die zoetigheid ruikt. Hij ploft naast haar neer en prutst aan haar haren en praat over shampoo en kapsels. En van alles en nog wat waar hij zogenaamd het zijne van weet.

Ik zucht. Wat is mijn rol in deze soap? Ik kan beter in mijn kast kruipen, de deur van binnenuit op slot doen en rustig blijven zitten tot er betere tijden aanbreken.

'Loop maar alvast naar huis, Bud. Wij komen zo meteen', zegt Jerry nonchalant, alsof ik bij hem in dienst ben. 'Over twintig minuten gaan we namelijk weer op pad. Selma moet nodig een keertje mee als we gaan vissen. Bovendien hebben we je ouders een belofte gedaan. Elke dag versgevangen vis op tafel! Laat geen kostbare tijd verloren gaan, neef Bud. *Chop-chop!*'

Ik loop naar huis.

De auto van mijn ouders is weg, dus ik loop niemand tegen het lijf.

De helse demon stapt onder de douche.

Zo zwart als roet.

Hij stapt onder de waterstraal vandaan.

Staart naar zijn smoel in de spiegel.

Zebrastrepen.

Hij stapt weer onder de douche.

Na afloop heeft de helse demon de huid van een roze big. Maar de olie is weg.

Ik besluit om de benen te nemen. Diep in het bos staat een hutje. Daar heerst rust. In de loop van de herfst kom ik wel weer terug.

De helse demon moet opschieten. Hij moet zijn rugzak pakken, er een boel eten inproppen en het huis verlaten voor Jerry hem meesleurt.

Er wordt op de deur van de badkamer gebonkt.

Het is 100% zeker dat de vlucht gecanceld is.

BUD IS JALOERS

Mijn poging om de twee over te halen om vis te kopen in plaats van te vangen, is verspilde moeite.

'Vis moet je vangen!' stelt Jerry vast.

'Dat spreekt vanzelf!' voegt Selma eraan toe, alsof het haar iets kan schelen.

Daarom bevinden we ons 29 minuten later op het pad naar het Vossenveld. Ik kan me nauwelijks voorstellen dat dit de tweede keer is vandaag.

De dag heeft al even lang geduurd als een van Jerry's monologen.

Ik meen me te herinneren dat ik vanochtend met volle teugen genoot van het gevoel dat het bos mij gaf. Nu lijkt het alsof ik het leven van iemand anders leid.

Ik weet wat Jerry van plan is. Met Selma op sleeptouw zet hij koers naar Maggie, dat is zo klaar als een klontje. Zijn hersenen werken op een wijze die voor een gewoon mens niet te ontraadselen is. Wat wij opvatten als een hachelijke onderneming, beschouwt hij als een buitenkansje. Daarom huppelt hij nietsvermoedend op Maggie af.

Heeft ze hier de hele dag staan vissen?

Is ze nooit gewoon thuis?

Er gaat een verliefde schok door mijn lijf als ik haar spieren zie spannen wanneer ze de lijn uitwerpt.

Jerry, Selma en ik vinden een geschikte stek die zeker een meter of vijftig van haar vandaan ligt. Maar het wordt ons snel duidelijk dat Maggie dat nog veel te dichtbij vindt.

'Ik ga wel even met haar praten', biedt Jerry grootmoedig aan en hij spurt naar haar toe.

Hengel, molen, lijn, spinner. Ik leer Selma de paar kneepjes van het vak die ik onder de knie heb. En al gauw vliegen onze lijnen door de lucht en liggen onze spinners te azen op een slachtoffer.

'Ik dacht dat hij *even* met haar ging praten', zegt Selma.

We kijken hun kant uit en zien dat ze grote pret hebben. Maggie kletst op haar dijen en schatert. Over het water klinkt haar gelach alsof het in de verte onweert.

'Ach', brom ik.

'Aha', zegt ze.

'Aha?' vraag ik.

'Bud is jaloers', zegt ze.

'Hè? Je bent niet goed snik!' blaf ik.

'Rustig maar', zegt ze. 'Ik begrijp best dat je het vervelend vindt dat je beste vriend je in de steek laat omdat hij smoor is op een meisje. Ik zou willen dat iemand verliefd werd op mij. En dat ik zo'n goede vriend had.'

Mensen trekken vaak vreemde conclusies. De wereld bestaat voor 99% uit misverstanden en de rest is puur toeval. Dat is Buds wijsheid in een notendop. Maar het komt de helse demon goed uit dat niemand zijn gevoelens voor Maggie doorziet.

En het bevalt hem best dat Selma niet in de gaten heeft dat Jerry ook gek is op haar. Wat me daarentegen niet bevalt, is dat ze niet beseft dat ze wel degelijk een boezemvriend heeft en dat hij vlak naast haar staat.

BUD AAN HET LIJNTJE

Onze trip wordt een bizarre voorstelling.

Jerry is een magneet die voortdurend van pool verwisselt.

Hij blijft een eeuwigheid bij Maggie plakken. Ze zitten duidelijk op dezelfde golflengte. Mijn hart wordt door zeven messen klein gehakt. Ik heb zelfs geen trek in de boterhammen die ik gesmeerd heb. Vijf met ham en kaas. Vijf met kip en kerriesalade.

Maar plotseling – alsof iemand in het bos een dreun op een gong geeft om aan te kondigen dat de ronde afgelopen is – komt hij op ons af rennen. Opgewonden. Buiten adem. Selma grijnst, maar zegt niets. Ik kijk hem ernstig aan. Hatelijk zou ook kunnen.

Waarschijnlijk snapt Jerry, ondanks zijn drukdoenerij, dat ik me aan hem erger. Hij probeert zich in ieder geval alleraardigst te gedragen. 'Nu is het probleem opgelost, beste vriend & ondertussen heb jij het fort keurig bewaakt, zie ik. Zonder jou was ik niets, dat kan ik niet vaak genoeg herhalen. Alles is dus onder controle. Het is van het hoogste belang dat we wat Maggie betreft een charmeoffensief inzetten. Eenvoudig was het niet, maar het is me gelukt om haar op te vrolijken & ze gaat er daarom mee akkoord dat wij hier vissen. Eigenlijk was ze van plan om ons aan onze hengels te rijgen. Met haak en al! Wat een temperament heeft die meid! Ze is trouwens nog maar net in Tipling komen wonen. Veertien dagen geleden om precies te zijn. Het is onze zonneklare plicht om haar een opperbeste indruk van de plaatselijke bevolking te geven.'

(Dat verklaart waarom ik haar nooit eerder in het bos ben tegengekomen.)

Dan pas beseft hij dat Selma naast hem staat en dat hij omwille van haar onze kant weer op kwam. Selma oefent nog steeds een enorme aantrekkingskracht op hem uit. Zijn magneetpool maakt een draai van 180 graden en zijn hersenen downloaden in een fractie van een seconde alles wat met Selma te maken heeft. Hij straalt van geluk.

Jerry heeft veel eigenschappen waarvan ik geen jota begrijp. Dit is er een van.

Ik snap niet dat er in zijn magere lichaam voldoende opslagplaats is voor alle energie die hij verbruikt. Het is me een raadsel hoe hij het voor elkaar krijgt om zowel opgewonden en chaotisch als doelbewust en vindingrijk te zijn. Ik begrijp niets van deze Jerry, die uit duizenden Jerry's bestaat. Hij is een vulkaan die vuur spuwt en inslaapt. Een gozer die jubelt van vreugde en barst van verdriet. Vrijwel zonder tussenpozen.

Nu zit hij moeizaam met Selma te converseren terwijl zijn hersenen honderden snode plannen uitdokteren die tot de grote verovering moeten leiden.

En dan merkt hij ineens doodleuk op: 'Als ik jou was, ging ik even klessebessen met Maggie, Bud. We moeten zorgen dat ze niet verzuurt. Er is werk aan de winkel. Trakteer de nieuwkomer op een solide dosis van de typische Tipling-gastvrijheid!'

Ik ben geen Jerry-magneet.

Ik ben een log, bibberend zwaargewicht dat als de dood is voor deze mooie meid, die op dit moment een spartelende vis op het droge trekt en de doodsteek geeft.

'Nou, komt er nog wat van?' vraagt Jerry ongeduldig. 'Je doet alsof het een zware dobber is. Maggie is hartstikke cool, man!'

'Ik moet...' zeg ik zonder te weten wat ik moet.

'Je moet naar haar toe gaan', zegt Selma.

Selma heeft een vreemde glans in haar ogen. Er zit regenboog in, en droom en nog iets wat niet te ontcijferen is.

Selma is gezwicht voor Jerry. Ze is vergeten dat ze een Tom Cruise op de kop ging tikken op de set.

De problemen hopen zich op. Eerst vraag ik me af waar ik me druk over maak. Dan realiseer ik me dat ik achterblijf als Jerry de rokkenjager Tipling de rug toekeert. Eventuele problemen zullen aan mij worden overgelaten. Uit ervaring weet ik dat dat 100% zeker is.

Zonder nog meer te morren slenter ik daarom in de richting van

Maggie. Ik kijk naar de zojuist overleden vis. 'Die is... eh... mooi', zeg ik begaafd.

'Eh... ja', antwoordt ze. Even begaafd.

'Veel gevangen?' vraag ik ondanks het feit dat haar leefnet bol staat.

'Hm... eh... gaat wel', zegt ze.

Conversatie is niet onze sterkste kant. We houden onze mond.

Ik kijk naar haar arm – haar bruine, stevige arm – als ze de hengel naar voren zwiept.

Ik kijk stiekem naar haar billen en borsten en haren en wangen terwijl de verwarde gedachten als een school haringen door mijn hoofd schieten.

Ik weet niet hoe lang we zo staan. Ik word pas wakker als Jerry me een stomp in mijn zij geeft. 'Hé, ouwe reus!' zegt hij. 'De oren van onze arme Maggie moeten onderhand tuiten van jouw gezwam! Je moet je een beetje inhouden, vriend. Niet iedereen is gesteld op gezelschap dat aan één stuk door tatert & snatert. Bovendien ben ik bang dat Selma zich een beetje eenzaam voelt daar aan de waterkant. Ik stel voor dat je haar vermaakt met een paar vette visanekdotes!'

Ik word aan het lijntje gehouden dat tussen Maggie en Selma gespannen is.

Ik keer zonder te protesteren terug naar Selma en het laatste wat ik hoor, is Jerry die zegt: 'Zeg, Maggie. Deze Kanjersnoek. Ik zit met een brandende vraag...'

Zodra ik mijn lijf naast Selma geparkeerd heb, zegt ze zurig: 'Waar hebben die twee het nu weer over?'

Ik zucht en haal boterham 1, 2 en 3 tevoorschijn. Duw ze in mijn keelgat en voorzie mijn inwendige organen van brandstof. Reik Selma boterham nummer 4 aan, maar ze schudt van nee en mompelt iets over het aanstaande Fat-Burning-Camp.

We gluren in de richting van Jerry en Maggie. Ze kletsen met een gemiddelde snelheid van 100 km/u. Er is met andere woorden geen sprake van een gesprek met verlegen kuchjes en eh-tjes.

Jerry gaat weer helemaal op in Maggie en is Selma vergeten. Selma krijgt er steeds meer de pee in.

'En maar smoezen!' sist ze.

Ik zucht en concentreer me op boterham 4, 5 en 6.

Even later duikt Jerry weer op.

Selma is meteen in haar hum, aangezien het opnieuw Selma voor en Selma na is.

'Beste Bud, mag ik een piepklein voorstel doen?' zegt Jerry en ik ben al opgestaan en op weg naar Maggie. Hij praat verder tegen mijn rug: 'Maggie vroeg zich af welk kunstaas jij gebruikt & aangezien ik geen expert ben & jij het naadje van de kous weet, leek het me logisch dat jij haar zelf te woord staat. Bud spreekt de taal die zij begrijpt. Bud en Maggie zijn zielsverwanten, dacht ik bij mezelf. Heb ik gelijk of heb ik gelijk?'

Ook nu behalen we geen diploma spraakzaamheid.

Ik blink uit in zwijgen. En Maggie ook.

Tien minuten later ben ik terug bij Selma.

En twintig minuten later sta ik weer naast Maggie.

'Eh... ga jij... eh... naar de MOTO-show?' hakkelt ze. 'Morgen?'

'Huh? MOTO-show? Wat bedoel je?' antwoord ik en ik denk dat de datum niet klopt. Anders had ik er vast en zeker over gehoord.

'Ach... niets bijzonders', zegt ze. Einde gesprek.

We kijken naar het water en de lijn, die strepen trekt in het oppervlak.

Ik denk aan de vis die in de diepte zwemt en blikken werpt op de lekkernijen waarmee we hem proberen te verleiden. Wat gaat er in dat koppie om? Weet hij dat het valstrikken zijn? Wil hij daarom niet toehappen? Vissers hebben zich eeuwenlang verdiept in de gedachtewereld van de vis. Het is een ware wetenschap. Toch is het niemand gelukt om het volmaakte aas uit te vinden.

We zijn hier al twee uur.

Ik stuiter heen en weer.

Ik heb tot mijn spijt geen kilometerteller bij de hand. Ik zou best willen weten welke afstand ik heb afgelegd om een dubbelverliefde

Jerry een plezier te doen.

Van ons vieren is Maggie de enige die vis vangt.

Ze trekt ze uit het water alsof ze op die beesten geabonneerd is.

Tot...

BEET!

Ik ben een slechte visser. Vandaag tenminste. Er wordt me eerlijk gezegd weinig kans gegund, want Jerry houdt me de hele tijd aan het lijntje. Het enige wat ik presteer, is het verliezen van een spinner. Hij bleef haken aan iets op de bodem en daarna was de verbinding verbroken.

Jerry heeft maar één poging gedaan. Hij is te druk in de weer met het oprakelen van zijn liefdesvuren.

Ineens staat de lijn van Selma strak.

'O JEE!' roept ze zo luid dat de echo over het water galmt. 'JEE JEE JEE!'

Haar hengel buigt door en ik schiet haar te hulp. Maar ze duwt me weg. 'Dit is vrouwenwerk', zegt ze kordaat en kortademig.

Zelfs Jerry heeft in de gaten dat er iets gaande is en komt op ons af galopperen. Ook hij krijgt een grote mond als hij probeert de hengel over te nemen. Het is verdomme nog aan toe háár vis. De eerste vis van haar leven! Handen thuis, jongens!

Vanaf de zijlijn kijken we toe hoe ze zwoegt en langzaam maar zeker de vis naar zich toe laveert.

Op de achtergrond horen we Maggie luidkeels lachen.

Plotseling zwiept Selma de hengel naar achteren en de vis zwiert door de lucht. Jerry en ik springen omhoog en steken onze handen uit, maar de gladjanus glipt uit onze vingers. Voor afremmen is het te laat en terwijl de vis links uit het beeld verdwijnt, knallen onze koppen met een akelige, doffe dreun tegen elkaar. Het volgende moment zien we zeesterren en maanvissen en felgekleurde golven.

We zakken door onze knieën en horen Selma iets te laat roepen dat de vis er weer aankomt. Hij kwakt tegen het hoofd van Jerry, die daardoor omkukelt en met zijn bakkes in het gras belandt.

Ik zie nu schitterende sterren en blinkende spinners en tollende twisters.

Ik zie de vis van Selma.

Ik veer op en grijp hem.

Ik voel alleen maar lucht.

De sprookjeswereld draait voor mijn ogen en ik MOET ABSOLUUT gaan zitten.

Ik plof neer op een steen en hoop dat mijn billen niet barsten. De steen is gek genoeg heerlijk zacht en ik neem me voor dat ik voorlopig niet meer opsta.

Ik leg mijn hoofd in mijn handen om de laatste sterrenregen kwijt te raken. Vaag voel ik dat Selma in mijn arm knijpt. 'Bud!' zegt ze.

'Ja...?' antwoord ik, 20% aanwezig.

'Kun je even opstaan?'

'Was je niet bezig met die vis?' vraag ik vermoeid. Ik zie met een half oog dat Jerry me streng aankijkt. En dat Maggie in de verte krombuigt van de slappe lach.

'Ik heb goed nieuws en slecht nieuws', zegt Selma droog.

'Begin met het goede', zeg ik.

'Dat was maar een geintje', zegt ze. 'Ik heb alleen maar slecht nieuws. Je zit op mijn vis.'

BUD KRIJGT DE SCHULD. WIE ANDERS?

'Wat is er met deze vis gebeurd?' vraagt mijn vader.

We staan voor de keukentafel en bestuderen de platste forel ter wereld. Afgezien van de punt van zijn neus en de staartvin lijkt hij vooral op een schol. Het is zonder twijfel een twijfelachtige platvis.

Ik kijk naar Jerry, die mij aankijkt. 'Eh... nou, het zit zo', zegt

Jerry. 'We hadden deze prachtige vis gevangen & waren op weg naar huis & toen vertelde Selma een waanzinnig grappig verhaal – ja, dat hadden jullie moeten horen – het ging over een vriend van haar die aan een auto aan het sleutelen was & toen een enorme plens olie over zich heen kreeg en pikzwart werd, omdat hij vergeten was om... eh... iets aan te draaien, of dicht te doen, een moer of een kraantje, het maakt niet uit & de clou is dat ze die geschiedenis zo hilarisch vertelde dat we in een deuk lagen. Onze Bud kletste op zijn dijen & verloor zijn evenwicht & botste tegen me aan & de mooie vis vloog uit de vistas & juist op dat moment kwam er een auto langs & die reed over het beest heen met het linkerwiel & als je goed kijkt, kun je de afdruk van de band zien. Hier, de duim van het Michelinmannetje. We schrokken ons wezenloos, maar in feite is er niets mis met de vis. Hij is nog steeds even lekker en gezond.'

Mijn vader staart me aan en mijn moeder verwoordt wat ze allebei denken: 'Wat ben je toch onhandig, Bud. Je had Jerry wel onder die auto kunnen duwen!'

'Je hebt groot gelijk, Jerry', zegt mijn vader. 'Uiterlijk schoon is niet van belang. In dit gezin gaat het om de diepe kern. Puur natuur verloochent zich nooit. Je hebt werkelijk een prachtige vis gevangen, Jerry. Wat zullen we vanavond lekker smullen!'

Ik heb geen zin om te verraden dat het Selma's vis is. En dat ze weigerde om hem mee naar huis te nemen. 'Dat beest opeten? Ik? Mooi niet. Dit lichaam heeft een volwaardige maaltijd nodig. Geef mij maar hotdogs!' zei ze en ze dumpte de vis in onze tas.

Mijn ouders zijn ondertussen vergeten dat we maar een halve muur hebben geschilderd. Wat Jerry doet, is altijd goed.

Jerry bakt en vertroetelt de vis alsof hij in een zessterrenrestaurant werkt. En ik moet bekennen dat het resultaat op mijn tong smelt. Het is zo lekker dat ik me bijna niet stoor aan mijn moeders uiteenzettingen over de verschillende soorten kanker die verwekt worden door gebakken voedsel.

Na de maaltijd gaan we door met schilderen. We werken als op stang gejaagde demonen. We liggen achter op schema en de tijd dringt.

Het is al acht uur als we klaar zijn met de eerste muur.

Mijn vader komt naar buiten en kucht. 'Moeder en ik zijn morgen de hele dag op de universiteit. Ik neem aan dat jullie braaf jullie best zullen doen?'

'Nou en of!' glimlacht Jerry en vervolgens licht hij mijn vader in over de plannen die hij gesmeed heeft. 'Morgen is de noordwand aan de beurt!' Hij wrijft in zijn handen en doet alsof het gaat over een gezellige picknick, in plaats van een Noordpoolexpeditie.

In de noordwand zit maar één raam. De rest is een oneindige zee van planken die allemaal even wit moeten worden.

Als de helse demon zuchten over had gehad, dan zou hij ze nu geslaakt hebben. In plaats daarvan neemt hij zijn stijve, pijnlijke armen mee naar binnen en gaat hij op de bank liggen dutten terwijl mijn ouders opgetogen luisteren naar Jerry's toekomstplannen. Naarmate hun bewondering stijgt, groeit het aantal wilde invallen. Zo zit hij in elkaar.

We gaan vroeg naar bed. Lieden die een muur voltooid hebben, verdienen nachtrust.

Gelukkig valt Jerry als een blok in slaap.

Zelfs hij is moe.

Ik blijf wakker.

Ook ik heb namelijk plannen. Nu ik het grootste gedeelte van een muur geschilderd heb, kan ik net zo goed even doorgaan met pijn lijden.

BUDS TWEEDE BRIEF AAN STARBOKK

AAN: Herman_Starbokk@schoolpsychologischedienst.tipling
VAN: bumartin@ishmaelpost.net
ONDERWERP: Tweede verslag

In de volgende gymles gaf Valen me een knikje. Alsof hij zich ervan wilde verzekeren dat alle problemen de wereld uit waren. 'Even goeie maatjes, nietwaar, Martin?' zei hij en hij gaf me een vriendschappelijke dreun tegen mijn rug.

Ik mompelde iets waar hij zelf een touw aan mocht vastknopen. Maatjes? Wat dacht hij wel?

De les begon en Valen zei: 'Ik stel voor dat we met de bok beginnen, mannen.' Hij wilde me meteen op de proef stellen, dat was duidelijk.

We sleurden de toestellen uit het hok en gingen toen in een lange rij voor de Bok staan.

'Martin', zei hij. 'Jij staat vooraan in de rij.'

Valen was benieuwd hoe ik zou reageren.

Ik ging vooraan staan en dat beviel hem. Hij was er nu zeker van dat alles vergeven en vergeten was.

'Ga je gang, Martin!' riep hij.

Ik bleef rustig staan.

'Martin?' zei hij en hij probeerde kalm over te komen.

'Eh... ja?' antwoordde ik.

'Begreep je niet wat ik zei? Je bent aan de beurt om te springen.'

'Nee', zei ik.

Er viel één minuut stilte. Als een hele gymzaal met ongeveer dertig leerlingen en een woedende leraar één minuut stilte inlast, voelt dat als een eeuwigheid.

Op zijn dooie gemak slenterde de eeuwigheid door de zaal.

'Twee stappen opzij en daar staan blijven, Martin', zei Valen met een vuurrode kop. 'Alex, jouw beurt.'

Alex sprong. Kwam op zijn pootjes terecht. 'Mooi zo', zei Valen.

Enzovoort enzovoort.

Ook deze les vertikte ik het om te springen. Ik stond stokstijf op de startlijn en wist niet dat ik zo hevig kon haten. Ik haatte de witte toestellen. Ik haatte Valen. Ik vond dat ik ontzettend onrechtvaardig werd behandeld. Dat klinkt misschien overdreven, maar op dat moment was het een natuurlijke reactie. Ik vond ook dat het hoog tijd werd om stappen te ondernemen.

Veel te lang had ik met me laten sollen. Nooit was ik voor mezelf opgekomen. Nooit had ik mijn eigen ding mogen doen. Het leven had mij harder aangepakt dan ik verdiende. Ja, ik weet dat ik depressief overkom, maar het gaat erom wat ik toen precies voelde.

Ik stond roerloos op de startlijn en keek naar mijn springende klasgenoten. Ik keek naar Valen en ik keek naar mijn grootste vijand. De witte, vuile Bok. Ik stond op een startlijn die niet in mijn leven thuishoorde. Mijn startlijn bevindt zich elders. Ik beslis zelf waar ik wil starten en wanneer ik wil starten en welke hindernissen ik wil overwinnen.

Na de les verdween iedereen naar de garderobe. Iedereen behalve ik. Valen hield me tegen. 'Zo kunnen we niet doorgaan', zei hij.

'Nee', zei ik.

'In de volgende les moet je springen', zei hij.

'Nee', antwoordde ik.

'Je kent de gevolgen?' vroeg hij alsof hij beheerder was van de kas met doodvonnissen en gevangenisstraffen.

Ik haalde mijn schouders op.

'Neem maar van me aan dat er een drastische verandering zal plaatsvinden', zei hij. 'Je mag gaan douchen. Dat zal je goed doen na de inspanning die je vandaag geleverd hebt.'

Wat die verandering betreft, had hij gelijk. Want op die dag ging ik namelijk op kamers wonen. Ik nam dat besluit op weg naar huis. De tijd was rijp om het heft in eigen handen te nemen. Om zelf te beslissen. Ik had genoeg van witte toestellen die mij kleineerden. Nu zou ik mijn eigen startpunt bepalen en de eerste zelfstandige stap ondernemen.

Ik deed er twee uur over om mijn hebben en houden te verhuizen.

Het gaf me een kick. Ik had in geen jaren zo lekker in mijn vel gezeten.

Met vriendelijke groeten,

Bud Martin.

\- - - - - - -

TWEE VALLENDE STERREN – WAT NU?

Met dit mooie moment beëindig ik de mail aan Starbokk. Ik verzend het bericht, leun achterover en zucht. Ik zou willen dat de rest van mijn verhaal even fraai was. Maar dat is het niet. Deze verslagen zijn moordend. Elke zin wekt weerzin. Ik voel me leeggezogen, uitgeperst.

Ik moet naar buiten. Dit keer vergeet ik niet om mijn schoenen aan te doen. Scherven in voetzolen brengen geen geluk. Zeker weten.

Ik loop door het gras en neurie.

Ik loop over het tegelpad en zoem.

Ik loop over het grind en zing een liedje dat ik ter plaatse componeer. Een soort shanty over het verlaten van een plek en ergens anders aankomen.

Ik begroet het prieel dat rustig op de heuvel hurkt.

Ik hijg en puf en hoor dat mijn longen lichtjes piepen als ik een vrije stoel bemachtig.

'Heeft iemand een pilsje voor meneer?' vraag ik en ik lach luidkeels om de flauwe grap.

'Natuurlijk, beste Bud', antwoord ik vriendelijk en ik doe de kast open en pak er een flesje uit. Zet het aan mijn mond en kieper een scheut bier in mijn keel. Het is lauw, maar niet te versmaden na een dag als deze.

Op hetzelfde moment zie ik een vallende ster.

Het voelt als een teken. Misschien komt het door de sfeer dat ik bijgelovig word, maar ik heb het idee dat deze ster voor mijn bestwil naar beneden kukelt.

Ik leeg het flesje. Speel ermee. Gooi het omhoog en vang het op. Werp een blik op het huis van mijn grootvader. Op de andere huizen. Denk aan... denk aan een meisje dat in een van de huizen in deze stad woont.

Zeg 'Koekoe!' in het niets en zet het flesje onder de tafel.

Bedenk dat ik wat graag mijn satelliet met een volmaakte boog haar kamer in had gestuurd.

En nu we het over 'volmaakt' hebben, moet ik zeggen dat deze afgelopen dag verre van volmaakt verlopen is. Maar ik heb hem overleefd en om eerlijk te zijn voel ik me iets vrolijker dan gisteren. Er zijn nog vijf dagen en vier nachten over.

Ik kan dit aan. Ik voel me moedig en robuust en voor geen kleintje vervaard. Ik besluit dat ik via de ladder naar beneden klauter. 'Wil je wat uit het leven halen, Bud?' vraag ik mezelf. 'Dan zul je moeten afwijken van de bekende weg.'

Ik open het hekje dat mijn grootvader heeft getimmerd, grijp de leuning en zet mijn voet op de bovenste sport van de ijzeren ladder.

Ik neem nog een stap. Het lijkt me wijs om niet in de diepte te kijken, maar ik werp wel een blik over mijn schouder om een glimp op te vangen van het uitzicht. Stap voor stap klim ik de ladder af.

Wat er voorts gebeurt, is dat ik nog een vallende ster zie.

'Wow!' zeg ik en ik volg de ster met mijn ogen. Draai mijn bovenlijf een kwartslag om zo min mogelijk van het schouwspel te missen. En dat heeft catastrofale gevolgen.

Dat én het feit dat het bier dit keer te snel naar mijn hoofd is gestegen. Als ik mijn lichaam terugdraai, merk ik dat mijn evenwicht niet al te best is. Ik grijp de leuning steviger vast, maar het lijkt wel alsof hij ineens glad en vochtig is en mijn vingers wegglijden.

Ze glijden echt weg.

Ik druk mijn borstkas zo hard tegen de ladder aan dat de lucht uit mijn longen wordt geperst. Ik hap naar adem terwijl de zwaartekracht me langzaam naar achteren trekt.

Ik zweef en hang ineens stil.

De gesp van mijn riem is achter de ladder blijven haken.

Ik kijk naar mijn voeten. Van mijn voeten naar de vaste grond.

Naar de afgrond.

Een val komt hard aan.

Ik voorspel gebroken armen en benen. Opname in het ziekenhuis. Met een beetje pech staat me een begrafenis te wachten.

Die gedachten jagen een miezerige muis de schrik op het lijf.

Met de moed der wanhoop werp ik me weer naar voren. Ook al schiet de gesp los, ik dreun toch met een vaart tegen de ladder. Mijn borst en knieschijven kraken, maar ik kan gelukkig de leuning opnieuw vastgrijpen.

Uiterst rustig en oplettend daal ik af. Ik moet niet denken dat ik een-twee-drie in een wereldkampioen kan veranderen. Dat ik als een Jerry tekeer kan gaan, zonder klappen te krijgen.

Met trillende benen sjok ik huiswaarts.

Ik bedenk dat ik twee vallende sterren heb gezien, met een paar minuten tussenpoos.

Dat moet toch zeker een teken zijn?

Een goed voorteken?

'Koekoe', fluister ik kleintjes. En vol verwachting.

Ik kruip in bed en probeer te dromen.

Citaat uit
De vis van mijn leven. De jacht op de Kanjersnoek
van Henry Walden.

'Wie normale snoeken wil vangen, kan genoegen nemen met een gewone slipmolen. Mij ging het echter om deze enorme, legendarische Kanjersnoek.

Daarom gaf ik de voorkeur aan een zogenaamde reel. Deze spoel is uitermate geschikt voor het vissen op grote en hongerige vechtersbazen.

Bovendien kocht ik de duurste soort lijn. Noodzakelijk is dat niet, maar ik raad niemand aan om op kwaliteit te besparen.

Sommigen zweren bij een gekleurde lijn. Ik denk dat een snoek in staat is om kleur waar te nemen en bij het zien van een lijn argwanend wordt. Ik onderschat hem niet, deze slimme duvel die al zo lang de dans heeft weten te ontspringen. Mijn lijn was daarom transparant.

Als je met dobber en aas vist, moet je een onderlijn bevestigen tussen het aas en de hoofdlijn. Een snoek heeft grote tanden in zijn onderkaak die alles wat hij in zijn bek krijgt doorboren en tegen de honderden tandjes van zijn bovenkaak perst. Met een kracht van heb ik jou daar! Vissers die zonder onderlijn vissen hebben geen schijn van kans om de Kanjersnoek te vangen. Zou ik dobber en aas gebruiken, dan koos ik voor een supersterke, stalen onderlijn.

Maar ik vis het liefst met pluggen.

Er zijn zoveel verschillende pluggen op de markt dat de juiste kiezen zelfs voor een kenner een zware dobber is. Ik heb de beste ervaring met een serie pluggen die 'Dream Catch' heten.

Het voordeel van die pluggen is dat ze tweedelig zijn en heen en weer slieren in het water, zowel als ze onder het oppervlak verdwijnen als wanneer ze omhooggetrokken worden. Het bijzondere is dat de bewegingen onregelmatig zijn, waardoor ze doen denken aan levende vissen. En die eigenschap is mijns inziens onontbeerlijk bij de jacht op de Kanjersnoek.'

VISSTICKS IN DE AANBIEDING
=
WOENSDAG

VEELVRAAT ONTMOET HALFDODE SPIERING

Ik word langzaam wakker en met maar één gedachte in mijn hoofd.

De gedachte aan eten.

Sinds Jerry arriveerde, heb ik geen enkele keer echt aan eten gedacht.

Vreemd! Want ik ben altijd aan het eten. Tijdens de maaltijden, vóór de maaltijden, na de maaltijden. Het komt geregeld voor dat ik 's nachts mijn bed uit kruip om de koelkast te plunderen.

Ik ruik het meteen als mijn moeder koekjes, chocolade of frisdrank heeft ingeslagen en verstopt. De geur van zoetigheid komt me gewoon tegemoet. Ik ben uitgerust met een grote machine en die machine heeft brandstof nodig. Op lekkernijen werkt hij het best.

Maar nu heb ik twee dagen lang alleen maar vaste maaltijden genuttigd. Afgezien van een paar boterhammen als tussendoortje. Het bevreemdt me daarom niet dat ik ineens een hevige behoefte voel om mijn machine goed vol te stouwen.

Ik dut in terwijl een heerlijke droom door mijn hoofd fladdert. Het ene gerecht na het andere wordt voor me neergezet. Ik ben knap en slank en grappig en ironisch en wereldwijs en vul mijn bord met krokante bruschetta's, dampende ravioli, malse biefstuk, citroensorbet, roquefort...

In mijn droom neem ik net een grote hap van een baguette, beladen met rosbief, brie, tomaten en mayonaise als er van links iemand opduikt en een ruk aan mijn arm geeft.

De baguette ontploft en van mijn droom blijft geen kruimel over. Ik kijk in de ogen van Jerry.

'Hè?' zeg ik.

'Ik weet het niet meer', zegt hij. 'Waar zijn we eigenlijk mee bezig? Waarvoor doen we het allemaal? Wat heeft het nog voor nut?'

Aan zijn stem te horen, gaat de wereld over tien minuten onder. De veelvraat hijst zijn bovenlichaam omhoog en schudt de nacht uit zijn ogen.

'Kalm aan, Jerry', zeg ik en ik kijk hem onderzoekend aan. Hij lijkt op iets vodderigs dat een depressieve visser uit een zwarte, droevige poel getrokken heeft. Bijvoorbeeld een halfdode spiering.

'Soms krijg ik het gevoel dat de wereld zo enorm is dat ik er niet meer dan een piepklein graantje van zal meepikken', zegt hij. 'Vanochtend overviel het me weer. Zodra ik hier ben, word ik eraan herinnerd dat er meer tussen hemel & aarde is dan een gehucht genaamd Angler. Ik ontmoet jou die van alles & nog wat onderneemt & overal over nadenkt & de avonturen naar zich toetrekt & dan besef ik dat ik geen schijn van kans maak om alles uit het leven te halen.'

Ik knipper met mijn ogen en vraag me af of ik hem goed verstaan heb. Want een miezerige muis beleeft verdomd weinig. En in nadenken blinkt hij niet bepaald uit.

'Af en toe wordt het me te veel & heb ik het idee dat ik vol gaten zit en dat de energie uit mijn lichaam stroomt', zegt hij. 'Als ik me realiseer dat ik ver achter lig op schema, kan ik wel janken.'

'Wat zou je zeggen van... eh... een nummertje Zappa? Dat geeft de burger moed', zeg ik en ik rol uit mijn nest, loop naar de collectie en sta op het punt om *Roxy & Elsewhere* uit het rijtje te trekken als Jerry me tegenhoudt.

'Jij voldoet, Bud', zegt hij. 'Ik weet dat ik veel plaats inneem & vaak mijn eigen ding wil doen. Maar zonder een vriend die me door dik & dun steunt, was ik nergens.'

Jerry heeft altijd last van buien. Deze ochtend is hij een gebroken man.

We nemen een douche en kleden ons aan.

We lopen naar buiten en worden verwelkomd door het scherpe licht.

En door mijn ouders, die helaas op dat moment op weg zijn naar de bushalte.

'Een hele goede morgen!' zegt mijn vader.

'Hebben jullie lekker geslapen?' vraagt mijn moeder.

'Ja, hoor', zeg ik.

'Vandaag moeten jullie je in het zweet werken', zegt mijn vader tamelijk zenuwachtig terwijl hij een blik op het huis werpt. Hij doet zijn uiterste best om niet te klinken als een bevelhebber.

Zou het kunnen dat een veelvraat en een depressieve maniak in staat zijn om wonderen te verrichten en deze kolossale klus te klaren? Ik put hoop uit het feit dat de rollen vandaag omgedraaid zijn. Jerry is log terwijl ik licht ben. Maken we daarom een XXS-kansje om deze XXL-achtige noordwand te bedwingen? Ik weet het niet, maar ik ben van plan om braaf door te werken. Jerry is zo down dat hij hopelijk alleen maar aan schilderen kan denken. Ik zie hem niet zo gauw rondhuppelen om duizenden ideeën te verwezenlijken.

Jerry glimlacht dapper en loopt op mijn vader af. Hij zwengelt zijn hand op en neer. 'Dit kunt u aan ons overlaten!' zegt hij.

Dit is een aangrijpend ogenblik waar volwassen kerels een traantje bij wegpinken. Je zou zeggen dat Jerry zojuist een contract ondertekend heeft waarin hij verzekert dat hij in de loop van vijf dagen een natuurgetrouwe kopie van het Panamakanaal zal bouwen in onze tuin.

'Zo mag ik het horen', zegt mijn vader en hij glimlacht ontroerd.

Jerry schudt een laatste keer de pols van mijn vader bijna uit de kom. Nu heeft hij al zijn krachten verbruikt en kunnen we koers zetten richting keukentafel.

Nadat ik een dubbele portie ontbijt soldaat heb gemaakt en Jerry mijn oren vol heeft getuit met slechte levensverwachtingen, trekken we ons werktenue aan en maken we een rondje om het huis.

'Mijn hemel!' zegt Jerry als hij de muur in ogenschouw neemt.

EEN MUUR VAN MUUR

De noordwand is sinds gisteren in omvang verdubbeld.

Het kan niet anders of mijn vader heeft er stiekem een paar verdiepingen bovenop getimmerd.

Als ik de noordwand bekijk, voel ik me een mier aan de voet van de Eiger.

'Ik word er niet goed van', zucht Jerry en hij zet het verfblik met een plof neer.

Ik probeer mijn kalmte te herwinnen, maar krijg het niet voor elkaar.

'Als we een brandslang hadden, zouden we de verf op de muur kunnen spuiten. Dan waren we binnen vijf minuten klaar', zegt Jerry.

'We zouden een helikopter moeten hebben & de verf van grote hoogte over het huis moeten kieperen', zegt hij. 'Op die manier hadden we het hele huis in één keer in een nieuw jasje gestoken.'

De Donald Duckvoorstellen stromen uit zijn brein terwijl zijn humeur zienderogen stijgt. Het mijne zinkt daarentegen als een baksteen in een bosmeer.

Ik schuif de ladder helemaal uit en zet hem tegen de linkerkant van de muur. Zelfs een persoon met ongewoon lange armen moet de ladder minstens vijftien keer verplaatsen voor hij aan de overkant is. Over dat soort afmetingen hebben we het.

'Wat ben je van plan?' vraagt hij.

Ik reik hem een verfroller en een verfbak en wijs naar de top van de ladder.

'Grapjas', mompelt hij en hij klimt naar boven.

Zelf begin ik onderaan, in de tegenoverliggende hoek. Ik heb het lef niet om onder een ladder te staan waarop een Jerry bezig is. Volgens de statistieken gebeuren er dagelijks 51.808 ongelukken die verband houden met herstelwerkzaamheden aan huizen. Met Jerry als ploegmaat lopen we 89% kans op een ongeval. Ik kan alleen mijn uiterste best doen om te verhinderen dat ik de pineut ben.

Ik hoor zware zuchten.

Ik bijt mijn kiezen op elkaar.

Ik zie dat het gras onder de ladder steeds witter wordt.

Ik ben druk bezig in mijn hoek en rol witte verf over de door weer en wind geteisterde planken.

Jerry klinkt als een dier dat pijn lijdt op een operatietafel. Hij kreunt, houdt zijn adem in en kermt als hij weer uitademt.

De slechte bui waarmee hij de dag begon, blijkt besmettelijk te zijn. De geestverruimende gedachten aan lekker eten zeggen gedag en lopen de tuin uit en de weg op. Ze gaan bij de bushalte staan en nemen de eerste bus die de stad verlaat.

Misschien moest ik dat ook doen, weglopen? Een klein beetje maar, niet meer dan één meter? Als ik nu eens de hoek om glipte en aan de oostwand begon? Dan was ik even verlost van de Koning der Zuchten.

'Lieve hemel!' klinkt er van boven.

Maar de stem is veranderd.

De sombere klank is verdwenen.

Er is een omgeslagen Jerry aan het woord.

EEN BIJZONDER GOED IDEE

Jerry staart naar iets wat zich aan de andere kant van de haag bevindt.

Ik spits mijn oren en hoor de voordeur van de buren dichtslaan.

En de voetstappen die de trap af huppelen.

Alleen Selma's voeten maken zulke danspasjes.

'Hoi hoi!' roept Jerry en hij zwaait.

Hij valt bijna naar beneden, de verfbak slingert heen en weer en de verf klotst tegen de muur. Maar daar trekt hij zich niets van aan. Hij zwaait nogmaals.

'Hoi hoi!' tettert Selma vrolijk terug.

Ze draaft over het grindpad, stapt op haar brommer, start de motor en sjeest onze kant op.

Jerry komt de ladder af. Hoe je op een normale manier van een ladder klimt, is hem vreemd. Hij spurt met twee sporten tegelijk naar beneden en twee meter van de grond maakt hij een sprong. Hij landt als een aangeschoten eend en loopt waggelend op Selma af. Ze moet keihard remmen en het stuur ijlings naar rechts rukken om niet over hem heen te rijden. Jerry heeft dan het stuur al vastgepakt om op de been te blijven. Met het gevolg dat de brommer slagzij maakt en ze allebei gierend van de lach in het gras belanden.

Het heeft iets kinderlijks. Iets liefs en onschuldigs.

Tegelijkertijd is het zo intiem dat ik wit wegtrek. Nu krijg ik helemaal zin om stiekem het hoekje om te gaan.

'Gaan jullie niet naar de MOTO-show?' vraagt ze voor ik de kans krijg om uit het zicht te verdwijnen.

Nu schiet me te binnen dat Maggie er gisteren over sprak. En dat ik dacht dat ze zich in de datum vergiste. Want de MOTO-show laat ik nooit aan me voorbijgaan. De MOTO-show in Vanger is befaamd. Hier komen liefhebbers de oude knarren laten zien waaraan ze dag en nacht gesleuteld hebben. En het krioelt er van de kooplieden die van alles en nog wat aan de man brengen, van vergeelde handleidingen tot een bejaarde Mercedes-Benz 600. Originele carburators en versnellingsbakken van oude Fords, auto's die men zelf ontworpen heeft, eigengemaakte schoonmaakproducten... je kunt het zo gek niet bedenken of het wordt te koop aangeboden. De MOTO-show trekt niet alleen autofans, maar ook tal van bezoekers die komen voor de kermis, de kraampjes met warme worsten of gewoon om te kijken.

Dat alles kunnen wij dus mooi vergeten. We zitten hier vastgespijkerd.

'We... eh... moeten werken', zeg ik dapper.

'Ik ken jouw ouders net zo goed als jij', zegt Jerry met twinkelende ogen. 'Ik weet dat ze ons een pleziertje gunnen. Zouden ze hier nu gestaan hebben, dan hadden ze de verfblikken uit onze handen gerukt & ons naar de MOTO-show gestuurd. Vergeet niet dat we ook voor de lol leven. Voor de leuke meisjes. Het lekkere eten. We moeten het bestaan niet te ernstig nemen!'

Waar is de gast die opstond met wallen onder zijn ogen van het piekeren?

De gozer die mijn vader plechtig beloofde dat we aan één stuk door zouden schilderen?

Ik rol met mijn ogen en hef mijn armen ten hemel. Hij doet maar. Ik zal van zijn leven geen lijdensweg maken.

'Ik zou jullie best achterop willen nemen', zegt Selma bedroefd. 'Maar die brommer is zo gammel als de pip. De bus kunnen jullie niet nemen, die is net weg. Ik was er zeker van dat jullie op eigen houtje naar de show gingen, want anders had ik aan mijn moeder gevraagd of ze jullie een lift kon geven. Ze vertrok een half uur geleden.'

Jerry's brein borrelt. Hij MOET en ZAL naar de MOTO-show. Niet alleen omdat Selma erheen gaat. Maar omdat er iets te beleven valt.

We hebben allebei door dat deze schilderklus geen verkwikkende invloed heeft op ons geestelijk gestel.

Nu werken de hersenen van Jerry op gas, kolen en kernenergie tegelijk. Het is vreemd dat er nog geen damp uit zijn oren ontsnapt. Bij deze drukke bedrijvigheid horen witte rookpluimen gevolgd door schelle piepgeluiden.

'Ik weet hoe we in Vanger kunnen komen', zegt hij. 'Het antwoord ligt voor de hand. Als we geen fiets of brommer hebben & er geen bus of trein rijdt, wat blijft er dan logischerwijs over?'

Mijn hersenen beginnen ook te pruttelen, maar het enige vervoermiddel dat ik verzinnen kan, is een auto. En dat lijkt me geen optie.

'Ik heb een bijzonder goed idee', zegt Jerry.

Er loopt een ijskoude rilling over mijn rug.

EEN PACT MET DE DUIVEL

Jerry trekt me mee naar het biodieselpronkstuk van mijn ouders. Het staat er voornamelijk voor de sier, maar dat wil niet zeggen dat...

'NEE!' zeg ik trillend als een rietje.

‘Kun je een paar eenvoudige vragen beantwoorden?’ vraagt hij.

‘Ik peins er niet over!’ zeg ik en ik neem de benen.

Maar Jerry steekt zijn voet uit, zodat ik languit op de grond smak. Terwijl Selma staat te grinniken, ploft hij neer op mijn schouders en drukt hij mijn borst en bakkes in het gras. Ik ben te perplex om hem van me af te schudden.

‘Heb je zin om naar de MOTO-show te gaan, Bud?’ vraagt hij.

‘... ja, natuurlijk...’ beken ik. ‘Maar...’

‘Ja, dus’, zegt hij. ‘Is er, behalve met de auto, nog een andere andere manier om daar te komen?’

‘Nee, maar...’ sis ik. Zijn knokige knieën snijden in mijn schouderbladen.

‘Geen gemaar’, zegt hij rustig. ‘Wie van ons tweeën kan autorijden?’

‘Ik... niet... gelukkig’, zeg ik. ‘Kun je alsjeblieft... van mijn rug afgaan?’

‘Ik dus wel’, zegt Jerry. ‘Ja, ik weet dat het niet mag & zo voort, maar nadat ik mijn vader twee jaar lang het leven zuur gemaakt had, gaf hij zich gewonnen & maakten we een proefritje & toen ontdekte ik dat ik voor chauffeur in de wieg gelegd ben. Vraag me niet wat er allemaal onder een motorkap zit, maar wat de pedalen en poken betreft, heb ik geen gebruiksaanwijzing nodig.’

‘Oké, oké, ik geloof je’, kreun ik en ik probeer me op mijn rug te draaien. Hij houdt me tegen.

‘Ik ben nog niet klaar, vriendje’, zegt hij met een boosaardige grijns. ‘Het probleem is dat we geen contactsleutel hebben & dat er in de nabije omgeving maar één persoon is die een foefje kent.’

‘NEE!’ grom ik.

‘Je vergist je’, zegt hij en hij duwt mijn hoofd zo diep in het gazon dat de grassprieten tegen mijn gehemelte plakken.

Ik proest en spuug terwijl hij zijn hoofd naar me toe buigt en in mijn oor fluistert: ‘Als jij die auto aan de praat krijgt, dan zal jouw geniale en geliefde neef ervoor zorgen dat jij vandaag een mooi meisje te pakken krijgt. Dat lijkt me een goede deal. Heb ik gelijk of heb ik gelijk?'

Ik zie het nog steeds niet zitten. Maar ik weet wanneer ik een strijd verloren heb. De gedachte aan vrouwelijk schoon speelt me ook parten. De beeltenis van Maggie verschijnt op mijn netvlies, maar lost meteen op als duivel Jerry doorgaat met fluisteren. 'Stel je voor, wij tweeën in de slee van je vader. We vliegen over het wegdek & geven onze hongerige ogen de kost. Glooiende heuvels glijden aan ons voorbij & wij leunen ontspannen achterover & weten dat we onoverwinnelijk zijn & niet te stuiten. We hebben een auto. We hebben diesel. We hebben poen. We hebben alles wat een moderne man nodig heeft om indruk te maken op de buitenwereld. De wereld, Bud! Vergelijk de aarde met een sappige watermeloen. Je zou toch gek wezen als je daar je tanden niet in zette? Is dat zo moeilijk? Wat wil jij eigenlijk uit het leven halen? Zo min mogelijk?'

De duivel daagt me uit en leidt me in bekoring.

Doe ik moeilijk?

Mijn ouders blijven de hele dag weg.

Niemand gaat de auto missen.

Aan de andere kant – ik weet dat er jaarlijks 3416 ongevallen worden veroorzaakt door mensen die zonder rijbewijs achter het stuur zijn gekropen. Er bestaat 57% kans dat wij over de kop slaan of tegen een boom knallen.

Zal ik voor de verleiding bezwijken?

Ik pieker me een ongeluk.

'Nou?' vraagt hij.

'Ik... eh...'

Ik hak de knoop door.

Tien minuten later heb ik het portier opengewurmd, het stuurslot gedemonteerd en de motor gestart met wat draadjes en kabelschoentjes.

Ik ben een superschurk.

En een grote bangerik.

Alleen al de gedachte aan mijn vader geeft me kippenvel.

Maar ik geef de angst geen vrij spel.

Ik laat hem in de diepte rondzwemmen, als een sluwe Kanjersnoek.

'Bud, je bent briljant!' zegt Jerry en hij kruipt achter het stuur. Hij laat de motor ronken en is er helemaal klaar voor. Voor hij de weg op draait, haal ik nog snel een paar petten en twee zonnebrillen. Die zijn bedoeld als camouflage. Om eruit te zien als knullen van twintig.

Ik kijk in het spiegeltje. Tja... misschien om en nabij de negentien.

Of de achttien.

Eigenlijk lijk ik het meest op mezelf.

Zullen we gesnapt worden als we door Tipling rijden?

Ik adem te snel. Mijn longen krijgen het hard te verduren. Het begint te prikkelen tussen mijn slapen.

De sluwe snoek die bestaat uit twintig kilo onvervalste angst en kopzorgen, zwiept met zijn staart en zwemt naar het oppervlak.

Maar ik dwing hem weer de diepte in.

Dwing mezelf om mijn adem een halve minuut in te houden.

Dwing mijn mond om een liedje te neuriën.

'Relax, Bud', zegt Jerry begripvol. 'Nu gaan we alleen maar genieten. Dit is leven. Vergeet niet dat als er iemand een bekeuring krijgt, dat ik dat ben. Vergeet niet dat als je vader & moeder dit te weten komen, dat ik achter het stuur heb gezeten. Niet jij. Jij kunt niet eens autorijden. De grote boef, dat ben ik & niemand anders.'

Gek genoeg hebben die woorden een kalmerende werking.

Selma heeft geen zin om met ons mee te rijden. 'Sorry, maar ik ga geen stommiteiten uithalen vlak voor ik naar het Camp ga', zegt ze. Maar ze stuurt een kushandje in de richting van Jerry. Hij glimlacht tevreden en zet de auto in zijn achteruit.

En rijdt de oprit af.

Jerry is een goede chauffeur. Ik had gedacht dat hij als een kangoeroe zou rijden: hup en ho en hup en ho en om de haverklap een kokende motor. Maar als een auto uitgerust is met gevoelens, dan vermoed ik dat die van ons in zijn sas is met Jerry's rijstijl. De kar gedraagt zich beter dan wanneer mijn ouders hem besturen. Hij schakelt zonder morren naar een andere versnelling en maakt bochten om u tegen te zeggen. De weg en de auto en Jerry zijn een geolied team en ik begin te begrijpen wat Jerry bedoelde met het goede leven en de sappige watermeloen.

Dit leven is perfect!

De zon en het landschap en de snelheid en de auto die snort van genot, het is allemaal even perfect. Zelfs het oeverloze gewauwel van Jerry doet vertrouwd en knus aan.

De sluwe snoek blaast de aftocht en raakt zoek in een van de duistere en diepe spelonken.

Na dertig perfecte minuten naderen we Vanger en neemt het verkeer toe. Het wordt zo druk dat we beseffen dat we nooit van zijn leven een parkeerplaats vlak bij het MOTO-terrein zullen bemachtigen.

Vijfhonderd meter van de ingang zien we een klein gaatje in de rij geparkeerde auto's. Wat er vervolgens gebeurt, is vrij onduidelijk. Een andere auto houdt op hetzelfde moment halt. Misschien aast de chauffeur ook op het plekje. Misschien niet.

Jerry gist dat de bestuurder niets van plan is en schiet het parkeervak in. Hij gokte helaas mis. Vreselijk mis.

De andere auto rijdt tegelijkertijd achteruit.

Waardoor wij langs de achterkant van de wagen schuren. Het is geen klap van je welste, maar ik lieg als ik beweer dat het een piepklein stootje is.

'Niks aan de hand', zegt Jerry en hij gaat door met parkeren. Hij glimlacht naar de chauffeur in de andere auto om aan te geven dat het niet kwaad bedoeld was.

Maar de bestuurder heeft een andere kijk op de zaak. Er wordt driftig op de claxon gedrukt. De auto stopt naast die van ons.

Het portier wordt opengesmeten. Ik verwacht alles behalve...

Maggie!

Het is geen vriendelijke Maggie.

Het is een vuurrode Maggie. Haar vuisten zijn gebald en de spieren van haar armen puilen uit. Ze dendert als een bulldozer op ons af.

'Wat ben jij voor een onbeschofte eikel?' roept ze. 'Heb je geen ogen in je kop? Zag je niet dat ik aan het parkeren was?'

Jerry grijnst schaapachtig, draait het raampje naar beneden en steekt zijn hoofd naar buiten.

'Wie denk je wel dat je...' begint ze. Maar dan zet Jerry zijn zonnebril en zijn pet af en hij glimlacht met zijn hele gezicht. Jerry beheerst dat kunstje feilloos. Hij glimlacht met zijn ogen en zijn mond en zelfs met zijn neus en oren. Als hij diepe indruk op iemand wil maken.

'Jij...?' zegt ze en ze bukt en kijkt naar mij. 'Jullie...?'

'Dag Maggie', zegt Jerry met de warme stem die alleen hij in bizarre situaties tevoorschijn kan toveren.

De woede van Maggie smelt als een klontje boter in een hete koekenpan. Het sist twee seconden, verdwijnt en wat er overblijft, is alleen warmte. Zachte warmte.

Haar mondhoeken, die net nog naar beneden wezen, krullen omhoog en er verschijnt een lieve lach op haar gezicht.

Maar dan komt er een rimpel tussen haar wenkbrauwen. 'Heb jij eigenlijk een rijbewijs?' zegt ze met de blik van een wijkagent.

Jerry kijkt eerst een tikkeltje ernstig. Dan zet hij zijn glimlach op de allerhoogste stand. 'Het was pure noodzaak', zegt hij. 'Bud had namelijk de hele MOTO-show vergeten & toen we dat ontdekten, raakten we totaal in paniek, want dit evenement willen we

VOOR GEEN GOUD missen. We hadden nog maar één mogelijkheid & dankzij Bud is het ons nog gelukt ook. Hij weet alles van motors. Ik kan een auto besturen, maar Bud kan hem aan de praat krijgen. Als je moeilijkheden hebt met je motor, kun je bij mijn neef terecht!'

Maggie knikt bedachtzaam.

We stappen uit en inspecteren Maggies auto.

Zit er een klein, grijs vlekje op de bumper? Moeilijk te zeggen.

Maar dan draaien we ons om naar de auto van mijn vader en moeder.

De sluwe snoek, oftewel 105 kilo pure angst, schiet met opengesperde bek uit de diepte omhoog. Hij heeft het gemunt op het kleine brokje ellende, oftewel mijn ziel. Over iets minder dan een fractie van een seconde word ik een visgerecht.

Ik wist het!

DOKTER DANIEL DIESEL DRAAIT EEN LOER

Het lijkt wel alsof een neushoorn zijn kriebelneus tegen de bumper heeft gewreven. Het is onvoorstelbaar dat één grijs vlekje op de ene bumper matcht met een duidelijke deuk in de andere.

De snoek vangt de ziel van Bud. Klapt zijn kaken op elkaar en slingert de zielenpiet heen en weer.

Dit zullen mijn ouders me nooit vergeven. Ze zullen het me inpeperen. Zout in de wond strooien. Dagelijks.

Ik begin te hyperventileren.

Mijn longen draaien op volle toeren met het verwerken van de grote hoeveelheid lucht die ik op ze afstuur. Mijn lichaam protesteert, mijn hersenen sputteren, mijn evenwichtsorgaan hapert en voor mijn ogen dansen grijze stippen.

'Rustig, Bud, rustig', zegt Jerry en hij duwt me zachtjes in zittende positie op de motorkap van de verminkte auto. 'Dit lossen we wel op. Bud...'

Hij tilt mijn kin omhoog zodat hij in mijn ogen kan kijken.

'Bud... luister naar me!' Hij gedraagt zich als een arts die onderzoekt of een patiënt een hersenschuding heeft opgelopen.

Hij knipt met zijn vingers voor mijn ogen en wacht tot hij contact met me heeft. 'Er is op het moment maar één zaak die telt. We zijn hier voor ons plezier. Om ons uit te leven. Om te proeven van alle duizenden delicatessen die de wereld in de aanbieding heeft. We moeten die bumper & je ouders even naast ons neerleggen & overgaan tot de orde van de dag & dat wil zeggen: met geld smijten & smikkelen van de heerlijke watermeloen!'

Hij geeft een mep op mijn schouder en ik merk dat ik geslonken ben. Ik weeg nog maar 105 gram en er hoeft maar iemand in mijn buurt te komen of ik tocht weg.

'Vooruit kameraad! *Chop-chop!*' zegt hij en hij ketent zijn ene arm aan die van mij en de andere aan die van Maggie en trekt ons mee naar de ingang van het MOTO-terrein.

Er staat een enorme rij bezoekers.

'Tijd voor een trucje', zegt Jerry en hij tovert een geplastificeerd pasje uit zijn binnenzak. Wapperend met het ding baant hij zich een weg naar het loket. Daar houdt hij het pasje onder de neus van de kaartjesknipper terwijl hij zegt: 'We zijn van het online magazine *Wheels* & gaan een vette reeks reportages maken van dit arrangement. Alles wordt rechtstreeks & vers van de pers op het internet gepubliceerd. De deadlines zijn dus extreem kort & daarom is het van het allerhoogste belang dat we zo snel mogelijk aan de slag kunnen gaan.' Hij begint te trippelen om zijn woorden kracht bij te zetten. 'Cathrine zei dat ik met jou moest praten & dat jij ervoor zou zorgen dat we zonder poespas binnen raakten. Leuke meid, die Cathrine. Ik kreeg trouwens bijna het idee dat ze een oogje op je had. Proficiat!' grinnikt Jerry.

De man begint te blozen. 'Van welk blad, zei je?' vraagt hij alsof het hem iets kan schelen. Ik weet zeker dat hij alleen maar aan Cathrine denkt en dat hij zich afvraagt of het die leuke griet in de rode jurk is of die kleine met de bruine krullen.

'*Wheels* & dit zijn overigens testdokter Martin Clutch & testdokter Mag Fender', zwamt Jerry. '& ik ben dokter Daniel Diesel, branchespecialist.'

'Eh... oké', zegt de man onzeker. 'Het is in orde. Doe jullie best, want goede reclame op dag één zorgt voor nog meer bezoekers morgen en overmorgen!' Hij drukt met een rode stempel de letters V.I.P. op onze handruggen.

'Chop-chop!' zegt Jerry en hij gebaart ons naar binnen. We verdwijnen in de menigte voor iemand de kans krijgt om ons terug te fluiten.

'Dit is pas leven', zucht Jerry vergenoegd en hij tolt om zijn as om mensen in alle maten en kramen vol koopwaar in ogenschouw te nemen.

'*Wheels*?' vraag ik.

'Zo heet die benzinepomp in Angler waar je voor een prikkie kunt tanken', antwoordt Jerry met een brede grijns. 'Dit pasje geeft je recht op een boel leuke voordelen!'

'Je bent ongelooflijk', zegt Maggie.

'Dat weet ik', zegt Jerry. Hij bloost en slaat zijn ogen neer.

Daarna schieten ze in de lach.

Ik schud mijn hoofd en neem de benen om een hapje troost te kopen.

Mijn gezelschap is overbodig.

ETEN OM TE VERGETEN

Eten in mijn maag geeft me een veilig gevoel.

Met voedsel in je lijf kun je een Bud blijven.

Wat ik eet, maakt me niet uit. Als het maar grote porties zijn.

Een moeilijke dag is makkelijker te verdragen met tien mollige pannenkoeken overgoten met stroop en vanillesaus.

Een donkere dag wordt iets lichter met zeven dikke boterhammen met ham, kruiden, paprika, komkommer, mayonaise, mayonaise en mayonaise.

Een afgrijselijke dag met torenhoge eisen is een beetje te pruimen met een dubbelgevouwen pizza met een dikke laag cheddar en een stuk of dertig schijfjes peperoni.

Sinds het begin van de zomervakantie zijn de afgrijselijke dagen niet van de lucht geweest. Ik had in feite elke dag behoefte aan troostvoedsel. Omdat elke dag glassscherven, deuken, dreunen en gloeiend hete olie bevatte.

De koelkast en ik zijn in geen jaren zulke dikke vrienden geweest als de afgelopen tijd.

Met het gevolg dat mijn gewicht opliep van XXL tot XXLLL, als die maateenheid bestaat dan.

Ik draag alleen nog maar broeken van stretchstof.

En shirts in maat XXL extra Size die de eigenaar van de kledingzaak in Tipling speciaal voor mij op de kop heeft getikt.

Er bestaat 77% kans dat mijn gewicht tot ernstige gezondheidsproblemen leidt. Maar moet ik daarom mijn momenten van bijnageluk opofferen?

Ik vind van niet.

EUKSTIERHÈ?

Nadat ik zes dubbele hotdogs verorberd heb, begin ik te hallucineren. Dat idee krijg ik tenminste. Want mijn ogen ontdekken iets wat zo mooi is dat de tranen opwellen.

Ik sta voor een kraam waar volgens de marktkoopman de beste worsten van de wereld in de beste broodjes van de wereld te krijgen zijn. De broodjes zijn inderdaad kersvers, smeuïg en precies zout genoeg. En de worsten, die ik in een jasje van ketchup, knoflooksaus, dijonmosterd, garnalensalade en uitjes steek, zijn ook best te eten.

En het is op het moment dat ik mijn tanden in de zevende dubbele hotdog zet, dat ik tien meter van me vandaan datgene zie wat de onrust en de zwaarmoedigheid op slag verjaagt. Ik wankel en klamp me, bij gebrek aan beter, vast aan het broodje.

Het mooiste meisje van de wereld staat bij Donalds BurgerBar in een triple kebabburger te happen.

Ze is de koningin der koninginnen, een prinses die alle bekende prinsessen (Doornroosje, Sneeuwwitje en Assepoester) doet verbleken.

Ze is mooi. Alles aan haar is mooi.

De tanden die in de burger bijten, zijn mooi.

De ogen die glinsteren van genot, zijn mooi.

Het forse lijf met de krachtige lichaamsbouw dat tegen de bar leunt, is mooi.

Zelfs de voeten die stevig op de grond staan geplant, zijn mooi.

Ik begrijp niet waarom Maggie daar staat. Ik dacht dat zij en Jerry de rest van de dag samen zouden doorbrengen. Nu blijkt ze echter in haar dooie eentje te zijn, net als ik.

Ik stel geen hoge eisen aan mezelf, maar nu smeek ik mijn knieen om niet te gaan knikken als ik op de burgerprinses af loop.

Het werkt! Ik been met zelfbewuste tred naar haar toe. Ontmoet haar blik en neem naast haar plaats.

Maar dan loopt alles in mijn lijf spaak. Ik zoek me rot, maar de zelfverzekerde Bud is nergens te vinden. Waar is hij gebleven? Wat zou hij gedaan hebben als hij in mijn schoenen stond?

Ik heb zo weinig verstand van charme.

Ik weet alles van motors. Maar charme heb ik alleen op een afstand gezien. Als Jerry goed bezig is.

Hoe zou de charmeur dit aangepakt hebben?

Jerry had met haar gekletst alsof ze elkaar al jaren kenden. In de loop van tien seconden had hij de woorden uitgesproken die haar nieuwsgierig maakten naar zijn verleden, heden en toekomst. Hij zou de zeldzame zin weten te bedenken die van haar binnenste room en gelei maakte.

Ik probeer zo'n zin te verzinnen.

Het enige wat me te binnen schiet, is dat ik me schaam voor de deuk in de bumper. En dat ik het saai vind om een heel huis te schilderen. En...

Zodra ik de hotdog laat zakken en mijn mond open, blijven zelfs die suffe opmerkingen in mijn keel steken.

Wat is ze mooi.

Om iets te ondernemen, prop ik de rest van mijn dubbele hotdog naar binnen. En dan zeg ik tot mijn verbazing: 'Leuk is het hier, hè?'

De woorden komen over mijn lippen, samen met ongeveer honderd brokjes hotdog, en klinken als: 'Eukstierhè?'

De vraag is uitgesproken duf. En hij wordt er niet beter op als hij geserveerd wordt met etensresten die op haar jas blijven plakken.

Ze kijkt me in de ogen. Het zijn geen woedende ogen, ondanks het feit dat ik een hotdogpatroon op haar kleren heb aangebracht. Het zijn geen kwade ogen, ondanks het feit dat we tegen haar auto zijn geknald.

Wat zie ik wel? Paniek? Zenuwen? Verwarring?

Ze bloost.

Ze kucht.

Ze opent haar mond om iets te zeggen.

Ze neemt een hap van de kebabburger en zegt iets wat overkomt als: 'Jastikketof.'

De uitspraak gaat gepaard met een bui burger, broodresten en ingrediënten waarover ik liever niet nadenk. Ik voel de smurrie van mijn wangen druipen. Maar toch blijft ze de prinses der prinsessen.

Maggie begint te hoesten, aangezien de rest van de hap in het verkeerde keelgat belandt. Ik bonk op haar rug en ze laat me rustig bonken en ik voel Maggies magische lichaam onder de jas en kan alleen maar aan haar naakte huid denken. Mijn hand gloeit en ik geloof dat ik sterf.

Ik stuur noodsignalen naar de zelfverzekerde Bud, die zich hopelijk ergens in mijn binnenste verstopt heeft.

'Sos! Hallo?'

Maar hij is op vakantie met Jerry en smikkelt van de sappige watermeloen.

'Het is zo over', zeg ik na een paar keer geslikt te hebben. Kan niets slimmers bedenken. Heb niets anders dan dooddoeners in voorraad.

'Dank je', fluistert ze. Ze proest en hoest en produceert keelgeluiden die normaal zijn als je dwarsgezeten wordt door lucht en etensresten. En een stomme slijmbal?

Ze heeft nog steeds een rood hoofd. Ik word er ook rood van.

Dit loopt op niets uit en daarom stotter ik: 'Nu... eh... moet ik... ervandoor. Zag net... eh... een versnellingspook. Vraag me af... eh... hoe duur hij is.'

Ik spurt weg voor ze iets terug kan zeggen.

Voel dat ik me niet kan inhouden.

Maar wil niet dat het hier gebeurt.

Ren tussen twee tenten door en kom terecht in een niemandsland.

Buig mijn hoofd en laat de tranen over mijn wangen stromen.

Recht een halve minuut later mijn rug en zie Jerry in de buurt van het kleine buitenpodium.

Jerry en Selma staan naast elkaar bij een van de hoge geluidsboxen.

HET MOMENT WAAROP ALLES STILVALT

Ze staan zo dicht naast elkaar dat er misschien maar twee centimeter tussenruimte overblijft. Het doet me denken aan een liefdesfilm die ik ooit zag. De held en de heldin hadden het grootste gedeelte van de film geruzied en gevochten. Maar dan komt het keerpunt, het moment waarop alles stilvalt.

Alle woorden zijn gezegd.

Alle gelaatsuitdrukkingen zijn op.

Alles wat hen tot vijanden maakte, is uitgedoofd.

Ze naderen elkaar en staan dan stil en we beleven een vlak-voor-de-kus-stilte. Hun gezichten verraden niets. Alleen de ogen zijn op elkaar ingesteld.

Violen weerklinken op de achtergrond. Zo haal ik het me voor de geest.

En het magische gebeurt ook hier. Op een MOTO-show in Vanger slaat de stilte toe. Frisdrankautomaten en tombola's en versnellingspokenverkopers en Maggie en Bud en terreinopzichters en de vent die een tweedehands Volvo Amazone te koop aanbiedt en de man van het roestvlekkenmiddelkraampje en de vrouw die op zoek is naar grijsblauwe hoezen voor haar terreinwagen en de honden en motoren en alles wat geluid afgeeft, houdt daarmee op.

Er valt een stilte.

Er valt niets meer te beleven.

Niets anders dan twee gezichten met zo weinig tussenruimte dat zijn adem zich met die van haar mengt.

Jerry heeft trekken ontwikkeld die Selma verbindt met Tom Cruise. Hij put uit zijn gehele charmerepertoire en heeft de kus bijna te pakken. Ik kan het niet aanzien. Ik zak door mijn knieën en staar naar de hemel.

De geluiden komen terug als na de klap van een straaljager die door de geluidsmuur is gevlogen.

Waarom ben ik niet in staat om de dingen te doen die Jerry doet?

Ik ben zijn tegenpool. Hij durft alles. Ik durf niets. Hij kan praten. Ik kan alleen maar stamelen en stotteren. Hij heeft verstand van... een hoop verschillende zaken. Ik weet alleen maar iets van motors. Hij barst van de energie. Ik ben traag. Hij is mager. Ik ben dik.

Ik denk aan Selma en plotseling ben ik bang dat zij er met hem vandoor zal gaan en dat ik haar nooit terug zal zien. Bij het idee dat ik in mijn eentje in het bushokje zal zitten, krijg ik de koude rillingen. Daar zitten en jaloers zijn omdat ze me vergeten is, vanwege hem!

Ik word er vreselijk verdrietig van.

Ik kan het niet hebben dat hij alles is wat ik niet ben. Hij is alles wat ik graag had willen zijn. Hij is alles wat ik nooit in mijn leven zal worden.

Om er niet meer aan te denken, bestudeer ik de wolkenhemel.

Ik kijk naar de wolk die op een waterkan lijkt. Ik zie voor me dat hij omkiepert en dat ik een grote plens water over me heen krijg. Ik word zo nat als een vis in een aquarium en zo pissig als een kaalgeschoren kat.

Een plompe, pissige kat met een maag vol worst, maar toch ontroostbaar.

De volgende wolk is een enorme burger die uit elkaar spat in slijmerige, vieze brokken.

De volgende wolk aan de hemel is een auto, een stekelige, boosaardige uitgave van de auto van mijn ouders. Hij rijdt langzaam over me heen en alles wat er van mijn lijf overblijft, is hachee met botten.

De volgende wolk is het meisje waarop Jerry me zou trakteren. Ze is doorzichtig en waaiert al snel uiteen in een boel pluizen.

De volgende wolk is het gat van mijn veilige muizenhol.

De volgende wolk...

Ik val in slaap in het gras terwijl de MOTO-show doorgaat met ronken, kakelen, verkopen, kopen, denderen en dreunen. Ik ben helemaal weg en heb in geen jaren zo heerlijk liggen pitten.

Ik denk niet meer aan Maggie en Jerry en Selma en alles wat ik zal moeten doen of zal willen doen of zal kunnen doen zodra ik weet hoe ik een einde kan maken aan mijn bestaan als miezerige muis.

Waar ik uiteindelijk van wakker word, is de geluidsinstallatie van het buitenpodium die luid begint te piepen. Iemand hoest zo hard in de microfoon dat mijn trommelvliezen klapperen.

Ik hoor mijn naam.

GEEN LOLLETJE

'Kan de kleine Bud Martin naar het podium komen?!' wordt er gebruld.

Ik schud dromen en wolken van me af en open mijn ogen.

'Kan de kleine Bud Martin naar het podium komen?! Zijn ouders zoeken hem. Kan de kleine Bud Martin naar het podium komen?!'

Ik word kokend heet en zou willen dat de wolk die op een kan leek, ijskoud water over me heen goot.

Ik zou willen dat ik in een mol veranderde en in de aarde kon verdwijnen.

Hoe weten mijn ouders dat ik, dat wij op de moto-show zijn?

Zijn ze vroeger thuisgekomen en zagen ze dat de auto weg was en begrepen ze dat we hierheen zijn gereden?

In mijn gedachten zie ik mezelf met een rugzak op mijn rug langs landwegen kuieren. Telkens als er een auto aankomt, steek ik mijn duim omhoog en hoop ik op een lift. Ik ben weggelopen en pieker er niet over om ooit terug te keren naar mijn geboortestad.

Ik zou willen dat ik daar de moed voor had.

Ergens een nieuwe start maken. Van naam verwisselen. Een baan zoeken in een garage waar niemand vragen stelt. Slapen in een smerig kamertje boven het bedrijf. Wakker worden van de vogels die fluiten. De hele dag aan de slag zijn zonder dat iemand van me verlangt dat ik praat.

Of iets doe waar ik geen zin in heb.

Of mijn kamer opruim.

Of een huis schilder.

Of met meisjes flirt.

Een leven dat alleen van mij is. Dat zou ik willen.

In plaats daarvan sleurt de luidsprekerstem mij terug naar een leven waar ik helaas niet thuishoor. Er zit een haak in mijn achterwerk en met een ruk word ik uit mijn vertrouwde waterwereld getrokken.

Nu begrijp ik pas hoe de Kanjersnoek zich voelt. Hij is alleen, maar het rustige bestaan bevalt hem prima. Daarom zorgt hij ervoor dat hij uit de buurt van fatale haken blijft.

De grote snoek heeft dezelfde aard als ik. Hij houdt van een leven in het halfdonker.

Maar af en toe maken we een fout en laten we ons beetnemen.

Op dit moment zit ik vast aan de haak en kan ik met geen mogelijkheid ontsnappen.

Ik krabbel moeizaam overeind, borstel gras en aarde van mijn broek en sjok tussen de tenten door naar het podium. De man staat nog steeds mijn naam te blèren. Ik had verwacht mijn ouders hier aan te treffen, maar die blijken ergens anders op de loer te liggen.

Ik loop op de man af en trek aan zijn mouw.

'Ho maar', zeg ik. 'Ik ben Bud Martin.'

'Huh?' zegt hij en hij heeft duidelijk moeite met het feit dat hij een kleine kleuter heeft gedownload terwijl de vermiste persoon een tientonner blijkt te zijn.

'Grapje!' wordt er achter me geroepen.

Ik draai me om en kijk in de grijnzende smoelen van Jerry en Selma. 'Ik wist dat je tegen een geintje kon', zegt Jerry en hij geeft een mep op mijn schouder. 'Selma, zei ik, Bud is gek op practical jokes. Deze grap vergeet hij in geen jaren. Je had je gezicht moeten zien toen je het podium op strompelde & dacht dat je vader & moeder op je wachtten! Ik wil wedden dat je het liefst in rook wilde opgaan & het bijna in je broek deed. Bud, kerel, deze scène blijft voor altijd in mijn geheugen gegrift!'

Zo gaat hij nog een tijdje door tot Selma zegt: 'Als ik jullie was, zou ik me een beetje druk maken over die deuk in de bumper. De moeder van Bud wordt spinnijdig als ze het ziet. Het is jammer dat ik Frank nog niet tegen het lijf ben gelopen hier, want hij had die bumper in een handomdraai uitgedeukt.'

De volgende uren zijn we zoet met het zoeken naar Frank de uitdeuker. Zonder succes.

'Misschien loopt het wel los', zegt Selma nerveus als we bij de uitgang afscheid nemen. Ze heeft makkelijk praten. Zij vertrekt op haar brommer naar een gezellig avondje thuis. Wij rijden in een gedeukte auto richting schavot.

'Natuurlijk', zegt Jerry. 'We gaan gewoon over op plan B. Heb jij een plan B, Bud?' Hij kijkt me hoopvol aan.

Mijn plannen bevinden zich zo ver in het alfabet dat ze niet meetellen. Het zijn plannen die gaan over weglopen van huis en het in de fik steken van de auto, zodat er van de deuk niets overblijft.

'Hmm, dan zal ik zelf even moeten nadenken', zegt Jerry. Hij fronst zijn wenkbrauwen en staart voor zich uit als een jongere versie van Sherlock Holmes.

Misschien dat het daarom gebeurt? Omdat Jerry er met zijn gedachten niet bij is?

Hij ziet de naderende auto niet. Hij draait het parkeervak uit op het moment dat de auto nog maar een paar meter van ons verwijderd is.

We rijden niet hard.

Die andere auto ook niet.

Toch kun je van een kolossale klap spreken.

Ik heb het helemaal gehad.

Mijn onderbewustzijn archiveert de dreun, het geluid van brekend glas, een portier dat dichtgesmeten wordt en het luide gevloek van een man.

'@£€≠¤%&!!' tiert hij. Hij verschijnt voor onze voorruit.

WACHTEN OP EEN WISSE MARTELDOOD

Het doet denken aan de geschiedenis van drie uur geleden, toen we tegen Maggie aanbotsten. Met het verschil dat ons geen schat van een meid te wachten staat. Deze bestuurder is een lange baardaap met messen op de plek waar zijn ogen moeten zitten.

Met klauwen in plaats van handen. Een mond in de vorm van een harde streep. Hij straalt zoveel haat uit dat alleen een duivel met ontstoken kraters in al zijn kiezen een dergelijke bek had kunnen trekken.

Hij draait woeste rondjes met zijn wijsvinger en Jerry opent gehoorzaam het zijraampje. 'Wat zijn jullie voor runderen?' briest hij. Ik heb het gevoel dat ik hem eerder heb gezien.

'Kijk eens naar mijn wagen!' Hij wijst naar de wijnrode stationcar. Het zijspiegeltje bungelt aan twee ijzertjes. Het glas ligt op het wegdek. Bovendien zit er een lelijke kras in de lak.

Maar ik ben net zo begaan met onze eigen zijspiegel. Ook die hangt er als een geknakt takje bij.

'Zeg, hoe oud zijn jullie eigenlijk?' Tussen de wenkbrauwen van de man is een diepe groef verschenen. 'Mogen jullie wel achter het stuur zitten?'

Nu weet ik wie hij is.

Het is de inspecteur van Tipling Jongerencollege, waar ik de laatste drie schooljaren heb gesleten. Op het moment dat de strijd tussen mij en Valen huizenhoog oplaaide, was de man godzijdank met verlof. Inspecteur Riksen is berucht voor zijn ondervragingstechniek en zijn vlijmscherpe rotopmerkingen. Verleden jaar werd hij door de leerlingen officieus gekroond tot 'De martelmachine van het jaar'. Hij versloeg Voldemort met groot gemak.

Inspecteur Riksen steekt zijn weerzinwekkende kop bijna in onze auto terwijl hij ons grondig inspecteert. 'Uitstappen, knaapjes', zegt hij na het onderzoek.

Het is net alsof we meedoen in een Amerikaanse actiefilm en aan de tand gevoeld worden door een uitermate onsympathieke motoragent. Plotseling gaat zijn hand naar zijn revolverholster en worden we de auto uit gejaagd.

Op zo'n moment weet je dat er doden gaan vallen.

Het kan de agent zijn, maar het hoeft niet.

Iemand gaat een schot lossen en iemand bijt in het stof. Daarna is de wereld voorgoed veranderd.

We krabbelen onwillig uit de auto en kijken Riksen somber aan.

'Jullie legitimatiebewijzen!' zegt hij met een vinger aan de trekker.

Jerry geeft hem het zijne terwijl ik in mijn zakken rommel.

'En dit is echt?' vraagt hij aan Jerry. Ik krijg de zenuwen. Het zou typisch Jerry zijn om een vals identiteitsbewijs op te hoesten. Maar niemand, absoluut niemand, overhandigt Riksen een vals bewijs. Hij heeft het meteen in de smiezen als iemand hem bij de neus neemt.

Riksen kijkt van het bewijs naar mij en knijpt zijn ogen tot spleten. 'Heb ik jou niet eerder gezien? Zat jij niet op Tipling JC?'

Zijn blik is als een laserstraal die in de loop van twee seconden mijn brein scant en mijn levensloop blootlegt. Nu weet hij exact waar ik woon, hoeveel ik weeg, welke schoenmaat ik heb en wat er in mijn broekzakken zit.

'Ja', antwoord ik.

'Jullie hebben geen rijbewijs', stelt hij triomfantelijk vast. Alsof hij midden op het schoolplein een bom heeft gevonden die de leraren over het hoofd gezien hebben.

We schoppen een paar steentjes in de berm. Maar geven geen kik. Kijken hem niet aan. Wachten op de wisse dood.

'Dit is een ernstige zaak', zegt hij. 'Dit moet ik...'

'Wat is hier aan de hand?' zegt een stem. 'Doe een beetje rustig. Die jongens zijn vrienden van me.'

HET GELUID VAN VERBRIJZELENDE BOTTEN

Inspecteur Riksen richt zijn ogen razendsnel op de persoon achter ons en ik verwacht dat er nu eindelijk een wilde schietpartij zal losbarsten.

In plaats daarvan trekt hij een verbaasd gezicht. 'Maggie', zegt hij. 'Heb jij iets met deze twee oelewappers te maken?'

'Ja, we zijn hier samen op de MOTO-show en...' begint Maggie.

'Moet je kijken wat ze gedaan hebben!' zegt Riksen en hij wijst naar de twee spiegels.

'Ach wat, oom', zegt Maggie droog. 'Het is trouwens allemaal mijn schuld. Ik vroeg of ze de auto alvast naar de ingang konden rijden, omdat we haast hebben en ik eerst nog even naar de wc moest. Ik had beloofd dat ik ze thuis zou brengen.'

Inspecteur Riksen popelt van verlangen om ons te laten boeten voor de spiegel, de kras, de schok en het feit dat we geen rijbewijs hebben. Hij wil het ons betaald zetten, met een smak woekerrente op de koop toe.

Maar Maggie is zijn nichtje. Ze zijn familie van elkaar. Bovendien straalt ze een autoriteit uit waarmee hij niet overweg kan.

Aan de uitdrukking op zijn gezicht te zien, wroet hij verwoed in zijn hersenen naar een goed excuus om ons de nek om te draaien.

'Oké', zegt hij uiteindelijk en met een diepe zucht. 'Dan laat ik de politie erbuiten. Maar het wordt wel een verzekeringszaak. En met de ouders van die vrienden van je ga ik een hartig woordje spreken.'

'Goed', zegt Maggie rustig. 'Dan stel ik voor dat we nu snel naar huis rijden, jongens.'

Ze kruipt achter het stuur en wenkt ons naar binnen. We waggelen als zombies naar de auto en nemen plaats. Riksen rijdt zijn auto een stukje achteruit zodat Maggie de weg op kan draaien.

Ik kijk stiekem over mijn schouder. Riksen boort zijn röntgenblik in onze nekken, noteert ons kentekennummer terwijl hij aan één stuk door met zijn vuurrode kop schudt.

We verlaten Vanger. We zeggen geen woord. Wat valt er te zeggen?

'Gefeliciteerd, jongens', zegt Maggie. 'Mijn oom is net een snoek. Hij bijt zich vast en laat pas los als hij botten hoort verbrijzelen.'

Even buiten de stad stapt Maggie uit om terug naar de parking te lopen en haar eigen auto op te halen. Ondertussen rijden Jerry en ik zwijgend door naar Tipling.

Het landschap is ineens dor en kleurloos.

Troosteloos en oersaai.

Verdwenen zijn de mogelijkheden, de kansen, het mooie, het exotische.

We zweten en weten dat ons thuis een gigantische schilderklus wacht.

En dat is nog het kleinste probleem.

Want wat moeten we tegen mijn vader en moeder zeggen?

Jerry laat niets los over een plan B. Of C. Of...

En ik stel niet voor dat we weglopen.

Of zelfmoord plegen.

Of...

Meer heb ik niet gepland.

We komen aan bij de steile weg die naar ons huis leidt. Voor het laatste gebouw aan onze rechterhand zet Jerry de auto stil. Bleek en stilletjes snelt hij de supermarkt in. Als hij er weer uitkomt, heeft hij een plastic tasje in zijn hand.

'We moeten onszelf een beetje verwennen, Bud', zegt hij. 'Ik heb wat snacks gekocht. En een gezinsverpakking met bevroren vissticks.'

Ik kijk hem aan.

'We hebben beloofd dat er elke dag vis op tafel komt', zegt hij. 'Een man een man, een woord een woord, nietwaar?'

Eerst denk ik dat hij een grapje maakt. Maar hij meent het.

'Daar zullen ze... eh... heel blij mee zijn', zucht ik, voor ik een fantastisch idee krijg. 'We kunnen... eh... zeggen dat we het zo druk hadden met schilderen, dat... eh... we vonden dat vissen verspilling van onze tijd was. En dat we daarom vissticks hebben gekocht.'

Jerry zet een bedachtzaam gezicht op. Dan beginnen zijn ogen te glinsteren. Hij start de motor en sjeest de helling op.

'Het lijkt me slim om het op die manier in te pakken, Bud', zegt hij terwijl hij de auto parkeert. 'Hmm, af en toe ben je bijzonder helder van geest. Nu hebben we alleen nog een smoesje nodig om die paar mankementjes aan hun auto te verklaren.'

Ik weet niet wat er ineens met mijn brein aan de hand is. Komt het door de aanwezigheid van Jerry? Of is het uit pure, onvervalste paniek dat er pientere pop-ups in mijn hersenpan opduiken? Hoe dan ook, ik zie het helemaal voor me. Ik zie de ladder en ik zie waar de auto vanochtend geparkeerd stond.

'We... eh... kunnen zeggen dat de ladder op de auto viel', zeg ik.

'Bud, niet alle ideeën zijn even...' begint Jerry. Maar dan tilt hij zijn hoofd op om de ladder nader te bestuderen.

'Hmm', zegt Jerry en hij stapt uit. We lopen een rondje om de auto.

'Hmm', zegt Jerry weer en hij wrijft over zijn kin. 'Het is misschien zo gek nog niet.'

Hij trekt de ladder naar zich toe en laat hem zogenaamd uit zijn handen vallen. De ladder komt behoorlijk hard op de grond neer.

'En... eh... dan zeggen we dat hij uit elkaar viel... en dat...' stamel ik opgewonden.

'Heb ik je ooit verteld dat je geniaal bent, Bud?!' roept Jerry hysterisch en hij slaat zijn armen om me heen. Hij bezit ineens bovennatuurlijke krachten en tilt me tien centimeter van de grond. 'Je hebt al onze problemen opgelost! Het ene stuk van de ladder veroorzaakte een deuk in de bumper. Het andere sloeg de spiegel kapot. We zijn gered!'

Jerry rent een paar rondjes over het gras. Maakt vrolijke danspasjes. Laat zijn heupen en billen schudden. Brult: 'We zijn gered! We zijn gered! Bud heeft het gouden ei gelegd! Lang leve Buuuud!!'

Hij zet het onderste deel van de ladder tegen de muur, klimt naar boven en roept zo luid dat de hele buurt het kan horen: 'We zijn gered!!!! Hallo buren en buitenlui. BUD IS GENIAAL!!!'

Daarna kijken we op ons horloge. Het is laat. We trekken onze werkplunje aan en gaan aan de slag als gevangenen die proberen om wegens goed gedrag vervroegd vrijgelaten te worden. We smijten de verf bijna tegen de muur.

'Wat doen we met die oom van Maggie?' vraag ik.

'Komt tijd, komt raad', zegt Jerry doodleuk. 'Moet je luisteren, Bud. Het leven is eigenlijk één lange aaneenschakeling van problemen. Er komt in feite nooit een einde aan. Daarom heeft het geen zin om je bij voorbaat druk te maken. Wacht tot het probleem op je deur klopt, dat is mijn advies. Op dit moment hebben we een prangend probleem de wereld uit geholpen. Als die oom moeilijk komt doen, vinden we ook daar een remedie voor & wie weet zorgt Maggie er wel voor dat hij uit onze buurt blijft. Die meid kan wonderen verrichten, Bud. Dat herinnert me trouwens aan iets van het hoogste belang.'

Hij kijkt me ernstig aan en ik laat de verfrol zakken.

'Het is een beetje moeilijk', zegt hij. Hij wordt rood.

Ik leg mijn hoofd schuin om te tonen dat ik een en al oor ben.

'Het zit zo', zegt hij en hij hoest en wordt nog roder. 'Ik vind haar leuk.'

Er raakt iets los in mijn binnenste. Iets zwarts en naars smakt op de bodem van mijn brein.

'Heel heel heel LEUK', zegt hij, zo rood als een brandweerwagen.

'Heel leuk?' vraag ik. 'Je bedoelt... eh... meer dan gewoon aardig?'

'Ja, ze is geweldig', zucht hij. 'Onweerstaanbaar.'

'Op die manier', antwoord ik. Wat moet ik anders zeggen? Ik heb geen monopolie op haar.

'Ik MOET een kleine doorbraak forceren', zegt hij bedachtzaam.

'En Selma dan?' vraag ik. Heeft hij haar gekust of niet? Was het niet de bedoeling dat hij haar zou versieren met behulp van de Kanjersnoek?

'Mensen groeien uit elkaar, Bud', zegt hij en hij klinkt als iemand die honderd jaar geleefd heeft en alles van vrouwen af weet. 'Toen

Maggie bij ons in de auto zat & haar voet op het gaspedaal drukte & even later uitstapte & wegliep, besefte ik dat er iets bijzonders was met de manier waarop ze bewoog. Die rug, die billen, die benen – het hele lichaam ontroerde me & ik begreep dat ik sterke gevoelens voor haar had ontwikkeld & dat ik haar hebben MOET & daarom leek het me verstandig om je alvast op de hoogte te brengen, want ook al geloof ik niet dat jij iemand bent die aan de meisjes van je vrienden zit, toch moeten we verhinderen dat er in een later stadium misverstanden ontstaan. Kortom, houd je een beetje op de achtergrond en laat Maggie aan mij over. Er is al sprake van een bijzondere chemie tussen haar & mij & het is slechts een kwestie van tijd voor onze relatie een feit is & ik zou het dieptragisch vinden als ik in de clinch kom te liggen met mijn beste vriend.'

'Ik begrijp waar je heen wilt', brom ik en ik begrijp er geen bal van.

Ja, ik begrijp dat hij in zijn eentje van haar wil genieten. Maar komt het erop neer dat alle meisjes die hij tegenkomt in eerste instantie voor hem bestemd zijn? Selma vindt hij ook heel leuk en als de aanvoerster van de TIGERS OF TIPLING opnieuw opduikt, zal hij haar vast en zeker niet links laten liggen. Blijft er nog iets over voor mij?

Kan het nog erger worden?

Ja, maar niet meer dan een tikkeltje.

BUDS DERDE BRIEF AAN STARBOKK

Als mijn ouders thuiskomen, nemen ze de smoes van de ladder meteen voor zoete koek aan. Mijn vader inspecteert de muur en aan zijn gezicht te zien, vindt hij dat we niet erg opgeschoten zijn. Maar hij is in zijn nopjes als we beweren dat we ons geen pauze gegund hebben.

'Je bent een echte doorzetter, Jerry', zegt hij. 'Ik zou willen dat een persoon wiens naam ik niet hoef te noemen dezelfde ambities had en evenveel uithoudingsvermogen bezat.'

‘Dank u, oom’, zegt Jerry met een bescheiden glimlach. ‘En wat de auto betreft, wij nemen natuurlijk de reparatiekosten voor onze rekening.’

‘Ben je mal’, zegt mijn vader. Mijn kin kukkelt naar het laatste knoopsgat. Zoiets zou hij nooit tegen mij hebben gezegd. Zelfs niet vóór de brand.

‘Nee, daar komt niets van in’, zegt mijn moeder.

Daarna verdwijnen ze naar de keuken om de lijst met gevaarlijke E-stoffen te raadplegen. Er wordt geconcludeerd dat vissticks nog net door de beugel kunnen. Even later liggen ze te knetteren op het fornuis, naast een grote pan wilde rijst.

Het leven is een raadsel en lijkt het meest op een groen uilskuiken met geel piekhaar. Een onbetrouwbaar schepsel dat onverstaanbare, kwakende geluiden maakt. Waarmee ik wil zeggen dat ik van het leven en mijn medemensen geen jota begrijp.

Twintig minuten later zitten we vissticks en rijst te eten en ik moet zeggen dat het verrassend lekker smaakt.

Daarna trek ik me terug met het excuus dat ik hoofdpijn heb van de verflucht.

‘Bud kan nergens tegen’, hoor ik mijn moeder achter mijn rug fluisteren. ‘Als baby had hij al last van allergieën en...’

Ik laat de drie in de huiskamer rustig doorgaan met roddelen en opscheppen en lieflijk naar elkaar glimlachen. Ik heb een klus te klaren. Een uiterst vervelende, zenuwslopende klus. Maar op dit moment staat het schrijven naar Starbokk me minder tegen dan het luisteren naar het gezanik van Jerry en mijn ouders.

Ik sluit de deur van mijn kamer en zet de computer aan.

AAN: Herman_Starbokk@schoolpsychologischedienst.tipling
VAN: bumartin@ishmaelpost.net
ONDERWERP: Derde verslag

Achteraf gezien kun je misschien beweren dat Valen en ik kansen genoeg hadden om het tij te keren. Voor anderen is het hoe dan ook mak-

kelijk praten. Maar Valen en ik hielden allebei onze poot stijf. En plotseling ging het over meer dan een leraar en een leerling die kibbelden over het springen over een bok.

Het ging over andere en gewichtigere zaken.

Valen had nooit eerder beleefd dat iemand hem op deze manier uitdaagde. En daarbij kwam dat ik niet eens tot de jongens behoorde die hij respecteerde, als hij überhaupt in staat was om een leerling te respecteren. Hij kon het niet hebben dat de knul die hij beschouwde als een luie dikzak in elke les 'Nee!' tegen hem zei. Ik denk dat Valen voelde dat zijn machtspositie bedreigd werd, dat hij in zijn eer werd aangetast. Hij werd van de lerarentroon getrokken en dat maakte hem bang. Hij was als de dood dat het uit de hand zou lopen en dat anderen mijn voorbeeld zouden volgen. Daarom gaf hij zich niet gewonnen.

Ook voor mij stond er heel wat op het spel. Ik realiseerde me plotseling dat ik voor mezelf op kon komen. Voor het eerst sinds mijn kleutertijd durfde ik 'Nee!' te zeggen tegen een volwassene. En het was de belangrijkste 'Nee!' van mijn leven. Tot op dat moment had ik alleen maar gedaan wat anderen van mij verwachtten.

Nu wilde ik zelf beslissen.

Ik wilde protesteren. Ik wilde mijn eigen zin doordrijven. Ook al betrof het zoiets ogenschijnlijk onbenulligs als een uur lang achter een startstreep staan. Het witte toestel had mijn vrijheid geschonden. Ik moest er een stokje voor steken.

In de pauze vóór de vierde fase van de oorlog nam Valen me terzijde. 'Ik moet een woordje met je wisselen, Martin', zei hij en hij ging er met me vandoor.

Twintig meter van de anderen bleven we staan. 'We hebben een probleem', zei hij.

'Ja, dat hebben we', antwoordde ik.

'Ik begrijp dat je er de pee in hebt', zei hij en zijn ogen hadden een soort berouwvolle blik. 'Ik weet dat ik een grote mond heb en dat ik soms dingen zeg die niet zo aardig zijn, tegen jou, en tegen de andere jongens. En daarvoor bied ik mijn excuses aan.'

Hij laste een pauze in en verwachtte misschien dat ik mijn hand zou uitsteken en dat ik hem alles zou vergeven. Maar ik was nog niet klaar voor een vredesverdrag.

'Als we nu eens een...' Hij zocht naar de juiste woorden. 'Kunnen wij tweeën geen deal sluiten?'

Ik staarde hem alleen maar aan.

'Ik stel voor dat we de bok de bok laten en dat je je best doet op de rest van de toestellen. Oké?'

'Nee', antwoordde ik.

'Nee?' vroeg hij ineens nijdig. 'Nee?! Wat moet ik daaruit opmaken? Zou je misschien de moeite kunnen nemen om met duidelijke volzinnen te antwoorden? Of ben je ook daar te dom voor?'

'Ik... eh... voel daar niets voor, voor al die... eh... witte toestellen', zei ik.

Valen keek me aan alsof hij me wilde vermoorden en zich afvroeg welke methode het meest pijn zou doen. Zijn mond veranderde in een opvallend witte streep. Ik zeg opvallend omdat de rest van zijn gezicht vuurrood was en het zweet van zijn slapen druppelde. Zijn mond was een witte snee in een rood vlak. Ik dacht dat hij een aanval zou krijgen.

'Jammer voor jou', antwoordde hij. Hij keerde zich om en verdween met energieke tred naar de lerarenkamer.

En daarna kon het maar één kant uitgaan.

De afloop kent u. Wat mij betreft vind ik dat ik de zaak voldoende heb uitgediept en ik hoop dat mijn verslag bij deze beschouwd wordt als compleet. Ik heb weinig zin om door te gaan met vertellen.

Met vriendelijke groeten,

Bud Martin

- - - - - - -

EEN BLOEDERIGE EN ZINLOZE BEHANDELING

Ik plof languit op mijn bed en lees een stripverhaal over een wolfsjongen. Het gaat over een jongen die elke nacht wakker wordt als een wolf. Geen weerwolf, maar een jager en een krijger. Zijn lichaam is bedekt met vacht en hij beweegt zich voort op vier poten.

Hij kan nog steeds denken als een mens, maar hij wordt gedreven door zijn instinct en dierlijke driften.

De wolfsjongen hoort niet thuis in zijn omgeving. Hij woont in een grote stad, samen met zes broers en zussen en een vader die tot diep in de nacht thuis zit te werken. Het risico is daarom groot dat de wolfsjongen ontdekt wordt. Zich inhouden kan hij niet. Zodra hij wolf wordt, moet hij eropuit om te jagen.

Ik zou willen dat ik in slaap viel en droomde dat ik een wolfsjongen was. In plaats daarvan droom ik dat ik bij een dokter ben die zegt dat hij me zal helpen om de persoon te worden die ik het liefst wil zijn. Ik moet een aantal ingrijpende behandelingen ondergaan. Zo worden er zeven lagen huid van mijn lichaam geschild om de andere en betere Bud te ontbloten. De dokter geeft me groene injecties die de structuur van mijn cellen moeten wijzigen. En met gammastralen probeert hij mijn lichaamsbouw te veranderen.

Het helpt allemaal niets.

De dokter zweet en glimlacht verontschuldigend en zegt dat bepaalde organismen nogal weerbarstig zijn, maar dat hij beschikt over een bijzonder apparaat dat zelfs mij kan transformeren. Hij duwt me in een toestel dat doet denken aan een wasserette voor auto's.

In dat ding word ik eerst minutenlang gespoeld met een rode vloeistof en vervolgens beginnen vier roterende borstels mijn lichaam schoon te schrobben. Mijn huid wordt steeds roder en ruwer en het bloed sijpelt uit mijn poriën. Ik schreeuw moord en brand en smeek de dokter om de machine uit te schakelen. Maar de motor maakt zoveel lawaai dat mijn stem niet te horen is. Het vel wordt van mijn lijf gestroopt en brokken vlees vliegen in het rond en ik zie mijn ingewanden uit mijn lichaam puilen.

Toch blijf ik degene die ik ben.

Ik maai met mijn armen en smak uit de droom als ik een mep tegen het bedlampje geef. De metalen kap is gloeiend heet en ik vloek zo luidkeels dat Jerry, die op de matras op de vloer ligt te pitten, er wakker van wordt.

'Wat ben je aan het doen?' vraagt hij.
'Geen idee', zeg ik. 'Truste.' Hij slaapt alweer door.
Ik werp een blik op mijn wekker. Het is halftwee.
Ik blijf nog een half uur liggen.
Ga rechtop zitten en stap uit bed.
Sluip stilletjes naar buiten.

RAVAGE

Buiten is het een en al zachte zomernacht. Helemaal naar mijn smaak.

Ik wip de keuken binnen om twee wegwerpborden vol te laden met voedsel.

Het is hoog tijd om in het prieel van mijn grootvader te genieten van de stilte, de rust en het uitzicht. Ik houd de borden zo recht mogelijk en verlies maar een kippenboutje of twee terwijl ik over het pad loop.

Ik zou willen dat ik een wolfsjongen was. Een wolfsjongen die zijn eigen ding doet, zonder te piekeren. Een wolfsjongen die weet dat het leven onbegrijpelijk is en zich daar niets van aantrekt.

Boven aangekomen vlij ik me neer met het eten voor mijn neus en een biertje in mijn hand. En ik probeer me voor te stellen dat ik een wolfsjongen ben.

Ik sluit mijn ogen en proef van de wereld. Het lijkt alsof hij zich openvouwt om aan al mijn wensen te voldoen. Op dit moment voelt het alsof de wereld mijn zijde kiest.

Gebeurt het omdat ik indommel, met de vork boven het bord vol broodbeleg, crackers, aardappelsalade, asperges, taugé en ratatouille, gemarineerd in een tomatensaus met knoflook?

Vlak voordat we in slaap vallen zijn we namelijk het gevoeligst voor verrassingen en kunnen we met een schok wakker schieten.

Ik geloof dat ik een vogel hoorde schreeuwen.

Ik zat te denken aan een wolfsjongen die over een wei rende, op een heerlijke Maggie af, die ook een beetje wolf was. Toen was er die vogel.

Ik schrik.

Ik slik.

Ik sla mijn armen uit.

Ik geef het bierflesje een klap. De borden stuiteren over de tafel en het eten kukelt op de grond. Het flesje knalt tegen de muur van het prieel.

Het is een en al ontploffing en ravage.

Van ontsteltenis schuif ik de stoel met een rotvaart naar achteren, weg van de tafel, van de scherven en de etensresten die om mijn oren vliegen. Ik leun achterover en hoor de stoel kraken en een laatste zucht slaken.

Het wordt hem te veel en wat rest, is brandhout.

Ik haal diep adem en kijk om me heen. Het lijkt alsof iemand het prieel als slachthuis heeft gebruikt.

Ik krabbel overeind en denk...

Nee, ik kan niet meer denken. Ook ik kan niets meer hebben. Deze dag was al een beproeving. Al het gedoe met Selma, Maggie, de auto... En nu dit.

Ik moet terugkomen als mijn hersenen op adem zijn gekomen.

Ik moet... moet... ik heb een vuilniszak nodig en een dweil. Om de boel op te ruimen. Later. 'Alles komt in orde, Bud', zeg ik tegen mezelf. 'Niemand die dit ziet.' Ik neem de bende nogmaals in ogenschouw en beloof mezelf dat ik mijn mouwen zal opstropen.

Maar niet nu.

Niet vannacht.

Morgen neem ik schoonmaakgerei mee om alles netjes aan kant te maken.

Nu moet de wolfsjongen zijn instincten gehoorzamen en zijn nest opzoeken.

Ik ga naar huis, instinctief en op een drafje, als een wolfsjongen.

Morgen zullen hij en ik het prieel in ere herstellen.

Citaat uit
De vis van mijn leven. De jacht op de Kanjersnoek
van Henry Walden.

'Mijn mening is dat je het hele jaar door op snoeken kunt jagen. Zolang ik ervan overtuigd was dat de Kanjersnoek bestond, wist ik dat hij wanneer dan ook op me lag te wachten. Of het nu dag was of nacht, zomer of winter.

Toen ik besloot om de grote rakker te vangen, trok ik me daarom niets aan van de tijd. Het ging enkel om het duel tussen hem en mij. Een duel dat slechts door één van ons gewonnen kon worden.

Maar het klopt dat er situaties zijn waarin de snoek de haak liever links laat liggen. Of hij zin heeft om toe te happen, hangt bijvoorbeeld af van het uur van de dag en het seizoen. Zo speelt de temperatuur van het water en de lucht een rol én het aantal lekkere visjes dat in de buurt rondzwemt. Als hij barst van de honger tenminste.

De snoek is bijzonder gulzig in april en mei, als hij klaar is met kuitschieten. In die periode is hij niet zo kieskeurig. Dan ligt hij met een rammelende maag in ondiep water te wachten op zijn prooi. Zodra de zomer nadert, zoekt hij de koelte van de diepte op. Aan lauw water heeft hij een gruwelijke hekel.

Juli en augustus zijn daarom moeilijke maanden voor een snoekvisser. Alleen gedurende de avondschemering en heel vroeg in de ochtend kun je met een beetje geluk een snoek aan je lijn krijgen.

Maar zoals gezegd, een hongerige snoek hapt in elk aas. Mijn vriend, sportvisser Ahab, heeft zijn eigen snoekmuseum opgericht. Behalve foto's van snoeken en opgezette vissen heeft hij ook een rariteitenkabinet met spullen die snoekvissers aangetroffen hebben in de maag van een snoek. De collectie bestaat niet alleen uit schapenbotten, zwaluwen, muizen, ratten, kikkers, spek, kaas en konijnenoren, maar ook uit munten, horloges, lepels, een sardineblikje met blikopener en een bierflesje.

Ik wist dat de Kanjersnoek niet alleen gulzig was, maar ook gewiekst. Voor welk visgerei ik koos, was daarom belangrijker dan ooit.

Mijn belangrijkste wapen was echter uithoudingsvermogen. Engelengeduld. Ik zou de strijd pas staken als de buit in het leefnet was beland.'

BAKBEEST = DONDERDAG

HET ONTBIJT VAN EEN WOLFSJONGEN

Ik ben een wolfsjongen! is mijn eerste gedachte als ik de volgende dag mijn ogen opensla.

Alleen wolfsjongens worden uit zichzelf om vijf uur 's ochtends wakker. De zon slaapt met het licht aan onder de horizon. Terwijl ik klaarwakker en één bonk energie ben. 105 kilo wolfsjongen sluipt door de kamer, pakt zijn kleren en kleedt zich buiten aan. Ook al is de dag nog niet klaar voor hem, hij is er klaar voor.

Een wolfsjongen heeft altijd een druk programma. Of het nu vroeg in de ochtend of laat op de avond is.

Allereerst ben ik van plan om een stevig ontbijt te verorberen. Een maaltijd die mijn maag ballast geeft en mijn motor de rest van de dag van brandstof voorziet. Er bestaat 87% kans dat ik de afgelopen etmalen meerdere kilo's ben afgevallen, ondanks de grote hoeveelheid worst die ik gisteren naar binnen gewerkt heb.

Ik schenk een halve liter fruitsap in een glas en giet alles meteen in mijn keel. Kwak drie eieren en een handjevol spekblokjes in de koekenpan en duw twee boterhammen in de broodrooster. Dek de tafel en luister naar de stilte.

De stilte in Tipling is prettig. Ik hoor zelfs geen vrachtwagen. Alleen vogels die me vertellen dat het een mooie ochtend is.

Het wolfsjongeninstinct gebiedt me om de benen te nemen. Om haastje-repje weg te vluchten. 'Eet toch door!' briest de wolfsjongen. Maar ik dwing mezelf om langzaam en goed te kauwen voor ik een hap doorslik. Ik schenk meer fruitsap in en spoel er de laatste restjes eieren met spek mee richting slokdarm en maagmotor. Mijn motor houdt niet van haastige spoed. Ik geloof dat de wolfsjongen begrijpt wat ik bedoel.

Samen eten we rustig verder.

En bedenken we hoe we de dag gaan doorbrengen.

Ik stuit al snel op een probleem. Behalve door het bos draven en de zon zien opkomen, heb ik geen flauw idee wat een wolfsjongen verder onderneemt. Hoe brengt een pelsdier zijn dag door? Ik zou het niet weten. Daarom probeer ik me in te beelden dat ik een vacht heb en de gedachtewereld van een wolf.

Maar dat levert niets op. Ik veronderstel dat een wolfsjongen alleen maar zijn instincten volgt. Hij zal nooit de moeite nemen om een huis te schilderen of zich druk maken over deuken in een auto. Dat soort zaken laten hem koud.

Hij sluipt door het bos om een prooi buit te maken. Gaat in het zonnetje liggen als hij moe is en heeft nergens last van als de temperatuur daalt. Hij heeft geen ander doel dan zo aangenaam mogelijk te leven. Mensentaal zegt hem niets. Hij heeft zijn eigen geluiden.

Zou hij een glas kunnen vasthouden?

Gebakken eieren met spek lusten?

Terwijl ik zit te piekeren, duikt Jerry op. Hij is ook opvallend uitgeslapen, afgezien van het feit dat hij nogal somber uit zijn ogen kijkt.

'Hoi', zegt hij. Hij schikt twee sneetjes knäckebröd op zijn bord en belegt ze met dunne plakjes kaas. Niet bepaald een wolfsjongenontbijt. Maar Jerry behoort dan ook tot een andere gewichtsklasse.

'Hmf', antwoord ik in wolfsjongentaal.

'Ik heb nagedacht', zegt hij. 'We hebben een probleem.' Hij last een drukkende pauze in. 'Dit is geen leven, Bud. Dit wurgt de creativiteit. Dit wurgt onze levenskansen.'

Ik vraag me af waar hij het over heeft, maar laat alleen maar een 'Mmm?' horen.

'Ik heb het over die schilderklus', zegt hij en hij ziet er werkelijk diepbedroefd uit. 'Je had me nooit zover moeten laten gaan dat ik voorstelde dat we het hele huis zouden schilderen. Af & toe ben je zo...' Hij slaat zijn armen uit en trekt er een wanhopig gezicht bij. 'Je moet me in bedwang houden, Bud. Ik sla nogal snel door & dan is het aan jou om me tegen te houden. Met dit huis hebben we te veel hooi op onze vork genomen.' Hij staat op, schenkt een glas melk in en staart met gefronste wenkbrauwen in de witte vloeistof. 'Maar ik denk dat als we er twee dagen lang met hart & ziel voor gaan, dat we het misschien voor elkaar krijgen & dat we dan de rest van de week gewoon kunnen genieten. Als we om een uur of vier opstaan, moet het lukken. Het betekent even pijn lijden, maar daarna kunnen we de vruchten plukken. Een belofte is & blijft een belofte & we zullen hem moeten nakomen. Dus, aanpoten geblazen!'

Daarmee schiet de rest van het ontbijt erbij in. Een paar minuten later staan we voor de afgrijselijke noordwand. We hebben nog zeker drie meter te gaan voor we bij de hoek zijn.

Wanneer mijn ouders om halfacht opstaan, zijn we net klaar met de hele wand.

Mijn vader inspecteert het resultaat en geeft een opgeluchte indruk. 'Ik ga even een kijkje nemen hiernaast', zegt hij. 'Ik heb grootvader beloofd dat we een oogje in het zeil zullen houden.'

Ik kijk hem na en het zweet breekt me uit. Het is 100% zeker dat dit op een catastrofe uitloopt. Maar ik kan hem niet tegenhouden. In plaats daarvan doe ik mijn uiterste best om mijn zenuwen te bedwingen.

Na dertig seconden horen we geluiden die lijken op geblaf. Daarna weerklinkt een luide brul.

SELMA IN HET GROOT

'We moeten de politie bellen', roept mijn vader opgewonden als hij ons in het oog krijgt. 'Iemand heeft een feestje gebouwd in het prieel van grootvader. Zijn meubels zijn vernield en de vloer ligt bezaaid met eten en kapotte bierflesjes.' Hij snelt het huis in.

Ik klamp me vast aan de verfroller. Ga verwoed door met schilderen. Jerry doet niks, behalve me met verbaasde ogen aanstaren. Er tolt maar één gedachte door mijn hoofd: ik had de rotzooi meteen moeten opruimen. METEEN. Hoe haalde ik het in mijn suffe hoofd om de plaats delict te verlaten zonder de sporen weg te wissen? Er bestond 89% kans dat mijn misdrijf werd ontdekt, om nog maar te zwijgen van de mogelijkheid dat ik als hoofdverdachte uit de bus kom.

'Grnn?' brom ik in wolfsjongentaal.

'Bud', zegt Jerry met een grijns. 'Het is een buitengewoon fantastische stunt om de nacht door te brengen in een prieel & het glas te heffen naar de sterrenhemel. Ik ben diep onder de indruk!'

'WAT?' Van verbazing vergeet ik dat ik een wolfsjongen ben.

'Ik weet alles', zegt hij gemaakt geheimzinnig en hij klopt op zijn voorhoofd. 'En ik zie alles.' Hij wijst naar zijn ogen.

De woorden blijven in mijn keel steken. Met een vuurrode kop tuur ik naar de wand. Het lijkt alsof mijn hand vastgeplakt zit aan de verfroller, die vastgeplakt zit aan de witte, stroperige verf. Alsof de kracht uit mijn arm is weggevloeid. Alsof mijn lijf van lijm is die langzaam stolt en stijf wordt.

Kan ik Jerry vertrouwen?

Kan ik erop rekenen dat hij zijn grote mond niet voorbijpraat? Bijvoorbeeld tijdens de lunch? Of als we met kennissen staan te kletsen? Kan een loslippige persoon als hij überhaupt een geheim bewaren?'

Ik ga op mijn hurken in het gras zitten. Doe nog steeds alsof ik druk aan het schilderen ben om te camoufleren dat mijn knieën me in de steek laten.

'Relax', zegt Jerry en hij ploft naast me neer. 'Ik ben geen klikspaan. Ik vertel het aan niemand & vooral niet aan je ouders. Begrijp me niet verkeerd, Bud, het zijn schatten van mensen, maar dat ze altijd even begripvol & ruimdenkend zijn, kan ik niet zeggen. Afgezien van die naaktloperij dan.'

Hij grijpt mijn arm. 'Nu is het mooi genoeg. We hebben geen tijd om urenlang één & hetzelfde plankje te schilderen. Er staat ons nog een half huis te wachten. Maak je nergens druk over, mijn mond blijft dicht. Het zal moeite kosten, maar het gaat me vast & zeker lukken.'

We schilderen terwijl mijn vader de politie belt en daarna rusteloos heen en weer drentelt tussen onze tuin en het prieel van mijn grootvader. Hij heeft nauwelijks oog voor de prestaties die we leveren. Het valt hem niet eens op dat Jerry met koeien van letters SELMA op de muur schrijft. En dat terwijl krijtwitte verf op een kleurloze muur niet bepaald onzichtbaar is.

'WOW! Mooi zeg!' zegt een bekende stem. We schrikken en draaien ons pijlsnel om.

TWEE DWAZEN EN EEN GEK

We proberen over de naam heen te schilderen.

Dat blijkt echter niet zo eenvoudig te zijn.

We smeren er nog een verflaag overheen.

Maar het lijkt alsof de letters in de planken getatoeëerd zijn.

'Zo makkelijk komen jullie niet van me af!' zegt ze triomfantelijk. 'Zelfs als ik vertrokken ben naar het Camp kunnen jullie nog van me genieten. Geweldig! Maar als jullie daar de lol niet van inzien, zal ik even een handje helpen.'

Ze pakt de verfroller uit Jerry's hand, strijkt ermee over de muur voor ze zogenaamd uitschiet en Jerry een lik verf op zijn wang geeft.

'Pardon, meneer Storm', grinnikt ze. 'Ik zag u over het hoofd.'

'Ik zal je leren!' brult hij. Hij grist de roller uit mijn hand en grijpt haar arm. Ze rukt zich los en rent ervandoor.

Even later heeft Jerry haar weer te pakken. Hij duwt haar omver, geeft haar een kus op haar oor en rolt met haar over het gras terwijl ze elkaar vriendschappelijke stompen geven en gieren van de lach.

Wat een ochtend.

Jerry en Selma weten van geen ophouden en als hij haar even met rust laat, is het om een kopje thee voor haar te zetten. Ze heeft het amper op of ze beginnen weer te ginnegappen en te dollen en tikkertje te spelen. Tot Selma in de aalbessenstruiken en tussen de brandnetels belandt en getroost moet worden. Door Jerry.

Het zijn twee dwaze tortelduiven. Grappig om naar te kijken, aan de ene kant. Aan de andere kant word ik er doodmoe van. En chagrijnig. En eenzaam. Ik voel me een buitenstaander. Ik voel me belachelijk.

Wat heeft het voor zin om te schilderen als die twee alleen maar flirten en stoeien?

Geen zin. Totaal niet.

Ik zie Jerry en Selma achter elkaar aan de hoek om rennen en op me afkomen. Terwijl Jerry langs me heen spurt, roep hij over zijn schouder: 'Zet hem op, Bud! We hebben geen tijd te verliezen!'

Ik laat de verfroller in het blik vallen en loop weg.

Ik haal de hengel die in de hoek van mijn kamer staat en zoek de vrije natuur op. Zo zou een wolfsjongen het namelijk aangepakt hebben. Hij zou zijn instincten gevolgd hebben en alleen aan voedsel gedacht hebben. Niet aan verf. Vooral als zijn metgezellen hem in de steek hadden gelaten.

Met verende tred loop ik over het mos. Ik neurie een melodie, geniet van de geur van het bos en het gevoel dat ik ergens bij hoor.

Maar ineens verandert de hele sfeer. In de verte vang ik een glimp op van de Joekel. Ik voel de magie. De zwarte, boosaardige magie. Misschien ligt het alleen aan mij, maar dit meer straalt kwade bedoelingen uit.

De wolfsjongen barst van nieuwsgierigheid en popelt om de zaak nader te onderzoeken. Maar ik blijf een Bud, een miezerige muis die verlangt naar zijn veilige hol. Met het hart in mijn keel nader ik de Joekel. Ik denk aan de droom.

DE STEM IN HET BOS

Ik droomde een keer dat ik midden in de nacht wakker werd, omdat ik iemand hoorde roepen. Ik stond op en liep met mijn armen voor me uit gestrekt en met stijve benen naar de deur. Als een zombie.

De roep lokte me mijn kamer uit, naar buiten en het bos in. De stem riep telkens hetzelfde: 'Kom nou, Bud! Kom nou, Bud!'

Als een slaapwandelaar volgde ik het vertrouwde pad. Ik had geen ander licht nodig dan het beetje maneschijn dat als een zilveren sluier over het bos zweefde.

Ik wilde daar niet lopen. Ik wilde in mijn bed liggen.

Maar de stem dwong me.

Hij veranderde van toon en kreeg de holle klank van een trommel.

'Bud!' dreunde de stem en de grond begon te schokken. De boomstammen beefden.

Ik probeerde te sloffen, de vaart van mijn voeten te verminderen. Ik klampte me vast aan takken om mijn lichaam tegen te houden.

Maar het was alsof er een haak achter in mijn keel zat. Alsof een XXL-hengel me naar zich toe trok. Een hengel die uit het zwarte water van de Joekel stak.

Ik wilde mijn ogen sluiten.

Zelfs dat lukte niet.

Ik moest het pad volgen.

Helemaal tot aan de oever.

Tot ik oog in oog stond met de stille, stinkende poel.

'BUD!' bulderde de stem in mijn oren.

Het water leek een opengesperde mond.

Een muil.

De bek van een snoek die mijn naam brulde.

Ik wilde niet horen.

Ik wilde niet zien.

Maar ik moest wel.

Toen zakte ik zachtjes naar voren. Ik viel.

In het zwarte water.

In de bek.

Ik werd omringd door honderden glimmende, witte tanden.

De stem galmde als doodsklokken.

'B... U... D...!!!' Ik werd naar binnen gezogen. Afgevoerd.

Vandaag kan ik de moed bijna niet opbrengen om langs de Joekel te lopen. Maar ik zal wel moeten als ik het pad wil volgen. Ik knijp mijn ogen tot spleetjes en denk aan de vriendelijke meren die verderop liggen.

Het kan me geen barst schelen of ik iets vang.

Als de Joekel me maar met rust laat.

Ik loop dapper door terwijl de wolfsjongen op het pad is blijven staan. Hij pakt een plat steentje van de grond en laat het over het wateroppervlak ketsen. Er ontstaan vijf magische en volmaakte kringen, die langzaam uitdijen en oplossen.

Bud wil niet spelen. Hij heeft alleen maar behoefte aan rust. Hij wil een lijn uitwerpen.

De kleine plop horen als de plug het water raakt.

Merken dat zijn hartslag als vanzelf kalmeert.

Voelen dat er iets looms over het leven komt.

Luisteren naar het gefluister van de takken.

Of naar een eekhoorn die langs een stam naar boven snelt.

Of naar een egel die over dorre dennennaalden schuifelt.

Maar dan hoor ik een bekend geluid.

Er is iemand aan het vissen. In de Joekel.

Ik hoor een lijn door de lucht zwiepen en een molen snorren.

Ook al weet ik 100% zeker dat ik uit de buurt van de Joekel wil blijven, de wolfsjongen trekt zich daar niets van aan. Hij kruipt terug in mijn lijf.

Ik verplaats mijn voeten zonder op een takje te trappen, duw het gebladerte opzij en kijk.

Kijk en kijk.

Kijk naar het mooiste meisje van de wereld.

Maggie.

Wat is ze knap, zelfs aan dit akelige meer.

Zelfs in deze kakikleurige woudloperskleren. In dit tenue had ze geen enkele schoonheidswedstrijd gewonnen. Behalve de wedstrijd die op touw was gezet door een wolfsjongen. Een wolfsjongen had meteen in de gaten gehad dat alleen ZIJ in aanmerking kwam voor de hoofdprijs.

Ik laat de wolfsjongen de leiding nemen.

Ik bekommer me niet om het feit dat ik griezel van de Joekel. En dat Maggie en ik nog nooit een zinnig woord met elkaar gewisseld hebben.

De wolfsjongen weet vast overal raad op.

Daarom slenter ik naar de waterkant en steek ik vrolijk mijn poot omhoog.

Ze schrikt eerst, maar dan zwaait ze terug. De wolfsjongen loopt op haar af, met Bud op sleeptouw.

'Willen ze bijten?' vraagt hij.

'Nou en of!' antwoordt ze. 'Vooral de baarzen hebben trek.'

'Baars', zegt de wolfsjongen en hij likt zijn lippen af. 'Een van de lekkerste vissen.' Ik besef dat de harige snuiter beter van de tongriem gesneden is dan ik.

'Ja, hè?' zegt ze en we glimlachen naar elkaar. Spontaan en natuurlijk. Omdat we blij zijn dat het gesprek zo moeiteloos verloopt. 'Gestoofde baars in citroensaus is mijn lievelingsgerecht.'

'Dat klinkt heerlijk. Dat zou ik weleens willen proeven', antwoordt de wolfsjongen. En nu zou hij Maggie moeten vragen hoe ze het voor elkaar krijgt om iets te vangen. Het is alom bekend dat vissen midden op de dag geen zin hebben om te bijten. Vooral niet midden op een warme zomerdag. In plaats daarvan zegt hij: 'Je hebt altijd geluk als je staat te vissen.'

'Ja', zegt ze en ze grijnst. 'En geluk bij het vissen betekent...'

'Ongeluk in de liefde', vervolgt de wolfsjongen. 'Dat staat vast.'

Op dit moment gaat het duidelijk fout.

'Nee... eh... dat heb je mis', zegt ze koeltjes. 'Geluk bij het vissen betekent geluk in de liefde.'

'Eh... o', zegt de wolfsjongen. Plotseling is hij even intelligent als Bud. Hij begrijpt dat hij er een potje van heeft gemaakt.

De wolfsjongen biedt Bud zijn excuses aan en neemt de benen

naar een ander en minder moeilijk meer. Bud is de zwartepiet en weet zich geen raad met zijn figuur, met zijn grote, zwetende en hulpeloze lijf.

'Dus... eh... je hebt geluk in de... liefde?' vraagt domme, domme Bud, die zijn domme, domme mond niet kan houden terwijl hij dit domme, domme gesprek het liefst stante pede zou deleten.

'Ja, ik vind van wel', antwoordt ze nog steeds uit haar hum. 'Tot nu toe mag ik niet klagen.'

'Eh... goh', vervolgt de domme mond. Zijn eigenaar popelt om het voorbeeld van de wolfsjongen te volgen. 'Vind je... eh... het goed als ik... eh... daarginds mijn hengel uitwerp?'

Ze haalt haar schouders op en wuift me weg.

Ik buig mijn rug en sjok naar het uiteinde van het meer.

Traag, triest en teleurgesteld. Het is 95% zeker dat ik geen talent heb voor goede conversaties. Zou ik meedoen aan een realityserie waar je zo leuk mogelijk uit de hoek moet komen, was ik na de eerste aflevering al weggestemd. Dat is 100% zeker.

Zelfs ik zou mezelf weggestemd hebben.

Ik zucht en maak mijn hengel gereed.

In de verte zie ik het tofste meisje van de wereld een lijn uitwerpen.

In mijn wereld blijft ze buiten bereik.

Ik word naar van de gedachte. En van het feit dat ik weggelopen ben en Jerry heb opgezadeld met de rest van de schilderklus. Hoe haalde ik het in mijn hoofd?

Het maagzuur stijgt naar mijn keel en ik moet slikken en aan andere dingen denken om mijn ingewanden te bedaren.

Maar het maagzuur klotst al tegen mijn adamsappel.

Ik denk paniekerig aan baars, voorn, snoek, forel, kabeljauw, schelvis, haring, tonijn, haai en probeer ze allemaal op mijn netvlies te toveren. Hoe zou het zijn om hier in het bos een walvis te vangen?

Stel dat je de lijn binnenhaalt en er blijkt een witte walvis van een paar ton aan te hangen?

Het idee is bizar en hoort thuis in sprookjes en stripverhalen.

Mijn mondhoeken trillen en het maagzuur zakt een paar centimeter.

'Zin in een hapje lunch?' brult ze plotseling.

Ik zou willen dat ik luidkeels 'Ja!' kon schreeuwen.

Misschien heeft ze wel spijt van haar kribbige toon en wil ze vrede sluiten. Maar mijn maag dwingt me om 'Nee!' te roepen. Ik ben niet in staat om ook maar één kruimeltje naar binnen te werken. Uit beleefdheid voeg ik er even later 'Dank je!' aan toe.

'Betekent dat... eh... ja of nee?' vraagt ze.

'Eh... ik bedoel... eh... nee... maar... eh... bedankt voor het aanbod', antwoord ik als een mega mafkees.

'O', zegt ze en ze haalt haar broodtrommel tevoorschijn en gaat in het zonnetje zitten schaften.

Voor de zoveelste keer vandaag vraag ik me af waar ik in hemelsnaam mee bezig ben. Ik liep het bos in om te genieten van de rust. Om een wolfsjongen te zijn die zijn instincten volgde. In plaats daarvan verstuur ik suffe berichten over een meer. En span ik me vreselijk in om vis te vangen. Terwijl dat helemaal niet mijn bedoeling was. Ik bevind me alleen maar op deze onheilspellende plek omdat Maggie hier is.

Wanneer zal ik eindelijk iets doen omdat IK dat wil?

Ik heb het vervelende gevoel dat het 73% zeker is dat ik nooit mijn eigen zin zal doordrijven. Nee, het percentage ligt hoger. 95% is vermoedelijk nog te laag.

Wat zou een wolfsjongen gedaan hebben?

Waarschijnlijk hetzelfde als altijd. Hij zou er gewoon vandoor zijn gegaan. Om een situatie op te zoeken die hij aangenamer vond. Op dit moment ligt de harige snuiter vast en zeker aan de oever van een van de andere meren. 'Vissen?' vraagt hij zich af. 'Of niet vissen? Heb ik vandaag vis nodig? Eigenlijk niet. Ik werp een lijntje uit, uitsluitend voor de lol. En verder ga ik alleen maar luilakken en wolfsjongengedachten denken.' Daarna valt hij zielstevreden in slaap.

Ik slaak mijn twintigste diepe zucht en neem een besluit.

Als ik vind dat mijn gehannes zinloos is, moet ik iets anders ondernemen. Een grens verleggen.

Ik werp nog drie keer uit. Ik maak er drie perfecte worpen van, enkel en alleen om Maggie te laten zien dat ik wel degelijk kan vissen. Daarna is het welletjes. Dan vertrek ik naar een ander meer om daar languit te liggen niksen en Budgedachten te denken.

Met de eerste worp is niets mis.

Mijn bovenlichaam en mijn arm en benen gedragen zich zoals het hoort. De haak blijft niet in de struiken hangen en ook niet in mijn haren.

Het resultaat is een perfecte boog. En een perfecte plop.

Ik draai binnen en onder de waterspiegel heupwiegt de plug bekoorlijk om de vissen die toevallig in de buurt zijn naar zich toe te lokken. Maar het hoeft geen menens te worden. Voor mijn part maken ze zich er met een knipoogje vanaf.

Op de tweede worp ben ik minder trots.

De lijn zwenkt te ver naar links en gedurende een paar ijzige seconden vrees ik dat de plug in het riet terechtkomt en dat ik het water in zal moeten waden om de haak los te rukken en dat ik dus een enorme flater sla.

Het loopt gelukkig goed af.

Ik haal de lijn binnen en de plug lonkt en de vissen kijken even op van hun bezigheden. Maar in proeven hebben ze geen zin. Ik geef ze groot gelijk.

De derde en laatste worp is meteen catastrofaal. Als ik mijn gewicht verplaats naar mijn ene voet, verlies ik mijn evenwicht. De plug verdwijnt links uit het beeld en belandt in het riet.

En daar klampt hij zich vast.

Ik wip de hengel omhoog en geef een korte ruk. Er gebeurt niets.

Ik laat de hengel zakken en draai wat lijn binnen. Buig de hengel naar achteren en trek voorzichtig. Uiterst voorzichtig.

De vissen grinniken en geven elkaar porren in de zij. Ze beleven dolle waterpret in de Joekel, zeker weten.

Ik geef meer lijn en haal weer binnen.

Word ineens ziedend en trek de hengel met een harde ruk naar achteren.

Dat blijkt een slimme zet te zijn.

De haak schiet los. De plug vliegt als een dronken prima donna door het water en dat brengt zowaar het hart van een van de jongens op hol. Hij rukt zich los uit de groep en roept: 'Die griet is voor mij!'

Hij hapt toe.

Het is godsonmogelijk en te gek voor woorden, maar ik heb beet. En het is geen minivoorn!

De drieste knaap heeft direct in de gaten dat hij beetgenomen is. Zijn bek staat op barsten en hij probeert de prooi door te bijten en ermee aan de haal te gaan. Maar zijn tanden kunnen niets met de harde, metalen plug.

Wie niet sterk is, moet slim zijn, denkt hij dan en hij zwemt weg met de kille meid.

De tweestrijd gaat van start!

Ik plant mijn hakken in het gras en houd hem tegen.

Maggie is opgestaan van haar stoel en volgt het schouwspel vanuit de verte.

Mijn hengel buigt door. Er is geen sprake van een vis, maar van een VIS!

Hij zoekt de vrijheid op. Vecht voor zijn leven.

Ik geef hem geen kans en geen hoop. Telkens als hij de moed even opgeeft, haal ik binnen.

Maggie komt aanrennen met haar schepnet.

'Zet hem op!' zegt ze zachtjes. 'Zet hem op!'

Ik worstel met mijn tegenstander, maar sleur hem steeds dichter naar de oever.

Doe een poging om hem uit het water te tillen. Daar is hij echter nog niet van gediend.

Een halve, huiveringwekkende seconde denk ik dat ik hem kwijt ben. Dat het hem gelukt is om de lijn door te bijten. De hengel voelt plotseling veel te licht aan.

'Nu!' zegt Maggie. 'Nu heb je hem!'

Ik draai als een gek aan de molen, trek de hengel omhoog en zwiep de vis op het droge.

Maggie vangt hem met het schepnet. Ik hurk neer en steek mijn mes in zijn keel. Hij bloedt, werpt me een glasachtige blik toe en blaast zijn laatste adem uit.

MET HANGENDE POOTJES

Het is een knaap van een forel. Verreweg de grootste vis ik ooit gevangen heb. Hij weegt minstens drie kilo.

'Knap gedaan van je', zegt Maggie en ze glimlacht.

Ik wil haar net met mijn liefste glimlach bedanken als er een hevig gekraak weerklinkt en Jerry hijgend uit het struikgewas opdoemt. 'Woow!' zegt hij als hij de vis ziet. 'Wat een knoert!'

Dan kijkt hij van mij naar Maggie. Zijn ogen verduisteren. Het lijkt alsof zijn pupillen uitlopen en al het oogwit bedekken. Hij ziet er tamelijk woedend uit en ik weet wat hij denkt. Ik herinner me maar al te goed dat hij me vriendelijk maar dringend verzocht om Maggie aan hem over te laten.

'Als ik jou was, zou ik overwegen om naar huis te gaan', zegt hij afgemeten. 'Je vader was, zachtjes uitgedrukt, nogal pissig & diep teleurgesteld toen hij zag dat je de schilderklus aan je laars had gelapt. Daar stond ik doodleuk in mijn eentje te zwoegen & waar jij uithing, kon ik de goede man niet een-twee-drie uitleggen. "Is hij gewoon weggelopen?" vroeg hij & op die vraag kon ik natuurlijk alleen maar "Ja" antwoorden & ik wil je niet bang maken, maar het schuim stond op zijn lippen & wat hij allemaal uitkraamde, durf ik niet te herhalen. Met andere woorden, je vader is goed boos op je & je moeder ook. Ik kan dat niet helpen. Het was gewoon niet slim van je om de benen te nemen. We zijn een verplichting aangegaan. Vergeet dat niet. Je kunt je niet op eigen houtje afmelden.'

'Oké', zeg ik en ik begrijp dat het leven mij aan de haak heeft geregen en dat tegenstribbelen geen zin heeft.

'Laat je spullen maar liggen', zegt Jerry. 'Maak dat je thuiskomt & probeer die ouders van je op te vrolijken. Ik ruim de boel wel voor je op & zodra ik een paar woorden met Maggie heb gewisseld, kom ik achter je aan.'

Ik heb de grootste en mooiste vis van mijn leven gevangen en ben genoodzaakt om hem in het gras achter te laten en met hangende pootjes naar huis te sjokken.

Wat heeft het voor zin?

Dat is vandaag de grote vraag en ik krijg de kans om hem nog ettelijke malen te herhalen als ik thuiskom. Mijn vader ligt op de stretcher en kijkt me kil aan. 'Zo, meneer neemt de moeite om even langs te komen', zegt hij. De ijsblokjes rinkelen in zijn stem.

Mijn moeder hoort hem praten en stuift het terras op. 'Wat ben jij voor iemand? Gaat prinsheerlijk een beetje lopen lanterfanten terwijl Jerry zich uit de naad werkt! Ik zou me doodschamen als ik jou was!'

Ik zou niet weten waarom. Als ik zie hoe weinig Jerry uitgespookt heeft terwijl ik aan het vissen was, hoef ik me eerlijk gezegd nergens voor te schamen.

Ik stuur een sos naar de wolfsjongen.

Maar die heeft duidelijk leukere dingen te doen en heeft lak aan zielenpieten die niet in staat zijn om hun eigen boontjes te doppen.

Ik trek mijn werkkleren aan en ga door met het witten van de wand, zonder boe of bah te zeggen.

Wat heeft het voor zin?

HOE EEN UUR EINDELIJK EEN UUR WORDT

Ik schilder en schilder.

Ik heb het idee dat ik een uur heb staan schilderen, maar als ik op mijn horloge kijk, zie ik dat er maar vijf minuten verstreken zijn.

De zon brandt en zelfs met witte kleren aan raak ik oververhit. Alsof ik rondjes ren in een sauna.

Ik schilder weer een uur.

Ik doe er zeven minuten over.

Met het zweet dat ik produceer, zou ik een zwembad kunnen vullen. Ik zet koers naar de keukendeur om een paar liter water te drinken. Mijn vader, de slavendrijver, duikt meteen op. Uit het niets en in het niets, afgezien van de rode, plastic slippers. 'Nu al moe?' grijnst hij geniepig.

'Grmm', grom ik met een mond vol wolventanden.

'Tjonge', zegt hij terwijl hij naar het grote vlak tuurt dat ik nog niet geschilderd heb.

'Hmm', mompel ik.

Wat valt er te zeggen? Dat die muur best groot is? Dat ik het leuk vind om alles in mijn eentje te doen? Dat ik het vreemd vind dat niemand vraagt waar Jerry uithangt?

Zou dat zin hebben?

Ik sjok naar binnen en slurp water als een dorstige kameel. Met volle bulten keer ik terug naar de verfloze muur en mijn meedogenloze vader.

'Daar heb je mijn zoon', zegt hij alsof hij tegen de muur babbelt. Daarna draait hij zijn rug naar me toe en beent hij richting terras en stretcher. Er lag iets moedeloos in zijn stem, om niet te zeggen minachtends. Maar de aanblik van de blote man met de trillende billen en de lelijke slippers is zo lachwekkend dat ik mijn uiterste best moet doen om niet in lachen uit te barsten. Je kunt de man niet ernstig nemen. Het doet er niet toe dat hij mijn vader is en een hardwerkende professor.

Misschien vangt hij een klein proestje op. Hij keert zich in ieder geval plotseling om. Ik doop de roller diep in de verf, kwak een dikke lik op de muur en doe alsof ik een spetter in mijn oog krijg. Door mijn gezicht langs mijn mouw te wrijven probeer ik mijn brede grijns te verbergen.

'Is er iets?' vraagt mijn vader.

'Huh?' zeg ik en ik schud mijn hoofd.

Hij neemt me achterdochtig op voor hij uit het zicht verdwijnt.

Ik schilder braaf door en na een uur zie ik dat er tien minuten verstreken zijn.

Ik schilder nog een uur en nu doe ik er twaalf minuten over.

Ik troost me met het feit dat de minuten steeds korter worden.

Maar aan het werk lijkt geen einde te komen.

Alsof ik een baan om de maan schilder.

Ik denk dat de tijd sneller gaat als ik er niet meer aan denk. Ik schilder en laat mijn gedachten de vrije loop. Ze volgen een wolfsjongen die bokkensprongen maakt en van het leven proeft terwijl mijn handen zonder nadenken witte strepen trekken op de muur.

De wolfsjongen snuift de verflucht op. Daarna de stank van rode plastic slippers en sterke koffie. Hij kokhalst en vlucht halsoverkop. De bofkont.

Ik schilder een uur. Dat wil zeggen vijfendertig minuten.

Het experiment werkt.

De zon grijpt de versnellingspook, drukt het gaspedaal in en schiet weg achter een boom. Ik sta in de schaduw. Weer een verademing.

Ondertussen ben ik meermaals in de keuken geweest om mijn bulten te vullen. Het gras om me heen is nat van mijn zweet en wit van de verf.

Ik schilder een uur en zie dat het een uur duurde.

Dan hoor ik mijn vader praten. Aan zijn stem te horen is hij in zijn hum.

Het is vier uur geleden sinds ik Jerry, Maggie en mijn mooie vis achterliet aan het meer. Nu duikt Jerry eindelijk op. Met de vis in een zak die Maggie hem waarschijnlijk cadeau heeft gedaan. Ik kom de hoek om op het moment dat mijn vader de zak opent. Zijn ogen puilen uit hun kassen als zijn hersenen de inhoud registreren.

'Wat een prachtige forel, Jerry!' roept hij opgetogen. 'Je bent een geboren visser!'

'Nee, die vis heeft...' zegt Jerry.

'Bescheidenheid is een deugd', kirt mijn vader en hij kijkt naar Jerry alsof mijn neef een kruising van Albert Einstein en het achtste wereldwonder is.

'Bud heeft...' Jerry probeert vertwijfeld om de vloed van eervolle vermeldingen te doorbreken. Maar mijn vader is niet te stuiten. Van een luisterend oor is geen sprake.

Kakelend als een kip zonder kop huppelt hij naar binnen om de vis aan mijn moeder te laten zien. En ik hoor haar jubelen en in haar handen wrijven en kwijlen.

Jerry kijkt me aan en trekt een wanhopig gezicht. 'Ik deed mijn best, maar je vader was zo doof als een kwartel', zegt hij. 'Hoe lossen we dit op? Het is tenslotte jouw vis.'

Ik haal mijn schouders op en keer terug naar de verfroller. Hoor met een half oor dat mijn moeder Jerry overspoelt met complimenten. Als ik niet beter wist, zou ik gissen dat er een wilde tonijn in de zak zat.

Jerry probeert nogmaals de waarheid te vertellen, maar geeft de moed al snel op. Hij ploft neer in een stoel, wordt getrakteerd op limonade en klessebest met mijn moeder terwijl mijn vader de vis omtovert tot een maaltijd.

Wat ik doe?

Schilderen natuurlijk.

Iets anders is zinloos. Nietwaar?

Als ik door dorst gedreven de keuken in loop, zie ik mijn vrolijk zingende vader aardappels koken (in de schil, dus gezond), een salade maken (van rauwe groente, dus gezond) en de vis bakken (in zo min mogelijk boter, dus gezond).

Tijdens de hele maaltijd zeg ik geen woord. Ik geniet van de vis. Geniet van het idee dat het mijn vis is.

Hij hapte in mijn haak.

Hij en ik gingen het gevecht aan.

Hoe anderen erover denken, laat me koud. Jerry werpt me verlegen blikken toe als mijn ouders zijn hengelkunsten roemen en zich gelukkig prijzen dat ze zo'n geweldige gast in hun midden hebben.

Het duurt niet lang voor Jerry zijn tong weer gevonden heeft en het gesprek gedomineerd wordt door zijn geleuter.

Na het eten laat ik me meesleuren door de wolfsjongen, die overal van walgt en zoek ik mijn heil in de hemelhoge huismuur.

Ik schilder een uur en dan is het twee uur later.

Zonder dat ik er iets van merk.

Ten slotte valt de avond ook in mijn leven.

Ik ruim de schilderspullen op, boen mijn gespikkelde lichaam schoon en ga languit in het gras liggen staren naar de vierkante meters die ik voltooid heb terwijl anderen uitgebreid koffie hebben zitten drinken.

'Zo, lig je lekker?' zegt mijn vader als hij zogenaamd toevallig langskomt. 'Van doorzetten en je tijd nuttig besteden, heb je geen kaas gegeten. Je denkt zeker dat de kaboutertjes het werk voor je doen?'

Hij verdwijnt en de rust keert op kousenvoeten terug. De wolfsjongen trekt zich niets aan van de ironische woorden van een blote man op slippers. Hij strekt zich uit en gromt in zijn slaap.

Na een poosje komt Jerry naast me zitten.

'Gaat het een beetje?' vraagt hij.

'Eh... ja hoor', zeg ik.

'Bud...' zegt hij nadat hij nogal lang gezwegen heeft. 'Ik ben geen echte vriend.'

'Huh?' zeg ik.

'Ik had moeten ingrijpen', zucht hij. 'Het was jouw vis, Bud & ik ging met de eer strijken. Ik ben de slechtste vriend van de wereld. Kun je me geen klap verkopen? Dan voel ik me iets minder bezwaard.'

'Je... eh... probeerde te protesteren', zeg ik onbeholpen.

Jerry laat zijn hoofd hangen en lijkt op een zielige hond.

'Het spijt me dat ik zo ego ben', zegt hij zachtjes.

'Mijn vader en moeder horen alleen wat ze willen horen', zeg ik. 'Laat ze gewoon in hun eigen sop gaarkoken.'

'Ja, soms hebben ze moeite met luisteren', knikt hij. 'Ze praten maar door & je kunt de gekste dingen zeggen, zoals bijvoorbeeld "Oi, nu liet ik een scheet", zonder dat het tot hen doordringt.'

Jerry heeft niet in de gaten dat hij een goede beschrijving geeft van zijn eigen gedrag.

'Dat bedoel ik', zeg ik en ik ga weer languit liggen. Ik sluit mijn ogen en lach de wereld uit.

Jerry schakelt over op een van zijn lange monologen over mijn kwaliteiten en de bijzondere kanten van Tipling en andere aspecten van mijn benijdenswaardige bestaan. Hij klinkt nog steeds beschaamd en nog even en ik dommel in bij het geluid van zijn sombere stem.

Terwijl ik nog wakker ben zeg ik één keer 'Poep' en twee keer 'Scheet'. Alleen maar om te checken of zijn beschrijving van mijn ouders ook voor hem geldt. Jerry vertrekt geen spier.

Ik val in slaap met een glimlach op mijn lippen. Ondanks het feit dat ik een zinloze dag achter de rug heb. De paradijselijke toestand duurt helaas slechts een paar seconden. Dan duikt de oom van Maggie namelijk op in mijn droom. Inspecteur Riksen is in militair uniform en hij brult in mijn oor: 'Hoe zit het met de vandalen? Gaan we de schade nog vergoeden?'

Op zulke vragen begin je niets met wolfsjongengeluiden.

Een mix van knäckebrödkruimels en koffie klettert in mijn gezicht en de stank van slechte adem bijt in mijn neus. 'HEB JE GEEN

VERANTWOORDELIJKHEIDSGEVOEL? WAT BEN JIJ EIGENLIJK VOOR EEN MENS?'

Ik word met een schok wakker. 'Riksen!' zeg ik hardop.

'Wat?' zegt Jerry, die net na een lange, kronkelige zin naar adem hapt.

'Riksen!' herhaal ik schor. 'Vandaag of morgen neemt hij contact op met mijn ouders. Voor die autoschade.'

'Daar zeg je me wat', zegt Jerry en ik hoor dat hij slikt.

Ik ril en ook al gaat mijn skelet onder een dikke laag spek schuil, mijn botten lijken wel ijspegels.

'Het is haar oom', zegt Jerry langzaam. 'Maggies oom.'

'Ja... en wat dan nog?' vraag ik koeltjes.

'Ik & Maggie zijn zoals je weet erg close', zegt Jerry.

Ik heb zin om hem te vermoorden. Maar als het waar is dat ze Jerry leuk vindt, dan... Ik weet dat ik zielig overkom. Maar de dramatische gevolgen van de oorlog tegen Valen en zijn witte leger hebben me geleerd dat ik liever zielig ben dan moedig en kwaad.

'Misschien kan Maggie ons helpen', zegt Jerry bedachtzaam. 'Dat lijkt me een makkelijke zaak.' Maar ik hoor aan zijn stem dat hij twijfelt en dat hij daar niet tegen kan. Het komt niet vaak voor dat zijn vindingrijkheid hem in de steek laat.

Wat mij betreft, ik ben bereid om met wie dan ook om het even wat voor deal te sluiten als dat ertoe leidt dat we voorgoed van Riksen af zijn.

Harses gebruiken, Bud!

BUDS VIERDE BRIEF AAN STARBOKK

Jerry staat op om met mijn ouders koffie te lurken en koekjes te knabbelen.

'Ik kom zo meteen. Laat wat eetbaars liggen voor mij', zeg ik afwezig terwijl ik me afvraag of de olie in mijn hersenen ververst kan worden, zodat het boeltje wat soepeler loopt.

Ik sjor aan alle hendels en controleer de schroeven en moeren in zowel het rechter hersendeel als het linker. Maar ik vind geen enkel mankement. En ook geen oplossing.

Ik zoek mijn hol op en zet de computer aan om mijn e-mails te checken.

Dat had ik niet moeten doen. Ik krijg er namelijk een kopzorg bij. Er is een mail binnengekomen van Starbokk.

Hij neemt geen genoegen met de punt die ik achter mijn verslag heb gezet. Hij eist dat ik de hele geschiedenis opbiecht, tot en met de fatale finale.

Riksen en Starbokk en het verveloze huis en Jerry's manische invallen.

Ik weet dat ik niet aan alles tegelijk moet denken.

Er dansen stippen voor mijn ogen en mijn inwendige organen deinen. Ik buig naar voren, leg mijn hoofd in mijn handen en probeer rustig adem te halen. Mijn hart ronkt alsof het deelneemt aan het wereldkampioenschap rallycross. Ik dwing het terug naar de derde versnelling, naar de tweede en ten slotte de eerste. Slakkengang bevalt me beter.

Ik snak naar koekjes.

Ik snak naar koffie.

Ik snak naar alles wat niet aan de orde is. Ik denk aan dat wat Selma op de tv zei: 'Wie niet waagt, niet wint! Springen B!'

Dus waag ik het erop.

Ik keer terug naar de e-mail van Starbokk en druk op 'Beantwoorden'.

AAN: Herman_Starbokk@schoolpsychologischedienst.tipling
VAN: bumartin@ishmaelpost.net
ONDERWERP: Vierde verslag

In de volgende gymles nam de oorlog in hevigheid toe.

Valen beval ons de toestellen klaar te zetten. Ik zag aan zijn gezicht dat hij iets bekokstoofde. We waren bezig om in een rij te gaan staan toen hij zei: 'Nee, alleen Bud neemt voor de startlijn plaats.'

En dat deed ik. Ik was er inmiddels aan gewend om de les hier door te brengen. De vloer begon al een beetje te slijten op de plek waar ik geparkeerd stond. En ik voelde me er bijna thuis.

'En nu vooruit met de geit!' zei hij.

'Nee', antwoordde ik.

'Springen, Martin!'

'Nee', was mijn antwoord.

Hij liep op me af terwijl hij brulde: 'Moet ik daaruit opmaken dat je het vertikt? Je hebt kansen bij de vleet gehad en zeeën van tijd. Maar meneer weigert nog steeds te gehoorzamen?'

'Juist', zei ik.

'Dan is de maat vol', zei hij kil en voor de ogen van alle leerlingen trok hij me aan mijn arm de gymzaal uit. Hij beende het schoolplein over, sleurde me door de hoofdingang naar binnen, de lange trap op, de hele gang door, langs het grote portret van de stichter van de school, nog een trap op, tot aan de deur van de inspecteur.

Het bordje hadden ze niet weggehaald, dus er stond nog steeds 'Inspecteur Riksen' op de deur.

Valen bonkte er zo hard op dat de deurposten kraakten.

'Kom binnen!' riep een beetje slome stem.

Ik had de vervanger van Riksen nog niet gezien. Dit was de eerste keer. Het was een jonge vent – Elias heette hij – die eruitzag alsof hij de schoolbank net verlaten had. Alles aan hem wees naar beneden. Hij had grote wallen onder trieste ogen en een slordig baardje. Ongekamd, piekerig haar. Een veel te wijd, gekreukeld overhemd. Een mens die door het leven naar beneden gezogen werd, daar leek hij op.

Valen ging zitten en begon meteen te kakelen over dat wat hij omschreef als 'De zaak Martin'. Elias haalde een gele map met mijn naam erop tevoorschijn en bladerde erin terwijl Valen vrijwel zonder adem te halen doorging met uitleggen.

'Heeft meneer Valen het bij het rechte eind?' vroeg Elias mij.

'Denk je dat ik een potje zit te liegen?' gromde Valen verontwaardigd. 'Die jongen...'

Elias legde een vinger op zijn lippen en keek me aan.

'Ja', antwoordde ik, want ook al had Valen een overdreven beeld geschetst van de zaak, de kern klopte.

'Ik zal wel even met hem praten', zei Elias tegen Valen. En Valen leunde achterover in de stoel. 'Onder vier ogen', vervolgde Elias.

Valen vertrok nadat hij me een achterdochtige blik had toegeworpen.

Het werd een verrassend gesprek. We spraken met elkaar als volwassenen. Elias begreep me en gaf me voldoende tijd om alles wat ik op mijn hart had, uit te spreken. Daarna hadden we het over Valen en het waarom van onze ruzie. En of het überhaupt zin had om in de clinch te gaan met mijn gymleraar.

'Het is een oude kerel', zei Elias. 'Misschien te oud om les te geven. Maar de vraag is of je met tegenstribbelen resultaten boekt. Doe je best op die andere toestellen en denk niet meer aan die bok en je boosheid. Vergeet niet dat het allemaal een stom spelletje is. Soms moeten we eraan meedoen om veilig aan de andere kant te belanden.' Hij wees naar de kalender. 'Over een paar weken is het vakantie en dan ben je overal vanaf. Het gaat maar om een paar lessen. Kunnen we niet afspreken dat je die ouderwetse lastpost gewoon zijn zin geeft?'

Er was niets mis met die deal. Ik weet het. Ik had op zijn voorstel moeten ingaan. Elias gebruikte zijn verstand.

Maar ik was totaal ontspoord.

'Nee', zei ik.

Elias knikte zwijgend en keek me droevig aan. We wisten allebei dat de keuze fout was. Maar we wisten ook dat er eigenlijk maar één uitweg was.

Mijn eigen weg.

Met vriendelijke groeten,

Bud Martin.

\- - - - - - -

Ik verzend de e-mail naar Starbokk en slaak een tevreden zucht. Nog een stukje van het verhaal vliegt de ether in. Maar ook al is het een pak van mijn hart, het doet zeer. Alsof ik tijdens het schrijven opnieuw alle pijn voel, alsof ik de korst van een wond trek die nog lang niet geheeld is.

Ik slenter het terras op.

Prop vier koekjes tegelijk in mijn mond en breng de rest van de avond gapend op de bank door.

DE LOL VAN EEN GEINTJE

Zowel Jerry als ik zijn moe. We kruipen mijn schulp in, ondanks het feit dat mijn ouders ons proberen te verleiden met snacks en een toffe film op de tv.

'Hij is bekaf nadat hij dat bakbeest uit het water getrokken heeft', hoor ik mijn vader zeggen. 'Arme Jerry.'

Maar als we eenmaal onder de wol liggen, lukt het ons niet om in slaap te vallen.

Alsof de afgelopen dag ons niet met rust laat.

De wolfsjongen duikt op en draaft heen en weer in mijn lijf. Doet druk en bromt en gromt tegen zichzelf.

Jerry praat over Maggie en ik luister maar met een kwart oor naar zijn gezwam.

'Zullen we vanavond samen naar het prieel gaan?' vraagt hij plotseling.

'Oké', antwoord ik verrast. Ik was vergeten dat hij mij ontmaskerd heeft. Ik kijk op mijn horloge. Dacht dat we een half uur wakker hadden gelegen, maar het blijken er drie te zijn. Het is één uur.

We sluipen mijn kamer uit en begeven ons door de tuin van mijn grootvader naar de Satelliet. Daar ploffen we neer op de grond. We wippen de dop van een bierflesje en delen de inhoud terwijl we naar de sterren staren.

Jerry kan bijna zijn mond houden. Het is vredig en alleen maar mooi. We slurpen bier en laten brutale boeren.

Het is een prachtige nacht en ik vertel hoe de vorige avonden verliepen. Vooral over hoe ik er zo'n vieze boel van maakte. 'Ik was van plan om alles netjes op te ruimen, maar ik... eh... we hebben nergens tijd voor', zeg ik. 'Het kwam door die vogel. Ik schrok me dood.'

'Die laat niet meer van zich horen. Dat kan ik je beloven', zegt Jerry vol overtuiging.

'O?' Ik kijk hem aan. 'Het was misschien geen vogel? Was het die leuke neef van me?'

'Bingo!' grijnst Jerry. 'Ik kon me niet inhouden & wilde checken wat er zou gebeuren.'

Ik zucht. Ik zucht nogmaals. Zie hem nog steeds breeduit grijnzen en prijs me gelukkig dat er niet zoveel dagen resten voor hij vertrekt.

Ik word omringd door idioten en lolbroeken. Het verbaast me niet dat de wereld erop achteruitgaat.

Sprakeloos sta ik op.

Sprakeloos loop ik naar huis.

Sprakeloos kruip ik in bed.

Wat was in hemelsnaam de lol van dat geintje?

Ik slaap desondanks bijzonder lekker. Het leven is heel soms een lolletje.

Citaat uit
De vis van mijn leven. De jacht op de Kanjersnoek
van Henry Walden.

'We weten veel van de snoek. En toch weinig. Het is een gulzige, gruwelijke vis. Maar ook een waardige tegenstander voor de ware hengelaar.

Toen ik besloot om hem te vangen, deze legendarische Kanjersnoek die gedurende onnoemelijke tijden heer en meester was van de meren rond Tipling, probeerde ik mijn kansen te verbeteren door uit te dokteren waar de snoek zich precies verschanste.

We weten dat de snoek achterbaks is. Hij verstopt zich het liefst in het dichte groen op de bodem of tussen het riet. Daar wacht hij stilletjes en gespannen als een springveer op het moment dat zijn prooi nietsvermoedend op hem af komt. Zoals eerder gezegd, maakt het jaargetijde uit op welke diepte de snoek zich thuis voelt.

Ik wist dat mijn grote snoek een lekkerbek was en de plekken opzocht waar zijn buit kwam kuitschieten. Maar toen ik de jacht op de vis van mijn dromen opende, was het oktober. De tijd om liefde te bedrijven was voorbij. Waar moest ik de snoodaard dan zoeken?

Ik kon natuurlijk de meren proberen waar alle snoekvissers hoopvol een lijntje uitwierpen. Meren waar de Kanjersnoek weleens gezien was of waar een sportvisser hem het jaar ervoor aan de haak had geslagen, maar helaas bij het binnenhalen had verloren. Zo wordt verteld.

Ik dacht: stel dat de snoek zich schuilhoudt op een plaats die voor iedereen uitgesloten is. En dat dat de reden is waarom hij jaar in jaar uit zonder kleerscheuren door het leven gaat. Met die gedachte in mijn hoofd bestudeerde ik de kaart en nam ik een besluit.

Ik koos het Echomeer. Ten eerste omdat de positie bijzonder ongelukkig is. Het meer ligt in een soort kloof en is grotendeels omringd door steile berghellingen. Je moet om het hele meer lopen om het paadje te vinden dat naar het water leidt. Ver van de bewoonde we-

reld is het ook nog. Bovendien wordt er beweerd dat er in dat meer zo goed als geen vis zit.

Het Echomeer was ronduit de slechtste plek om op de Kanjersnoek te vissen, en daarom waarschijnlijk de beste.'

TAKE AWAY-BAARS
=
VRIJDAG

EEN TIKKENDE BOM

Ik slaap in een uurwerk. In een tikkende bom die aftelt naar het vreselijke, explosieve nulpunt. Mijn oren zijn die van een olifant en horen het minste geknars, gekraak, geklop, geknetter, geritsel en gekras. Er wordt geknaagd aan mijn botten en voorwerpen boren zich in mijn huid. Mijn trommelvliezen staan op springen. De geluiden schuren langs mijn gewrichten en mijn ruggengraat zit vol glassplinters, piepkleine diamantjes die in mijn vlees priemen.

Boven me zie ik de grote hamer die zo dadelijk tegen de bel beukt en het alarm activeert. In dit geval is de bel mijn eigen kop. De hamer heeft de grootte van een emmer en dezelfde kracht als de trap van een oversized nijlpaard. Ik weet niet waar ik die nijlpaardenkennis vandaan haal, maar het is zo krankzinnig dat ik wel kan janken. Ik zie de secondenwijzer het punt naderen waarop de hamer in werking treedt en mijn hoofd wordt verbrijzeld.

Ik lach de lach van een ter dood veroordeelde als de wijzer zijn doel bereikt en een harde 'TOK' verkondigt dat de hamer op weg is naar mijn voorhoofd.

Ik hoop dat het snel gaat.

Ik denk met spijt aan alle dingen die ik nog had willen doen.

Ik bedank het leven omdat ik even mocht meedoen.

Ik word wakker omdat het ochtend is. Mijn wang doet pijn en ik merk dat ik ben ingeslapen met mijn oor op de wekker. Ik doe mijn mond open, trek mijn kaken uit elkaar en hoor dat mijn kiezen kreunen.

Jerry ligt op de matras te knorren. Hij klinkt als een kat die voor de open haard een uiltje knapt. Ik zie bijna dat hij op de punt van zijn staart sabbelt.

Ik rol op mijn rug.

Een stuk van mij slaapt nog steeds. Brokken brein worstelen zich moeizaam uit de wereld van de droom. Het is alsof je langs een slappe touwladder naar boven klimt. Bij elke stap zakt de ladder een halve meter naar beneden.

Er heerst onrust om me heen. De kamer lijkt gevuld met langgerekte, klagende geluiden. Ze doen me denken aan de roep van walvissen.

Ik zie dat er een grote scheur in het plafond zit. Iemand zou hem moeten dichten en er een lik verf over moeten smeren. Ik voel me niet geroepen.

De onrust neemt toe. In mijn gedachten schiet een enorme vis met een rotvaart uit de diepte naar het oppervlak. Het is een vreemdsoortig beest. Zonder naam, lichaam of uiterlijk. De onrust bestaat alleen uit een boel tanden. En een boel boosheid.

Dan begrijp ik waar het rottige gevoel vandaan komt. Vandaag viert Selma haar verjaardag.

PARTY'S ZIJN NACHTMERRIES

Ik haat feestjes. Daar voel ik me als een weekdier dat een auto moet besturen. Ik weet bij god niet hoe ik op de pedalen moet trappen en waarmee ik het stuur moet vasthouden. Je kunt Bud de feestganger ook vergelijken met een giraf die een tent moet opzetten, of de bekende olifant in de porseleinkast.

Bud + party = ramp.

Zo is het altijd geweest en zo zal het altijd blijven.

Ik herinner me een aantal feestjes, nu ik me in het onderwerp verdiep.

Ik herinner me een feest waar ik niet door één, maar door drie stoelen van de gastheer zakte. (Drie kostbare, eikenhouten stoelen.)

Ik herinner me een feest waar ik te veel dronk en bijgevolg de volgende ochtend ontwaakte in een bloemperk. (Met een lampenkap om mijn nek en kleverige klodders shampoo in mijn haar.)

Ik herinner me een feest waar ik probeerde aan te pappen met een leuk meisje dat Moa heette. Even later goot ze haar glas leeg in mijn broek. (Waarom ze dat deed, herinner ik me niet.)

Ik herinner me een feest waar ik ineens bijzonder spraakzaam werd en zoveel bizarre uitspraken spuide dat ik achteraf aan negen mensen mijn excuses moest aanbieden. (Op welke wijze ik deze en gene had beledigd, moest je mij natuurlijk niet vragen.)

Ik herinner me een feest waar ik door iedereen uitgelachen werd. (Zowel recht in mijn gezicht als stiekem achter mijn rug.)

Ik herinner me een feest waar ik de enige was die niet in het zwembad in de achtertuin dook. (Ik hoef niet uit te leggen waarom.)

Ik herinner me tientallen feesten waar ik al om elf uur mijn biezen pakte, omdat het er niet om uit te houden was.

Ik herinner me honderden feesten en niet één ervan was leuk. (Voor alle anderen: ja. Voor mij: nee dus.)

IN MIJN BLOTE JE-WEET-WEL

Ik staar naar de benen die ik uit het bed slinger en begrijp niet dat ze van mij zijn. Iets aan mij is veranderd. Alsof ik niet meer de oude ik ben.

Ik voel dat ik anders loop. Dat mijn voeten op een andere manier over de vloer stampen en dat mijn armen niet meer zwaaien zoals altijd.

'Wat ben je in godsnaam aan het doen?' vraagt Jerry slaperig.

'Ik... eh... doe alleen maar een beetje ochtendgymnastiek', antwoord ik.

'Dat is zeer verstandig, Bud', zegt hij. 'Ziel & lichaam hebben behoefte aan opwarming voor ze goed kunnen functioneren. Beweging voorziet onze cellen van warmte & geeft de bloedsomloop een opkikker & voor je het weet, hoor je je lijf tevreden snorren. Ik stel voor dat we een rondje om het huis joggen. Er gaat niets boven frisse buitenlucht.'

Hij springt overeind, stroopt het ondergoed van zijn lijf, rukt de deur open en stormt naar buiten. In zijn blootje. Ik loop hem aarzelend achterna. Blijf in de deuropening staan, met mijn handen voor mijn kruis.

Hij werpt een geïrriteerde blik over zijn schouder. 'Doe niet zo sloom, Bud! Elke seconde telt in het leven. Laat dat maatje van je lekker wapperen. Dat doet hem goed. Vraag maar aan je vader.' Dat laatste zegt hij zachtjes voor hij het op een lopen zet.

Ik kijk om me heen. Ben als de dood dat iemand me kan zien. Werp een blik op de ramen van mijn ouderlijk huis en vraag me af of de bewoners al wakker zijn.

Slaak een diepe zucht en spurt achter Jerry aan. Nou ja, spurten... Het is amper snelwandelen.

Ik ben net de eerste hoek om als Jerry me passeert. 'Joehoe!' jubelt hij. 'Daar vliegt Jerry Storm met stormkracht tien zijn concurrent voorbij. Bud Martin, onze befaamde Big Bloot, heeft het nakijken. Wie dit kampioenschap gaat winnen, lijkt een uitgemaakte zaak...' De rest hoor ik niet, want hij is alweer uit het zicht verdwenen.

Ik geef meer gas, maar Jerry rent me doodleuk nogmaals voorbij voor ik het rondje voltooid heb.

We hijgen uit voor mijn voordeur – dat wil zeggen Jerry ademt normaal en ik puf voor twee – als mijn vader en moeder met hun fietsen aan de hand uit het niets opdoemen. Ik was vergeten dat vrijdag hun vaste fietsdag is.

'Goeiemorgen!' zegt Jerry bedaard alsof hij elke ochtend poedelnaakt bij mij op de stoep staat.

Ik daarentegen probeer met de moed der wanhoop de indruk te wekken dat ik kleren aanheb. Mijn handen sluipen naar beneden en blijven zogenaamd toevallig voor mijn edele delen bungelen. Ondertussen kijk ik fluitend een andere kant uit. Ik ben een lachwekkend voorbeeld van schone onschuld.

'Dag jongens', zegt mijn moeder buitengewoon opgewekt. Alsof ze in haar nopjes is met ons uiterlijk.

Mijn vader heeft geen oog voor onze naakte lijven.

Hij fronst zijn wenkbrauwen en zegt: 'Wat is dat?'

We draaien ons om en zien de plastic tas die aan de klink van mijn deur hangt. Het verbaast me dat we hem niet zagen toen we de deur openden.

Jerry steekt zijn neus in de tas.

'Moet je kijken', zegt hij verwonderd en hij trekt een grote vis uit de tas.

Het is een pracht van een baars. Ik weet meteen wie de gulle gever is. Een paar seconden later heeft Jerry het ook door.

Het doet me denken aan het gedrag van katten. Die geven de muizen en vogeltjes die ze vangen ook weg aan hun dierbare baasjes. Ze willen indruk maken en knap worden gevonden, volgens mij.

Dit is zo'n kattencadeau.

'Aha!' zegt mijn vader. Hij zet zijn fiets tegen de muur en kijkt Jerry ondeugend aan. 'Die heb je vast gekregen van dat meisje waar je het over had. Hoe noemde je haar ook weer? Maggie?'

Jerry laat nergens gras over groeien. Van bescheidenheid heeft hij geen kaas gegeten.

'Je staat in ieder geval bij iemand in een goed blaadje', zegt mijn moeder en ze haakt de fietscomputer van het stuur van haar fiets. De gegevens worden zo meteen netjes ingevoerd in hun weekstatistiek. Ze knipoogt naar Jerry.

'Wie weet hoopt ze heimelijk dat ze mag mee-eten', zegt mijn vader. 'Zullen we haar vanavond trakteren op een vismaaltijd?'

Jerry staat op het punt om het voorstel toe te juichen, maar ik schud mijn hoofd.

Ze kijken me aan alsof ik een gezellig diner verknal door een dood stinkdier op de tafel te smijten.

'We... eh... moeten vanavond naar een... eh... feestje', zeg ik.

'Dat is waar ook', zegt mijn moeder. 'Dat is jammer. Maggie lijkt me erg...'

Ik wil het niet weten en glip naar binnen.

Ik neem een douche, droog me af, trek mijn kleren aan en bestudeer mijn bakkes in de spiegel. Bij mijn slaap zie ik de deuk van de alarmbel en op mijn wang nog net niet de wijzers van de wekker.

De onrust keert terug.

De onrust vreet aan mijn zenuwen.

Ik beef bij de gedachte aan alles wat me te wachten staat.

De party van Selma.

Het bezoek van inspecteur Riksen. Daar ontkomen we niet aan, zeker weten.

En stel dat Maggie op het feestje van Selma verschijnt?

Er hangt te veel boven mijn hoofd.

Dat haat ik.

De onrust is een lont die aan een kolossale bom vastzit. Hoe lang die lont is, weet niemand. Maar dat hij aangestoken is, daar kun je donder op zeggen.

'Hé!' hoor ik mijn vader uitroepen. 'Er zit een briefje in zijn bek!'

UGH

Het duurt even voor hij het kliederige briefje tussen de kaken van de baars vandaan heeft geprutst. Hij houdt het tussen duim en wijsvinger als hij hardop voorleest: 'Recept van gestoofde baars in citroensaus.'

Maggies lievelingsgerecht! Dat zei ze tegen MIJ!

Ik zou moeten brullen dat die baars voor mij is.

Van Maggie en voor MIJ.

Gestoofde baars betekent iets BIJZONDERS.

Het betekent dat Maggie bij MIJ moet komen eten.

En dat JERRY maar in zijn eentje naar die party moet vertrekken. Ik kom later wel.

Bud de bom ontploft bijna van alle hartige woorden die op zijn tong liggen.

En toch klinkt er alleen maar een zachte 'Ugh' uit zijn mond.

Bud de bom zou hen moeten uitschelden. Hij had moeten schreeuwen: 'Hé zeg, ik ben ook een mens! Houd eindelijk eens rekening met mij!'

In plaats daarvan mompel ik nogmaals 'Ugh'.

Bud de bom heeft veel te zeggen.

Maar de echte Bud is een miezerige muis en geen gevaarlijke bom.

Hoe kan een muis die zich zo klein mogelijk maakt vanwege Valen en Starbokk en de brand en de politie en Riksen verwachten dat iemand hem voor vol aanziet? Wie komt voor een muis op als de muis zelf zijn mond niet opendoet?

Ugh.

Bud de bom triester dan ooit.

Wat loos met mij?

Ugh.

Ik zo somber dat ik geen zinnen.

Alleen woorden.

Alleen ugh. Triest. Ugh ugh.

Pak boterham. Weg.

In de kast.

Denk. School. Wit. Bok.

Alleen.

Ugh.

Lange traan.

Ugh ugh.

Bud de bom zit in de kast en denkt domme muizengedachten. Trieste muizengedachten. Piepkleine muizengedachten die naar een gaatje boven in de kast trippelen en zich in de afgrond storten.

De oneindig lange traan glijdt langs mijn wang en mijn kin. Mijn oog is lek en ik kan het gat niet dichten. Al het water verlaat mijn lichaam. Zo dadelijk verdrink ik in de kast.

'Bud...?' fluistert iemand in de kamer.

ZIELIG

Ik zit muisstil en doe alsof ik er niet ben. Het is even succesvol als daarnet, toen ik deed alsof ik kleren aanhad.

'Bud, alles goed...?' De stem komt van vlak achter de kastdeur.

'Ja... best', antwoord ik en ik strijk langs mijn snotneus.

'Mag ik binnenkomen?' zegt Jerry. En dan lacht hij. 'Nee, het lijkt me beter dat jij hier komt. Het is mij een beetje te krap in die kast. Bovendien komt er een muffe stank uit de kieren. Ik wil niet onbeleefd zijn, maar wanneer maakte je die schuilhut het laatst schoon? Of gebruik je slootwater in plaats van een sopje? Zie ik je vandaag nog?'

Hij probeert de kastdeur open te trekken.

Maar ik houd hem vast aan het haakje aan de binnenkant.

'Ik kom zo', zeg ik.

'Oké', zegt hij. 'Als je niet opschiet, dan ga ik in je zaken snuffelen.'

'Je doet maar', antwoord ik onverschillig terwijl ik mijn oog probeer droog te leggen.

'Prima.' Ik hoor hem naar mijn bureau lopen en de laden opentrekken. Dat is mij een biet. Nadat ik mijn moeder een keer betrapte toen ze zat te lezen in mijn dagboek, waar ik drie bladzijden in geschreven had, laat ik mijn geheimen nooit meer slingeren.

'En nu het wandmeubel.' Grinnikend loopt hij naar de boekenplanken. Daar zal hij niets anders vinden dan één meter Zappa-cd's en één meter autobladen.

Hij fluit een optimistisch deuntje, keert terug naar mijn schrijftafel en ploft neer op de bureaustoel. Ik hoor hem rondjes draaien. Hij neemt de hele kamer in ogenschouw. Dat lijkt me een vruchteloze bezigheid. Maar ik blijk me te vergissen, want nu vang ik een geluid op dat me niet bevalt. Hij heeft de computer aangezet en de bekende begintune schettert in mijn oren.

Mijn e-mails! De berichten van Starbokk! Ik realiseer me dat hij moet inloggen met een wachtwoord. Maar misschien liggen er andere privézaken voor het oprapen? Mijn gedachten slaan op hol en bereiken een snelheid waaraan de beste racewagen ter wereld niet kan tippen.

Er schiet me niets te binnen.

De gedachten vliegen uit de bocht en ik kukel uit de kast.

Storm op mijn bureau af. Zie dat Jerry zich al in de inhoud van 'Deze computer' verdiept. Ik grijp de muis, druk op de starttoets en vervolgens op 'Uitschakelen', voor hij de kans krijgt om bezwaren aan te tekenen.

'Ik was op het goede spoor', grijnst hij. 'Niet slim van je om intieme informatie op te slaan op je computer. Ook al beveilig je de boel met wachtwoorden. Een beetje hacker heeft daar geen enkele moeite mee. Wedden? Het wachtwoord van onze Bud heeft vast iets te maken met eten. Wat je favoriete gerecht is, ben ik even vergeten, maar er zijn andere methodes. Het merendeel van de computergebruikers schrijft zijn wachtwoord op een papiertje & dat ligt gewoonlijk binnen handbereik.'

Hij draait de muis om. Daar is niets te zien.

Hij bestudeert de achterkant van het scherm. Ook niets.

Hij kijkt onder het tafelblad. Weer niets.

Maar hij heeft het vanzelfsprekend bij het rechte eind. Mijn wachtwoord is '1worstjes&pizza2' en het spiekbriefje kleeft onder de zitting van de stoel waarop hij zit.

Ik ben het hele gedoe ondertussen kotsbeu.

Ik til hem omhoog en slinger hem in de richting van zijn veldbed. Hij vliegt door de kamer en belandt op zijn matras, alsof ik met een kussen heb gegooid.

'Je bent werkelijk zo sterk als een beer, Bud', lacht hij. 'Je hebt daar alleen zelf geen weet van. Maar je bent de sterkste persoon die ik ken, dat zweer ik. Je kunt bergen verzetten. Ik bedoel, dat zou je kunnen, als je iets meer zelfkennis had.'

Wat een gezwets. Ik heb daar zelfs geen 'ugh' voor over.

'Maar wat zie ik?' Hij spert zijn ogen open. 'Je staat te janken!'

'Houd je bek', zeg ik en ik draai me weg. Overweeg om de kast weer op te zoeken.

'Niet huilen, Bud!' smeekt hij. 'Anders begin ik ook.'

Ik sta met mijn rug naar hem toe en staar naar de meter met autobladen.

'Ik weet dat ik af & toe moeilijk doe', zegt hij. 'Daar moet je je niets van aantrekken.'

'Bek houden', is het enige wat ik zeggen kan.

'Is het vanwege mij & alle meisjes?' vraagt hij. 'Jouw beurt komt heus wel. Op een mooie dag duikt er ook in jouw leven een leuke meid op met een vis. Of met iets anders. Wacht maar! Ik ben er zeker van dat er ergens een meisje rondloopt met een ziel waarop jouw naam getatoeëerd is. De clou is dat je haar moet vinden. En om haar te vinden, moet je zoeken. Het heeft geen zin om op je luie kont te zitten & een potje te janken & aan duizenden trieste dingen te denken & kostbare tijd te verspillen achter die suffe computer. Besef dat je sterk bent. Wees sterk. Wees de sterkste van de wereld. Al was het maar voor mijn bestwil!'

'Wat... eh... doe jij vanavond aan?' vraag ik en ik haal mijn neus op. Wil dat het gesprek een andere wending neemt.

'Vanavond?' Jerry bevindt zich in een ander sterrenstelsel en heeft tijd nodig om terug te keren naar de aarde. 'O, ja, die verjaardag... tja... O, NEE!'

Zijn smoel krijgt een wanhopige uitdrukking. 'Shit!'

'Wat is er?' vraag ik en ik voel aan mijn water dat er een typische Jerrycrisis op til is.

'Ik ben vergeten om een cadeautje voor Selma te kopen!' zegt hij. 'Wat moet ik doen, Bud?'

JERRY DUCK

Jerry krijgt iets Donald Duckachtigs als hij in de stress raakt. Hij holt drie kanten tegelijk op. Snatert hysterisch en voert geen klap uit, behalve weeklagen en zichzelf in de weg lopen.

Alles draait om stemgeluid en wilde gebaren.

Het einde van het liedje is altijd dat iemand ingrijpt en hem uit de brand helpt.

Vandaag is het mijn moeder die hem tegenhoudt als hij halsoverkop en richting stadscentrum de tuin uit buitelt.

Ze luistert aandachtig naar zijn gebrabbel en praat tegen hem zoals je tegen een getraumatiseerde patiënt spreekt: 'Het komt allemaal in orde, Jerry. We stappen in de auto en rijden samen naar Vanger. Ik denk dat ik iets weet waar we Selma een plezier mee doen.'

Jerry en ik ploffen neer in het gras en blazen uit. Dat wil zeggen, ik ben degene die me een ongeluk hijgt. Als Jerry een manische bui heeft, krijg ik het ook op mijn heupen. Hij steekt me gewoon aan. Vandaag heb ik het helemaal snel te pakken.

Mijn ouders komen netjes aangekleed naar buiten en mijn vader ontgrendelt de portieren van de auto. Ik stap in om me op de achterbank te nestelen als mijn vader zegt: 'Nee, een van jullie tweeën moet thuisblijven om te schilderen. En die ene ben jij, Bud. Jij hebt niets te zoeken in Vanger.'

Bud de bom had weer moeten ontploffen.

Voor de tweede keer vandaag laat ik het afweten.

Ik kruip uit de auto en kijk hen na.

En dan krijg ik de slapste lach van mijn leven.

LACHEN, GIEREN, BIBBEREN

Ik heb het ineens in de gaten.

De wereld is komisch. De wereld is een rare en dwaze plek. Hoe onze medemensen in elkaar steken zullen we nooit begrijpen. Ik begrijp amper mezelf. Mijn ouders sjezen weg met Jerry en hebben er alles voor over om het hem gemakkelijk te maken.

Mij zien ze niet. Zo merkwaardig is dat eigenlijk niet, want ik heb de laatste weken een bijzonder teruggetrokken bestaan geleid.

Het doet een beetje pijn, maar het is ook aandoenlijk en vooral lachwekkend. Alsof ik drie eekhoorntjes gadesla die knabbelen en babbelen, grabbelen en dartelen en verder niks.

Jerry is zo bezig met zichzelf en zijn eigen projecten dat hij niet doorheeft dat Maggies vis voor mij bedoeld was. Het kan best zijn dat hij echt met mij te doen heeft als ik huil. Maar zodra er iets belangrijkers in zijn leven opduikt, is hij mij vergeten. Selma denkt dat Jerry verliefd op haar is. Jerry denkt dat hij verliefd is op Selma / Maggie / et cetera, tot er een nieuw meisje op zijn pad verschijnt dat hij leuk vindt. Jerry vindt trouwens alle meisjes leuk. Wie begrijpt wat van een wereld die bol staat van de misverstanden?

Ik niet. Ik zie alleen wat er aan de hand is.

Misschien is het helemaal niet komisch, maar in mijn ogen is het zo grappig dat ik dubbel lig van de lach.

'Heb je moeilijkheden?' Selma staat ineens voor mijn neus.

'Nee... eh... niet dat ik weet', gier ik.

Ze kijkt me twee minuten lang aan en haar irritatie neemt met de seconde toe. 'Heb je me niets te zeggen?' vraagt ze uiteindelijk.

'Haha... ik zou... haha... niet weten wat.'

Ik kan nauwelijks op mijn benen staan en ik zijg neer in een van de tuinstoelen. Met beide handen probeer ik mijn schuddende buik in bedwang te houden.

'Mannen!' snuift ze en ze zet een pruillip op die groot genoeg is dat zelfs ik hem als hangmat kan gebruiken.

De lachbui last een pauze in en ik kijk haar aan terwijl ik mijn tranen droog. Maar dan borrelen de pretbubbels weer van mijn maag naar mijn lachspieren en met grote moeite stamel ik: 'Wat... haha... zou ik... haha... moeten zeggen?'

'Gefeliciteerd met je verjaardag, bijvoorbeeld', zegt ze met een ijzige stem.

'O, ja', grinnik ik wanhopig. 'Gefeliciteerd met je verjaardag!'

Ze haalt haar neus op en draait zich om.

'Wacht even!' zeg ik haastig. 'Niet weglopen.'

Ik snel naar binnen met de topsnelheid van een 105 kilo zwaar lichaam en keer terug met koffie en een schaaltje droge biscuitjes. Als gevolg daarvan smelt haar stem tot om en nabij de tien graden.

'Ik heb nog iets. Ogen dicht!' zeg ik en ik vlieg heen en weer naar mijn kamer. 'Hier!' Ik leg mijn cadeautje in haar hand. 'Gefeliciteerd! Ik meen het echt.'

Selma bereikt weer haar normale lichaamstemperatuur en ze geeft me een dikke knuffel. 'Dat had je niet moeten doen!'

Ze maakt het pakje open en zegt: 'Je bent niet goed wijs!'

En dan drinken we koffie.

En eten droge biscuitjes.

En het leven is mooi en prettig en ze vraagt: 'Waar moest je zo om lachen?'

'Om de wereld', antwoord ik en ik zeg: 'Je vertrekt over twee dagen, hè?'

'Ik stel hier de vragen', zegt ze kalm. 'Wat was er zo vreselijk grappig?'

'De wereld, echt waar', zeg ik en ik hoop dat ze daar genoegen mee neemt. Ik wil het onderwerp liever laten liggen. 'De wereld en het leven maken me aan het lachen.'

'Heeft het soms iets met Jerry... en mij... te maken?' vraagt ze wantrouwig.

'Ben je gek', zeg ik. 'Het ging om... eh... de wereld in het algemeen. Om alles wat bij nader inzien komisch is. En vreemd en... eh...'

'En dus moeilijk?' vraagt ze. Ze kent me door en door.

Ik begin te zweten. Een kort ogenblik voelde ik me bevrijd, maar nu sluipt de onrust terug in mijn botten en mijn brein. Ik verlang naar mijn kast.

Op hetzelfde moment rijdt een auto onze oprit op.

Ik slaak een zucht van verlichting. Eenieder die dit pijnlijke vraaggesprek over mijn privéleven komt verstoren, ontvang ik met open armen. Als ik zie wie er achter het stuur zit, verander ik van gedachten. 'Ugh', mompel ik diep ongelukkig.

EEN BOM GELD

Ik wist dat het zou gebeuren!

Ik hoopte natuurlijk dat Jerry met Maggie had gesproken en dat zij een goed woordje had gedaan bij haar oom. Maar in mijn hart wist ik dat ik daar niet op hoefde te rekenen.

Bud de bom staat op en loopt met onzekere tred naar inspecteur Riksen. Het is alsof ik ontboden ben bij God, de Dood, of de Duivel in hoogsteigen persoon. Dit wordt ernst.

Riksen stapt uit de auto als een sheriff die korte metten gaat maken met een zootje losbandige cowboys. Hij heeft de hand al op de holster en kan in de loop van 0,3 seconde een kogel door je knol schieten.

Hij staart een diep gat in mij.

Hij werpt een blik op Selma.

Laat zijn ogen door de tuin dwalen.

Neemt alles in zich op en berekent afstanden, voor het geval hij zich pijlsnel in het gras moet werpen om de man die zich in de bosjes verbergt en de scherpschutter op het dak met een gericht schot buiten werking te stellen.

We geven elkaar een hand en hij vraagt waar mijn ouders zijn.

'In Vanger', zeg ik.

'Ik hoef jou niet te vertellen waarom ik hier ben. Het betreft natuurlijk de auto', zegt hij. 'De schade is inmiddels gerepareerd.'

Ik gluur naar de zijspiegel. Die zit netjes op zijn plaats. En van de kras op het portier is niets meer te zien. Ik staar naar de grond en wacht af. Hij is de soort mens die graag stiltes inbouwt. Pijnlijke pauzes waarin gesprekspartners zich afvragen wat hen in hemelsnaam te wachten staat.

'Die goede vriendin van jullie mogen jullie dankbaar zijn', zegt hij langzaam.

Maggie! Heeft Jerry dan toch iets kunnen regelen?

'Maar...' Hij laat het woord geruime tijd door het luchtruim zweven. Ik raak oververhit. Het beetje water wat nog over was in mijn lijf verdwijnt als sneeuw voor de zon.

'... ik ben niet van plan...' Hij smakt alsof elk woord een zuurtje is waarop hij eerst moet zuigen. De kerel begint me danig te irriteren. Ik zou hem met plezier de mond snoeren.

Bud popelt om hem plat te bombarderen.

'... om op te draaien...' Riksen spreekt met de snelheid van een stokoud besje met een rollator.

Bud zet een pas naar voren.

Balt zijn vuist.

'... voor de rekening. Ik moest met de wagen naar de dealer en dat kost poen. Het zou te gek zijn als ik het erbij liet zitten.'

Bud blijft staan. Op een veilige afstand van Riksen.

'Jullie hebben de schade veroorzaakt, dus jullie betalen de reparatie. Of je ouders, dat is mij om het even. Wanneer komen ze thuis?'

Ik zweet. Wrijf mijn handen af aan mijn broek.

'Dat doet er niet toe', zeg ik. 'Ze gaan toch niet betalen.'

Inspecteur Riksen heeft duidelijk moeite met mijn antwoord. Hij pikt het niet als hij niet blindelings gehoorzaamd wordt.

'Nee?' zegt hij en er verschijnen bijlen en dolken in zijn ogen.

Voor hij de kans krijgt om me in mootjes te hakken, maak ik me uit de voeten om het geld te halen dat ik voor de schilderklus kreeg. Plus een paar van Jerry's briefjes.

Ik geef Riksen het hele stapeltje. Hoeveel hij moet hebben, weet ik niet, maar ik neem aan dat dit meer dan genoeg is.

'Je krijgt nog wat terug', zegt hij en hij haalt zijn portemonnee te voorschijn.

'Laat maar zitten', zeg ik. 'Ik kijk niet op een dubbeltje.'

Even staart hij me verward aan. Dan zakken zijn mondhoeken naar beneden. Zijn lippen worden smal en bleek. Riksen is beledigd.

'Jullie komen hier veel te gemakkelijk vanaf. Ik heb naar Maggie geluisterd, en dat had ik niet moeten doen. Knullen als jullie moeten veel harder aangepakt worden.'

Hij gaat nog een tijdje door met het spuien van slechte tijdingen.

Daarna stapt hij in zijn auto, zonder gedag te zeggen. Er kan geen 'tot ziens' van af en dat vind ik een goede zaak.

'Waar is Jerry?' vraagt Selma.

MAGGIE

'Tja...' antwoord ik langzaam, omdat ik tijd nodig heb om over te schakelen van Riksen naar mijn neef.

Zou Jerry willen dat ik verklapte dat hij in Vanger een cadeautje voor haar aan het kopen is?

Maakt het wat uit als ik het vertel?

Is het suf als ik mijn mond houd?

Is het erg suf als ik een leugentje verzin?

'Hij is bijna altijd bij jou in de buurt', zegt ze.

'Dat kan best', zeg ik, omdat ik daar nooit over nagedacht heb.

'Hij is erg afhankelijk van jou', zegt ze.

'Dat kan niet', zeg ik, omdat ik daar wel over heb nagedacht. Jerry is van niemand afhankelijk.

'Hij beschouwt je als een oudere broer', vervolgt ze. 'Ik denk dat hij door jou geïnspireerd wordt. Hij leert veel van je.'

Ik haak af. Van dat soort opmerkingen raak ik de kluts kwijt. Ze kan onmogelijk gelijk hebben. Toch?

Ik ga meer biscuitjes halen en terwijl we het schaaltje soldaat maken vraagt Selma opnieuw waar Jerry is. Als ik 'Geen commentaar' mompel, wordt ze nog nieuwsgieriger. Maar ik heb besloten om mijn mond te houden.

'Hoe gaat het met het schilderwerk?' vraagt ze dan.

Je zou zeggen dat het verveloze huis duidelijke taal spreekt.

We liggen achter op schema. We liggen zo ver achter op schema dat we nooit van zijn leven de eindstreep halen voor mijn grootvader terugkomt. We hebben geen schijn van kans. En ik weet dat mijn vader mij de schuld gaat geven.

'Het gaat... eh... niet goed', antwoord ik. 'We hebben geen tijd te verliezen.' Na die woorden trek ik de werkkleren aan die op een hoop in het gras liggen. Ik wip het deksel van het verfblik en schud de terpentine uit de kwast.

'Dus je gaat me niet vertellen waar Jerry is?' Ze hangt als een horzel om me heen.

'La-la-la', neurie ik en ik doop de kwast in de verf.

'Ik haat je', zegt ze gemaakt gepikeerd. 'En nu ga ik naar huis om hapjes te maken. Neem je Maggie mee?'

Mijn hand blijft in de lucht hangen.

'Maggie?'

'Ja, Maggie', zegt ze. 'Ik neem aan dat je weet wie ik bedoel?'

'Maggie?' Van paniek druk ik nogmaals op 'Repeat'. 'Maggie?'

Ze zucht. 'Ja... Maggie. Moet ik het soms voor je opschrijven?'

Ze grist de kwast uit mijn slappe hand en kalkt met koeienletters MAGGIE op de muur.

Ik staar naar de letters. Het lijkt alsof ze lichtgevend zijn.

'Het maakt trouwens niet uit', zegt Selma. 'Ik denk dat ze hoe dan ook komt. Een van mijn vriendinnen kent haar en zou haar een sms sturen.'

Slik. Slik.

Ik bedenk dat de wereld nog steeds dwaas is en dat ik weer in lachen zou moeten uitbarsten. In plaats daarvan zeg ik: 'Ugh.'

'Maggie vindt jou best leuk', zegt Selma. 'Nu moet ik echt naar huis. Klokslag zeven worden jullie verwacht.'

'Ugh!' antwoord ik terwijl ik me afvraag wat dat betekent, dat Maggie me best leuk vindt.

MASSAMOORDENAAR OF MIEZERIGE MUIS?

Ik ga in het gras zitten. Noodgedwongen.

Staar naar MAGGIE op de muur. Heb me tot nu toe niet gerealiseerd dat Maggie die vis aan me gaf *omdat ze me best leuk vindt.*

Als iemand me best leuk vindt, dan kan dat betekenen dat de persoon me beter wil leren kennen.

Als iemand me best leuk vindt, dan kan dat betekenen dat de persoon me aardig vindt. Echt aardig misschien. Of erg aardig.

Ik weet niet of ik deze ontwikkeling op prijs stel. Om eerlijk te zijn, ja, ik ben er blij om. Maar ik ben ook bang.

Het was beter toen Maggie alleen maar een tof meisje was dat haar tijd doorbracht in het bos. Toen Jerry een beetje gek op haar was en ik... en ik haar leuk vond.

Als iemand vissen begint weg te geven, wordt het ingewikkeld.

Moet ik haar nu een vis geven? En zo ja, wat voor vis? Wat antwoord je op een baars?

Betekent het feit dat je een vis krijgt iets bijzonders? (Bijvoorbeeld: ik wil je aan de haak slaan. Of: ik wil bij je eten?)

Mijn gedachten tollen en struikelen en raken verstrikt in elkaar.

MAGGIE

Haar naam prijkt op de muur. Ik probeer eroverheen te schilderen, maar weet bij voorbaat dat het vrijwel onmogelijk is. Zelfs na meerdere likken verf, dansen de letters voor mijn ogen.

Als iemand je een vis geeft, maakt dat een onuitwisbare indruk.

En dan komt ze vanavond ook nog op dat feestje.

'Ugh', zeg ik zachtjes.

Mijn lont is vervaarlijk kort geworden.

Maar wat er precies gebeurt als de knetterende lont de springlading detoneert, daar heb ik geen flauw idee van.

Volgt er een gigantische ontploffing waar men nog jaren over spreekt?

Verlies ik mijn verstand en vermoord ik mijn hele familie en ga ik de geschiedenis in als de massamoordenaar van Tipling?

Of gebeurt er gewoon niets? Elke keer dat je een vuurpijl aansteekt, bestaat er 99,9% kans dat hij niet afgaat. Misschien behoor ik tot de 0,1% die met een sisser afloopt en een armzalige dood sterft?

MAGGIE

De onrust bruist in mijn binnenste en plotseling weet ik waar ik het bangst voor ben. Diep in mijn hart vrees ik Jerry het meest.

Door zijn toedoen beeft de aarde onder mijn voeten. Het is zijn schuld dat het leven uit zijn evenwicht gebracht is. Hij verstoort de rust van een miezerige muis. Jerry is hier vijf dagen en het voelt als vijf oorlogsjaren.

Net als maandag heb ik het idee dat Jerry als een enorme reus, als een kolossale vloedgolf, als een orkaan, als een vernietigende kracht op me af stormt. Zelfs in een muizenhol ben ik niet veilig als hij aan de horizon verschijnt.

De nachtmerrie is zo natuurgetrouw dat ik de auto niet hoor aankomen.

'Hallo Bud', zegt Jerry plotseling. En dan: 'Wat heb jij nou op de muur geschreven?' Hij knijpt zijn ogen tot spleetjes en leest langzaam en hardop: 'MAGGIE'. Hij kijkt me aan. Zijn ogen zijn pikzwart. Zijn blik is bikkelhard. 'Wat moet ik daaruit opmaken?'

'Bud!' briest hij. 'Je weet wat ik over haar zei!'

'Maar...' protesteer ik zwakjes.

'Dit noem ik achterbaks! Ik ben maar even weg om een boodschapje te doen of meneer heeft de buit al binnen! Wat ben jij eigenlijk voor iemand, Bud Martin? Dat had ik nooit van jou gedacht, dat je het meisje van je beste vriend inpikt! Wat voor troep zit er in die hersenpan van jou?'

Hij timmert met zijn knokkels tegen mijn voorhoofd. Het doet aardig zeer en ik duw zijn hand weg. Duw harder dan ik van plan was. Niet alleen duw ik zijn hand weg, ik geef in de gauwigheid ook een stomp tegen zijn linker wenkbrauw.

'Auuu!' krijst hij en hij wrijft langs zijn oog. Kijkt me verbouwereerd aan, voor zijn gezicht een kille uitdrukking krijgt. Hij bijt zich op de tanden en gaat me te lijf.

Het voelt alsof ik aangevallen word door een venijnig knaagdier. Het scheelt niet veel of ik word opengereten door scherpe klauwen en spitse hoektanden.

Ik verdedig me met al mijn ledematen. Deel klappen en trappen uit, maar kan niet verhinderen dat hij me een harde mep tegen mijn rechter wenkbrauw verkoopt.

'Auuu!' krijs ik nu en ik zak zowat door mijn knieën terwijl hij er nog een schepje bovenop doet door een stomp in mijn buik te geven. Ik plof als een zoutzak in elkaar en wacht op de laatste en fatale dreun.

Die komt niet.

Ik rol op mijn zij en betast mijn ribben. Het hele rijtje is even beurs en pijnlijk.

De volgende minuten hoor ik alleen ons tweeën kreunen.

Dan klinkt er gegniffel.

Eerst denk ik dat het een vogel is, of een krekel, of het vervormde geluid van een vrachtwagen met hout.

Ik draai me om en kijk naar Jerry.
Ik schrik me wild en sluit mijn ogen en hoop dat ik spoken zie.

BUDS VIJFDE BRIEF AAN STARBOKK

'Het valt wel mee', zegt hij nog steeds grinnikend.

Ik doe mijn ogen weer open en bekijk de bloedende lip en het blauwe oog.

'Jij ziet er trouwens niet veel beter uit', zegt hij.

Ik veeg het snot onder mijn neus weg en ontdek dat het bloed is.

Het gevolg is dat ik ook begin te lachen. We zijn niet goed snik. Het doet me denken aan vroeger. Toen we klein waren, vlogen we elkaar voortdurend in de haren. Vaak begon het voor de lol en meestal werd het menens.

We wassen onze gezichten onder de kraan op de hoek van het huis. Maar zelfs met een sloot koud water krijg je blauwe ogen niet weg.

'Wat is er met jullie gebeurd?' vraagt mijn moeder.

'We vielen van de ladder', antwoordt Jerry rap.

'Jullie moeten voorzichtig zijn', zegt ze bezorgd.

'Tuurlijk', zeggen we tegelijk. Jerry trekt zijn plunje aan en we slaan weer braaf aan het schilderen. We blijven uit de buurt van MAGGIE, zo wijs zijn we wel.

Ik probeer Jerry ervan te overtuigen dat Selma de boosdoener is. Maar hij gelooft er geen woord van. Hij kijkt me verdrietig aan en schudt zijn hoofd en zegt: 'Dit incident mag onze vriendschap niet bederven. Dat wil ik niet & volgens mij denk jij er net zo over. Bovendien ga ik ervan uit dat je niet aan geheugenverlies lijdt als we haar samen tegen het lijf lopen. Ik weet zeker dat ze de ware is & daarom is het van het hoogste belang dat ik van jou op aan kan. Zo vreselijk moeilijk kan het toch niet zijn om je gevoelens in bedwang te houden? Ik doe dat aan één stuk door. Het kost me niets.

Als ik jou was, zou ik mezelf dat kunstje ook aanleren, Bud. Het is niet fatsoenlijk om te snuffelen & te ruiken aan elk meisje dat je pad kruist. En nu laten we het onderwerp liggen & schilderen we nog een tijdje door voor we ons netjes aankleden & proeven van mijn mooie baars. Daarna lassen we een kleine siësta in, want van vis wordt een mens loom & als de tijd rijp is, slenteren we richting Selma & zetten we de bloemetjes buiten. Is dat een goed plan of is dat een goed plan?'

Afgezien van een trip naar de supermarkt om wat bier in te slaan, volgen we zijn voorstel. We werken, eten en rusten uit. Aan dat laatste punt doe ik trouwens niet mee. Terwijl Jerry een dutje doet, benut ik de kans om een brief aan Starbokk te schrijven. Het is helaas hoog tijd.

AAN: Herman_Starbokk@schoolpsychologischedienst.tipling
VAN: bumartin@ishmaelpost.net
ONDERWERP: Vijfde verslag

Ik dacht eigenlijk dat de oorlog tussen Valen en mij vanzelf zou wegebben. Maar toen ik ook na het gesprek met de inspecteur weigerde om hem te gehoorzamen, werd Valen gek. Hij werd knettergek zodra hij mij in het oog kreeg. Zelfs als we elkaar toevallig tegenkwamen. En nadat hij een paar keer zomaar tegen me tekeer was gegaan, begon ik ook labiel te worden. Ik hoefde zijn auto maar op de parking te zien of mijn dag was verknald.

Om nog maar te zwijgen van de gymlessen.

Het nam zulke extreme vormen aan dat mijn klasgenoten met smoesjes kwamen aandraven om niet te hoeven gymmen. De slechte relatie tussen Valen en mij maakte van de gymzaal gewoon een mijnenveld.

Het werd juni. Van mijn heldenrol was inmiddels niets meer over. Ik werd met de nek aangekeken en was nu net zo populair als Valen.

Maar het feit dat er nog maar twee weken van mijn schooltijd over waren, stelde me gerust. Wat ik niet wist, was dat Valen snode plannen smeedde.

Elke school houdt zijn eigen tradities hoog.

Terwijl de meeste scholen het schooljaar met een vermakelijke revue of een mooie theatervoorstelling beëindigen, wordt er bij ons, zoals u weet, een sportfeest georganiseerd. Met die show heeft de school nog nooit iemand een plezier gedaan en dat de zaal elk jaar bomvol zit, heeft men te danken aan de beleefdheid van de ouders.

Het liedje is jaar in jaar uit hetzelfde: leerlingen die op sportief gebied hoog scoren, dagen elkaar uit en plein public.

Dit jaar bood de uitnodiging echter een verrassing. Op de deelnemerslijst bevond zich de naam van een persoon die zich noch vrijwillig aangemeld had, noch beschouwd werd als bijster sportief. Er stond: 'Bud Martin – de bok'.

Valen zon op wraak. Hij wilde dat ik een flater sloeg voor de ogen van honderden toeschouwers. Hij was er namelijk zeker van dat ik dit keer niet voor de startstreep zou durven blijven staan.

Dat zou best kunnen.

Met vriendelijke groeten,

Bud Martin.

\- - - - - - -

Ik verstuur de e-mail. Ik verwacht dat ik me opgelucht voel, maar weer doet het openen van de wond alleen maar pijn.

Ik ga op de matras liggen en sluit mijn ogen.

Slaap geen seconde. Denk alleen maar aan alles wat er gebeurde op die laatste schooldag en daarna. Aan het ergste van het ergste.

Jerry wordt wakker. We gaan aan de slag. Trekken kleren aan die niet te gekreukeld en niet te smerig zijn. En even voor halfacht – aangezien Jerry beweert dat het onbeleefd is om op tijd te komen – vertrekken we naar het huis van de buren.

Ik zie er als een berg tegenop. Ik heb mijn portie gehad van het driehoeksdrama, of liever gezegd vierkantsdrama, Maggie-Jerry-Selma-Bud.

BUITENSTAANDER

We komen binnen en Selma en Selma's vrienden knuffelen Jerry. Vanzelfsprekend.

Ze is door het dolle heen met zijn cadeautje en ze geeft hem een dikke smakkerd op zijn mond, nadat ze iets over zijn blauwe oog gezegd heeft en hij uit de doeken heeft gedaan dat we van de ladder kukelden. Daarna lacht hij uit volle borst. Hij geeft haar een zoen terug en iedereen glimlacht alsof hij zowel grappig als geniaal is.

Jerry en de rest van de gasten komen net zo goed met elkaar overeen als een bosbrand en een kampvuur. Iedereen is in vuur en vlam. De gesprekken laaien op en de vonken vliegen in het rond.

Jerry krijgt de laatste zitplaats toegewezen.

Daar sta ik dan.

In mijn dooie eentje.

Tussen de vrolijke feestvierders die chips knabbelen en met elkaar proosten.

Ik sta vlak voor het televisietoestel. Met een bierflesje in mijn hand. Wip mijn hielen op en neer, alsof ik mediteer over een moeilijk onderwerp. Probeer een slimme smoel op te zetten, maar weet dat ik geen gezicht ben. Ik zie er gewoon stompzinnig uit.

Ik neem nog een slok bier.

Vraag me af of ik voor de afwisseling naar de keuken zal slenteren.

Maar dan duikt er eindelijk nog een zielenpiet zonder zitplaats op.

Hij parkeert zijn lichaam naast dat van mij. 'Zo, een blauw oog?' zegt hij.

'... eh... van een ladder gevallen', zeg ik.

Hij knikt alsof hij niets anders verwacht had.

We toosten met onze flesjes. Vallen stil.

Ondertussen wordt er om ons heen gekakeld alsof de woorden over een uur op zijn. Te midden van de gasten zit Jerry, omringd door meisjes. Ze schateren om alles wat hij uitkraamt. Hij kan boeren zonder dat zijn aura verbleekt. Een van de meisjes voelt voorzichtig aan zijn haar, om te checken of hij echt is.

Jerry begint aan een verhaal en ogen sperren zich open, adem wordt ingehouden, harten kloppen in kelen en ten slotte gieren ze allemaal van de lach. Selma schuift nog iets dichterbij. Ze legt een hand op zijn knie en kijkt naar hem op. Het lijkt alsof ze hem mateloos bewondert, maar dan zie ik dat ze het cadeautje laat zien dat ze van hem kreeg. Ik herinner me dat hij haar iets wilde geven dat een onuitwisbare indruk zou maken, een geschenk vol mysterie & passie, grootser dan het leven. Het werd een hartje dat ze aan een ketting om haar hals kan dragen. Maar terwijl het mijne van zilver was, kocht hij er eentje van goud. Hij pikte mijn idee en maakte er iets mooiers van.

Ze kijkt hem aan met de blik van meisjes die smoor zijn.

'Heel mooi', hoor ik hem zeggen. 'Iemand die je een gouden hartje geeft, koestert warme gevoelens voor je. Ik kan het weten.'

Ze bloost en slaat haar ogen neer, maar laat haar hand op zijn knie liggen.

Ik en de kerel naast me kijken elkaar even aan.

'John', zegt hij en hij steekt zijn hand uit.

'Bud', zeg ik en ik schud de hand.

Meer gesprek lukt ons niet gedurende de volgende twee uren.

De tijd verstrijkt met de snelheid van een kreupele slak. In de loop van honderdtwintig minuten ben ik drie keer in de keuken geweest om de muur met familiefoto's te bestuderen. En vier keer naar de wc, waar ik na het doen van een kleine boodschap uitgebreid mijn handen heb gewassen en in de spiegel heb staan koekeloeren. Ik heb diep nagedacht over hoe je het best de versnellingsbak van een Harley Davidson Springer 1998 kunt losschroeven en geprobeerd om me voor de geest te halen hoeveel verschillende soorten banden we in onze garage hebben.

Dan verandert de gehele situatie.

Het universum krijgt een andere koers. Of betekenis. Of elektrische lading. Of wat dan ook. Het voelt in ieder geval alsof iemand een roer omgooit en het evenwicht verstoort. Mijn maag hapt naar adem, net als tijdens een ritje met de achtbaan.

Ik kan het niet anders uitleggen. Als ik bekomen ben van de schok, lijk ik gevuld met een bijzondere energie. En plotseling begrijp ik dat de bron zich achter mijn rug bevindt.

EEN ZACHTE BOTSING

'Hoi... eh... Bud', zegt Maggie.

'Hoi... eh...' stamel ik. Ik hunker naar de wolfsjongen en zijn woordenschat.

'Proost', zegt Maggie en ze neemt een forse slok van een flesje en knikt naar de mensenzee. 'Op de... eh... pretmakers.'

'... eh... ja', zeg ik en ik knik naar mijn buurman. 'John.'

John en Maggie geven elkaar een hand.

Nu zijn we met zijn drieën.

Drie buitenbeentjes.

Drie verlegen, verloren zielen.

'Je oog', zegt Maggie.

'Gevallen', brom ik. Het oog begint me de keel uit te hangen.

'Van een ladder', voegt John eraan toe.

'Jezus!' zegt Maggie.

Er gaan tien minuten voorbij.

Ik werp een blik op Maggie en John. Ze staren als zombies voor zich uit.

Jerry heeft nog steeds Selma's hand op zijn knie. Maar nu ligt die van hem erbovenop. Hij kijkt in haar ogen en kletst haar de oren van het hoofd terwijl zij alleen maar glimlacht, met het gouden hartje pronkt en hoogstwaarschijnlijk geen woord opvangt.

Maggie staat achter me, maar haar geur hangt om me heen. Ze ruikt naar citroen, naar veldbloemen en een soort kruid. Het is vreemd om haar in iets anders te zien dan haar woudloperskleren. Ze heeft een zwarte jeans aan met gaten bij de knieën. Het topje is turkoois en zo kort dat er een heerlijk stuk gespierde buik te zien is. Plotseling krijg ik zin om de blote huid aan te raken. Om mijn hand langs haar buik te strijken, om mijn vinger in het kuiltje van haar navel te laten glijden, om haar heupen te voelen en de sterke rug.

Ik adem zwaarder en moet me inhouden om geen diepe zucht te slaken.

Dan doe ik het moedigste wat ik ooit gedaan heb. Het klinkt achterlijk, maar ik meen het bloedserieus.

Ik verschuif mijn hielen stiekem naar achteren. Niet meer dan telkens een millimeter of twee. Onmerkbaar schuifel ik achterwaarts. Tot ik vlak voor haar sta.

De Maggiegeur is heel sterk. Behalve citroen en bloemen ruik ik vanille. En iets wat alleen huid kan zijn. Warme huid. Misschien de huid van een blote, mooie buik.

Ik buig mijn bovenlichaam naar achteren. Merk dat ik te veel ruimte heb. Zet een piepklein pasje achteruit.

Nu is het alsof ik in een tuin vol tropische bloemen sta. De geur is zacht, zwoel en bedwelmend.

Ik leun weer voorzichtig achterover. En plotseling voel ik haar borsten tegen mijn rug. Het is niet meer dan een lichte aanraking. Als bij toeval. Ik recht mijn rug en wacht een paar seconden. Dan zoek ik haar borsten weer op. Het is zo warm en zacht dat ik wel kan janken.

Ze laat me rustig begaan.

Zo blijven we staan. Net dicht genoeg bij elkaar voor mensen die een vis hebben uitgewisseld. Net niet dicht genoeg om een schandaal te ontketenen.

Dan krijgt Jerry haar in het oog en hij veert overeind.

JERRY JUAN

'Ha die Mag!' zegt hij en hij beent de vloer over. Baant zich een weg. Walst over me heen. Geeft Maggie een dikke knuffel. Hij stinkt naar parfum, bier en feest. Hij straalt van frisheid en levenslust.

'Hoi!!' zegt ze en ze knuffelt terug.

'Wat is er met je oog?' vraagt ze.

'Van een ladder geduveld', antwoordt Jerry. 'Jammer dat je er niet bij was toen we die smak maakten. Je had je rot gelachen!'

'Vielen jullie tegelijk van die ladder?' vraagt John.

'Eerst donderde ik naar beneden & daarna Bud', legt Jerry uit. 'Het was je reinste slapstick.'

'Komt die lip ook van die val?' vraagt Maggie.

'Ja, we kwamen een beetje ongelukkig terecht', zwamt Jerry door. 'Ladders zijn in feite levensgevaarlijk. Het blijkt dat het aantal sukkels dat jaarlijks van een ladder valt groter is dan het aantal slachtoffers van vliegtuigongelukken. Wie had dat gedacht? Ik niet.'

Iets in die geest had ik ook kunnen zeggen. Ik had hen bijvoorbeeld kunnen vertellen dat er wereldwijd elk jaar 10.000 wc-gerelateerde ongevallen gebeuren. En dat de kans om de hoofdprijs in een loterij te winnen slechts ietsje hoger is dan de mogelijkheid om getroffen te worden door een meteoorsteen. (Of was het andersom?) Bovendien komt het jaarlijks vijf keer voor dat een bejaarde dame haar schoothondje probeert te drogen in de magnetron. (Poef!)

Maar ik zeg niets.

Ik zeg nooit iets.

'Bedankt voor de vis, Mag', zegt Jerry ineens en een beetje verlegen.

'Huh?' zegt ze en ze kijkt me aan. Het duurt maar een fractie van een seconde en ik weet niet hoe ik de blik moet opvatten. Vragend? Niet-begrijpend? Pissig? 'O, ja, niets te danken', hoor ik haar mompelen.

'Een prachtexemplaar!' vervolgt Jerry. 'Snoeken zijn gek op baars & dat het deze schooier gelukt is om uit de buurt van de Kanjersnoek te blijven, is een wonder. Over het algemeen krijgen baarzen de kans niet om zo groot te worden.'

'Dus je hebt van de Kanjersnoek gehoord?' vraagt John.

'Gehoord? Ik zit hem al geruime tijd op de hielen!' pocht Jerry.

'Ruige Ramton had hem een paar jaar geleden bijna aan zijn hengel hangen', zegt John.

'Ruige Ramton kan geen hengel vasthouden, tenzij hij de vorm van een fles sterkedrank heeft', snuift Maggie.

'Ik was er zelf bij', zegt John.

'Wedden dat jij even ladderzat was als hij?' zegt Maggie.

'Echt, we zagen hem uit het water omhoog springen. Hij woog minstens vijfentwintig kilo', houdt John vol. 'Je had die bek moeten zien!'

'Dat beest ligt binnenkort in mijn armen', zegt Jerry.

'Hehehe', hinnikt Maggie. 'Niemand krijgt hem te pakken. Ik heb het geprobeerd, maar hij is veel te doortrapt. Door de jaren heen heeft hij te veel haken gezien.'

'Tegen de mijne zegt hij geen nee', zegt Jerry en hij pakt Maggie bij haar arm en trekt haar mee naar de deur naar het terras. 'Heb je die mooie tuin hier gezien?'

Hij opent de deur terwijl John afgunstig bromt: 'Die weet van aanpakken! Dat hadden wij ook moeten doen. Gewoon een meisje bij haar arm grijpen en meenemen. Wie is die gast?'

'Mijn neef', zeg ik.

'Bofkont', zegt John. 'Met zo'n neef zul je veel lol beleven.'

'Ja', zeg ik. 'Kijk maar naar mijn blauwe oog.' Ik zie Jerry met Maggie naar buiten lopen.

Voor ze uit het zicht verdwijnen, kijkt ze achterom. Aangezien ik totaal geen verstand van meisjes heb, snap ik niet wat ze laat weten met haar blik. Misschien: 'Kijk! Zo hoort het!' of: 'Waarom loop je niet achter ons aan?' of: 'Wat moest Jerry met jouw baars?' Het kan ook zijn dat ze me niets meer te zeggen heeft.

John en ik zijn niet de enigen die zien dat Jerry de benen neemt met Maggie.

Selma heeft het ook in de gaten.

Even later is Selma ook naar buiten gelopen. John en ik klampen ons weer vast aan onze bierflesjes. Er arriveren nog steeds nieuwe gasten en we knikken en knorren onze naam en kijken iedereen na.

Ik heb een dip omdat mijn neef aan de haal is met het heerlijkste meisje dat er bestaat. Maar mijn toestand brengt me niet van de kaart. Ik weet dat het leven weinig in petto heeft voor dikzakken als ik. Schietgebedjes naar God kan ik achterwege laten.

Wat me een beetje pleziert, is het feit dat Jerry nu twee meisjes moet vermaken. Twee meisjes op wie hij verliefd is en die hem allebei heel leuk vinden. Het zou wel eens een zware dobber kunnen worden om de boel gezellig te houden, zelfs voor een geboren kletsmajoor.

'Hè hè, nu kan ik je eindelijk bedanken', zegt plotseling een meisjesstem. Op hetzelfde moment voel ik twee armen om mijn hals.

Ik denk dat ik dood ben en gereïncarneerd in iemand à la Jerry. Mijn lichaam is niet gewend aan dit soort intieme dankbetuigingen.

'Je bent onze held!' zegt ze en ze kijkt me liefdevol aan. Dan pas zie ik dat dit lange, knappe meisje de aanvoerster is van de TIGERS OF TIPLING. Het was de bus van haar team die ik afgelopen dinsdag nieuw leven inblies.

'We wonnen die wedstrijd', zegt ze. 'En nu staan we boven aan de ranglijst! Dankzij jou!'

Ze buigt naar voren en drukt een grote, zachte kus op mijn voorhoofd. 'Als we jou ooit ergens mee kunnen helpen, moet je het maar zeggen. Je weet me te vinden!' Ze geeft nog een aai over mijn arm voor ze tussen de feestgangers verdwijnt.

Nauwelijks twee minuten later krijg ik bezoek van een ander meisje uit het team. 'Ik hoorde dat je hier stond', zegt ze en ook zij geeft een zoen op mijn voorhoofd. Weer word ik hartelijk bedankt en nogmaals moet ik beloven om een seintje te geven als ik hulp gebruiken kan. En daarna huppelt ze vrolijk weg.

Ze wordt afgelost door een derde handbalspeelster.

Van haar krijg ik een zoen op mijn wang.

John zegt: 'Jij kunt er blijkbaar ook wat van.' Hij is jaloers op me en plotseling haat hij me intens.

Ik glimlach zelfingenomen en zeg: 'Ach, we leven in een dwaze wereld.'

Dan horen we luide stemmen uit de tuin. Gevolgd door een paar harde klappen.

TWEEPERSOONSPARTY

Een paar seconden later stormt Jerry de kamer in. Hij houdt een hand voor zijn neus, vliegt op me af en zegt: 'We vertrekken, Bud!'

Ik kan nog net het plastic tasje met de bierflesjes van de grond grissen voor hij me als een vleesgeworden wervelwind uit het huis zuigt.

Tijd om een vraag in te lassen wordt me niet gegeven. Aan mijn T-shirt trekt hij me de straat over en in de richting van onze oprit. En ook al ben ik geen lichtgewicht wat mijn *body mass* betreft, ik voel me als een teckel die door een op hol geslagen baasje wordt meegesleept.

Het is pas tien uur en we zijn al op weg naar huis. Dit is een nieuw record. Ik verbreek vanvond al mijn vroegere nederlagen op partygebied.

Het lukt me om hem af te remmen door mijn billen op de stoep te parkeren. Zelfs een tornado genaamd Storm kan niets met 105 beenloze kilo's. We bevinden ons onder een straatlantaarn en daarom valt het me nu pas op dat hij uitgerust is met twee blauwe ogen. Plus een vuurrode wang. Plus een bloedneus.

'Lag er soms een bermbom in die tuin?' vraag ik geschokt.

'Luister, zogenaamde vriend', zegt hij en hij hamert tegen mijn borstkas met een harde wijsvinger. 'Je bent NIET grappig. Niet op dit moment in ieder geval.'

‘Een biertje?’ vraag ik en ik trek een flesje uit de plastic zak. ‘Een biertje is altijd... eh... rustgevend.’

‘Dank je’, zegt hij. Hij pakt het flesje aan en veegt zijn neus af met de rug van zijn hand.

‘Een zakdoek?’ vraag ik en ik reik hem de mijne aan.

‘Nogmaals bedankt’, bromt hij.

We veranderen van koers en zoeken het vertrouwde bushokje op.

‘*What a life!*’ zegt Jerry.

‘Hm’, zeg ik en ik neem een forse teug.

Daar zitten we dan. In een bushokje. Aan de drank. De maan kleeft als een zilveren mond tegen een donkerblauwe hemel. In de verte denderen de vrachtwagens de stad uit.

‘Ik wilde alleen maar...’ zegt Jerry en hij raakt de draad kwijt. Hij slaakt een wanhopige zucht.

‘Hm’, beaam ik.

‘Meisjes... Ach, je weet hoe de zaken ervoor staan’, zegt hij een paar minuten later.

Ik heb nooit geweten hoe zaken ervoor staan. Vooral niet wat meisjes betreft. Maar ik wil hem niet teleurstellen en trakteer hem op een ‘Ugh!’.

‘Juist’, zegt hij. Hij drukt de zakdoek tegen zijn neus, snuit hem vol bloed en begint te grinniken. ‘Ugh! Ugh! Beter kun je het niet formuleren. Je bent geniaal, Bud. Weet altijd de juiste woorden te vinden. Ik zou willen dat ik me zo duidelijk kon uitdrukken. Soms zoek ik me rot naar het kleinste woordje.’

Ik heb niet de indruk dat dat een van zijn zwakke kanten is, maar ik ga er niet op in en laat hem lekker leuteren over meisjes en het leven en verlangens en dromen, terwijl de maan stralen strooit.

‘Moet je de maan zien, Bud’, zegt Jerry. ‘Wist je dat hij van toverzilver is?’

Ik kijk naar de maan en zie dat Jerry gelijk heeft.

‘Toen ik klein was, zei mijn vader altijd dat als je ’s nachts naar buiten ging & precies onder de maan ging staan, dat hij dan zilver op je hoofd strooide & je magische krachten gaf. Later begreep ik dat het maar een sprookje was. De laatste tijd ben ik echter gaan geloven dat er iets van waarheid in het verhaal zit. Het is alleen jammer dat het geen eenvoudige zaak is om precies onder de maan te gaan staan.'

'Ugh!' zeg ik en ik hef mijn flesje naar de maan.

'Juist! Zo hoort het!' zegt hij en hij doet me na en proost met de maan. 'Ugh!' roept hij voor hij van het bankje springt. Met wiegende heupen zingt hij: 'Ugh-ugh-ugga-bugga. Ugh-ugh-ugga-bugga. Laat je gaan, Bud!'

Ik sta op, mak als een lam van de drank, en stamp met mijn voeten en galm: 'Ugh-ugh-ugga-bugga. Ugh-ugh-ugga-bugga.'

Jerry trekt een gekke bek, grijnst en zegt: 'Mijn hemel, ik wist niet dat die meid ook nog kon boksen.' Hij wrijft over zijn wang, zijn oog en zijn neus en gaat door met dansen.

Twee dronken torren vergeten de tijd tot het tegen enen is.

'Nu hebben we genoeg geshaket', zegt Jerry.

'Jep', zeg ik. 'Over naar stap twee.'

MIJN VADER SPEELT BEVEILIGER

Daarmee bedoel ik natuurlijk dat we ons in het prieel van mijn grootvader nestelen om een potje naar de donkere daken te staren. Ook met een paar biertjes in onze benen kost het ons geen moeite om de steile helling op te klauteren.

Maar als Jerry boven op het platje opnieuw begint te dansen, grijp ik hem bij zijn lurven. Ik heb er geen behoefte aan om iemand van grote hoogte naar beneden te zien storten.

'Zeg, ik vraag me af wanneer we die kerel kunnen verwachten', zegt Jerry plotseling. 'Die inspecteur Striktsen.' Ik realiseer me dat ik het goede nieuws nog niet verteld heb.

Ik zou het hier en nu kunnen doen.

Maar dan denk ik: laat hem nog maar even in zijn piepzak zitten. Ik heb de kastanjes uit het vuur gehaald en daar mag hij best voor boeten.

'Ik zou er met Maggie over moeten praten', zegt Jerry. 'Maar zodra ik bij haar in de buurt ben, vergeet ik alles.'

'Ja, ja', zeg ik ongeïnteresseerd. Ik leeg het flesje en wil het neerzetten. Maar het glas is nat en mijn handen zijn vochtig en het flesje glijdt uit mijn vingers en flikkert naar beneden en spat uit elkaar op de tegels onder aan de ladder.

Een seconde later floept er een zaklantaarn aan in de tuin van mijn grootvader. De lichtbundel is gericht op de tegels. 'Kom tevoorschijn, vandalen! Ik weet dat jullie daar zitten!'

Het is de stem van mijn vader!

Dat hij ons niet heeft horen praten in het prieel is een godswonder. Hij denkt dat de flessenwerpers zich in de bosjes verstoppen. We zakken pijlsnel door onze knieën.

Ondertussen rent mijn vader over het pad naar de plaats delict.

Bang is hij blijkbaar niet. Hij is ziedend en dreigt met stokslagen en pakken rammel. We horen het grind onder zijn schoenzolen knarsen en begrijpen dat hij bij het prieel is beland. Jerry en ik kijken elkaar aan.

'Het is van het hoogste belang', fluistert Jerry in mijn oor, 'dat we hier wegkomen. Zo meteen klimt hij naar boven.'

Mijn vader mompelt iets over vlegels die hem te snel af zijn.

'Hoe dan?' fluister ik terug. 'Maak jij ons even onzichtbaar?'

'Tijd voor een trucje', zegt Jerry. Hij gaat rechtop staan en smijt het laatste bierflesje uit de plastic tas in de richting van grootvaders huis. Met een mooie boog vliegt het door de lucht en aan het geluid te horen eindigt de vlucht tegen een huismuur.

Mijn vader vloekt en spoedt zich haastje-repje naar de nieuwe plek des onheils.

Wij benutten de kans om te ontsnappen. Op onze tenen lopen we langs het pad naar het gat in de haag. We laten mijn vader en de lichtbundel links liggen, kruipen onze tuin in en sprinten over het grasveld naar het huis. Als we eenmaal bij de huismuur zijn, is het een kippeneindje naar mijn voordeur.

Nog voor we ons doel bereikt hebben, horen we mijn moeder door het open slaapkamerraam roepen. 'Georg! Ik geloof dat er inbrekers in onze tuin zijn! Kom snel!'

We maken ons zo plat mogelijk en sluipen met grote passen langs de muur naar de hoek van het huis en dan rennen we als hazewindhonden naar de ingang van mijn veilige hol. We hebben de deur amper dichtgedaan, als we mijn vader horen schreeuwen.

'Waar dan?'

We springen in bed, sluiten onze ogen en proberen rustig te ademen. Antwoorden niet als mijn vader op de deur klopt en geven geen kik als hij zijn hoofd naar binnen steekt. 'Nee, die slapen als roosjes', horen we hem zeggen.

We laten hem een poos buiten rondscharrelen voor we het wagen om onze mond open te doen.

'Ugh...' fluister ik.

'Ugh... ugh...' fluistert Jerry terug en daarna gniffelen we als twee bakvissen.

'Er is iets wat me bezighoudt', zegt Jerry een tijdje later. 'We zijn zo druk in de weer dat we ons grote voornemen uit het oog hebben verloren. Het kan zijn dat jij een andere opvatting hebt & dat alleen ik er zo over denk, maar hoe dan ook, Bud, we mogen de Kanjersnoek niet uit ons programma schrappen. Ook al hebben we onze handen vol aan de kleine dingen des levens, de grote moeten we niet verwaarlozen!'

'En... eh... aan wie ben je eigenlijk... eh... van plan om hem te geven?' vraag ik.

'Het gaat er niet meer om dat iemand hem krijgt', bromt hij. 'Het gaat erom dat ik hem ga vangen. Ik ga hem vangen omdat hij gevangen moet worden. Je hebt een doel voor ogen & de bedoeling is dat je het doel bereikt, Bud. Je moet geen zielenpiet worden die het opgeeft zodra er een hindernis opduikt. Hindernissen zijn er om overheen te klimmen. Hindernissen zijn er om van te leren.

Wat verlang je eigenlijk van het leven? Dat het een autostrada is zonder kuilen en bobbels? Tegenspoed, Bud, daar heb je wat aan! Het leven moet vol weerhaken zitten. Dan pas beleef je er lol aan.'

'Hm', antwoord ik. Wat mij betreft, ik heb mijn portie lol gehad. Ik kan een heel jaar zonder, minstens.

Citaat uit
De vis van mijn leven. De jacht op de Kanjersnoek
van Henry Walden.

'Ik benutte de eerste dag om het meer te onderzoeken. Om uit te vinden waar de snoek hoogstwaarschijnlijk op de loer lag. Daarom moest ik de dieptes en ondieptes in kaart brengen. En uitzoeken waar de begroeiing dicht genoeg was om te dienen als een perfecte plek om een prooi te bespieden.

Ik geef, zoals eerder vermeld, de voorkeur aan het vissen met pluggen. En dit keer zou ik vissen vanaf de oever. Ja, ik weet dat je met een boot een groter gebied bestrijkt. Maar ik ben niet gek. Ik peinsde er niet over om een boot naar dit afgelegen meer te zeulen. Ik houd er trouwens van om met weinig bagage op pad te gaan. Zo min mogelijk spullen, maar wel van de beste kwaliteit.

Wat mijn manier van werpen betreft, die ga ik niet verklappen. Ik heb er jaren over gedaan om deze speciale techniek onder de knie te krijgen. De hengel houd ik anders vast dan gangbaar is en als ik de lijn over het water zwiep, doe ik dat met een precisie en een kracht die weinigen mij zullen evenaren. Het is een kwestie van kennis gecombineerd met een aantal trucjes. En die houd ik het liefst geheim.

Als ik op snoek vis, laat ik de plug meestal zakken tot vlak boven de bodem. Dat was ik nu ook van plan. Hoe dieper het water, hoe zwaarder de plug.

Om te beginnen moest ik een gokje wagen. Ik liet de plug zinken en telde af tot hij de bodem raakte. 1 – 2 – 3 – enz. Ik kwam tot 15.

Als ik op deze plek zou gaan vissen, moest ik beginnen met inhalen als ik tot 14 had geteld. Dan zou mijn plug zich op ooghoogte bevinden van de snoek die popelde om zijn honger te stillen. Bij voorkeur de Kanjersnoek.'

WATERIGE VISSOEP
=
ZATERDAG

TRANEN

'Thunk! Thunk!'

Ik word wakker en luister naar het zwakke geluid. Het klinkt alsof er een vogel tegen mijn raam tikt.

'Thunk! Thunk!'

Ik wrijf over mijn wangen en probeer te kijken, maar mijn oogleden lijken wel vastgelijmd.

'Thunk! Thunk!'

Ik til mijn hoofd van het kussen en open mijn ogen met behulp van mijn vingers. Strek mijn arm, schuif het gordijn iets opzij en zie geen vroege vogel.

Duik weer onder de wol.

'Thunk! Thunk!'

Kijk weer uit het raam.

Zie geen pip.

Probeer weer te pitten.

'Thunk! Thunk!'

Pestvogel! Ik rol boos uit bed en verpletter op een haartje na Jerry, die op de begane grond stokdoof ligt te snurken. Been naar de deur, druk de klink naar beneden en gluur naar buiten. Loop over het gras en steek mijn hoofd om de hoek van het huis.

Daar staat Selma.

En daar sta ik, met een rode kop, in mijn onderbroek, stinkend naar een slokje te veel en bezweet van de boze dromen.

'Oei!' zeg ik.

'Oef', zegt zij.

Er is geen sprake van een pijnlijk moment. Dit is een langdurige, pijnlijke belevenis.

'Ik moet met je praten', zegt ze.

'Eh... o', stamel ik even hoogbegaafd als wanneer ik aan het *ughen* sla.

We spreken af dat ze in het bushokje op me zal wachten. Ik zet mijn lijf onder de douche en draai de kraan pas dicht als mijn brein de slaap uit zijn ogen heeft gewreven.

Daarna werk ik vijf afgeladen boterhammen naar binnen. Mijn maag is zo leeg als een opgedoekte parkeergarage en neemt geen genoegen met een beschuitje met boter. Na afloop vul ik een stalen thermosfles met koffie. Met de fles en een rol koekjes in mijn hand slenter ik vervolgens richting bushokje en Selma.

'Ik ben helemaal kapot', zegt ze zodra ik naast haar zit. 'Je moet me helpen, Bud.'

'Ja', zeg ik. 'Het was misschien niet zo'n slimme zet om Jerry in elkaar te timmeren.'

'Wat?' zegt ze verbaasd. 'Die klappen kreeg hij van Maggie. Ik heb hem niet aangeraakt.'

'HUH?'

'Hij probeerde haar op haar mond te zoenen', zegt Selma.

'HUH?' Ik weet hoe hij over haar denkt en zo ongeveer wat zijn toekomstplannen zijn, maar ik zit niet bepaald te wachten op smeuïge details.

'Hij had haar meegenomen naar het bankje onder de eikenboom', gaat Selma onverstoord verder. 'Helemaal achter in de tuin. Je weet wel. Als je daar zit, kun je de bergtoppen zien en de meren. Het is mijn lievelingsplekje. En daar zaten zij, gezellig naast elkaar. Ik liep naar ze toe, maar voor ik bij ze was, zag ik dat Jerry zijn arm om haar schouders legde en haar naar zich toe trok. Toen hij haar wilde zoenen, duwde ze zijn hoofd weg met haar hand. Maar hij pakte haar alleen maar steviger beet en probeerde het nogmaals. Ja en toen kreeg hij ervan langs. Hij schreeuwde het uit!'

Selma heeft me een haarscherp beeld gegeven van de situatie en ik grinnik meedogenloos bij de gedachte aan Jerry die de wind van voren kreeg. Ik houd mijn lachen echter meteen in als ik de verdrietige ogen zie waarmee Selma me aankijkt.

'En toen moet hij iets gezegd hebben wat haar nog woester maakte, want ze gaf hem nog een mep en daarna liep ze weg, door het poortje aan de straatkant. Ik wist niet wat ik doen moest', zegt Selma.

Ik zie dat ze huilt en ik weet dat het komt doordat ze verliefd op hem is, op de idioot die met andere meisjes zit te flikflooien.

Het is zo triest. Het doet zo'n pijn.

Omdat ik dit Selma niet gun op haar laatste dag in Tipling. Omdat dit niet op haar eigen feestje had mogen gebeuren. Omdat het leven wreed is. Het kan best zijn dat Selma slank en populair en gelukkig gaat worden. Maar zoals ze er nu uitziet, daar kan ik niet tegen.

'Een koekje?' vraag ik houterig en ik houd haar de rol voor.

'Dank je', zegt ze en ze peutert er een pindakoekje uit.

Ze steekt het in haar mond en probeert een hapje te nemen, maar dan barst ze weer in tranen uit. Ze verbergt haar gezicht achter haar handen en ik voel me alleen maar opgelaten en dom en nergens voor nodig.

'Ik kan alleen maar huilen', snikt ze en ze drukt zich tegen me aan.

WAAG HET NIET

Ik ruik Selma. Ik ruik een meisje. Het is dat ze mijn beste maatje is en mijn ongelukkigste maatje, anders had ik het misschien niet kunnen hebben dat deze lieve meid smoor is op een ander.

Wat doe je met een meisje dat huilt?

Het is een van de vele situaties die me in verlegenheid brengen.

Ik heb niets anders te bieden dan mezelf en van die gozer heb ik geen hoge pet op.

Ik kan niet anders dan mijn handen op haar rug leggen.

Weet niet of je een huilend meisje stevig moet vastpakken.

Waag het niet.

Laat haar hoofd op mijn schouder rusten.

Weet niet of ik mijn hoofd tegen dat van haar kan leggen.

Waag het niet.

We zitten een beetje scheef en ik krijg er spierpijn van.

Weet niet of ik kan gaan verzitten zodat ze beter in mijn armen ligt.

Waag het niet.

Ze verwacht vast dat ik iets zeg.

Ik zoek in de woordenlijst in mijn hersenen naar een geschikte opmerking.

Vind een paar zinnen die ik kan gebruiken.

Maar waag het niet om ze uit te spreken.

Ik ben een grote lafaard.

Ik houd haar gewoon vast tot ze klaar is met huilen.

'Nu ben ik klaar met huilen', zegt ze en ze wurmt zich uit mijn stijve armen.

'Ik lijk wel gek, om verliefd te zijn op een jongen aan wie ik niks heb', zegt ze droogjes.

Ik reik haar de rol aan en daarna zitten we een tijdje zwijgend pindakoekjes te peuzelen.

'Denk je dat hij... dat hij iets voor me voelt?' vraagt ze met een stem die weer waterig klinkt.

Ik zucht en blader tevergeefs in de woordenlijst in mijn brein.

'Bedoel je ja?' vraagt ze hoopvol.

Ik haal mijn schouders op om duidelijk te maken dat de vraag niet te beantwoorden valt. Jerry is niet bepaald een vage figuur. Maar je moet mij niet vragen wat hij denkt en voelt en van plan is. Jerry is als een verdwaalde kogel. Zo onvoorspelbaar als de pest.

Er wordt achter ons gekucht en ik schrik me te pletter.

JERRY BIJT IN HET STOF

Jerry verschijnt ten tonele. Geurend naar douchegel. Keurig aangekleed. Scheiding in zijn haar. Kortom, hij ziet er stukken beter uit dan depressieve Selma en lafbek Bud.

'Selma, ik heb er zo'N spijt van!' zegt hij met de bekende, manische flikkering in zijn ogen.

'Hoepel op!' briest ze.

'Maar ik...' Hij probeert het. Hij probeert het echt. En ik zou willen dat ik stante pede smolt en nergens meer te zien was.

'Houd je grote mond!' zegt ze en ze grijpt het gouden hartje dat nog steeds onder het kuiltje in haar hals hangt, rukt eraan zodat het kettinkje breekt en smijt het sieraad voor zijn voeten.

'Selma, lieverd', mompelt hij en hij hurkt neer. Raapt het hartje en de kapotte ketting van de grond.

Ze staat op, maar gaat er niet vandoor. Haar voeten hebben zin. De rest van haar lichaam blijft plakken. Leunt weerloos tegen de wand van het bushokje.

Dan doet hij iets waarvoor een lafbek een moord zou doen.

Jerry gaat voor Selma op zijn knieën.

Ik walg van hem.

EEN BEETJE LEFGOZER

Jerry maakt dus een knieval en reikt haar zijn hartje aan.

Selma weet niet wat ze wil. Haar mondhoeken trillen en haar hand beeft.

'Ik heb me oliedom gedragen, Selma', zegt Jerry en hij kijkt haar aan als een cockerspaniël die om een plakje worst bedelt.

'Dat klopt', zegt ze en ze maakt nog steeds geen aanstalten om weg te lopen.

'Neem dit hartje terug, alsjeblieft', smeekt hij en hij gaat er zowat bij janken.

Dan verlaat de lafbek het bankje.

De twee zijn zo verdiept in hun Romeo-en-Julia-act dat ze niet merken dat ik me haastig uit de voeten maak. Van verre hoor ik dat Jerry alweer het hoogste woord voert.

Het is pas halfnegen als ik ons tuinpad op loop, maar mijn ouders zijn reeds met auto en al vertrokken. Ik herinner me niet dat ze bijzondere plannen hadden, dus ik neem aan dat ze boodschappen doen.

Er ligt een briefje op de keukentafel. 'Gaan nieuwe stoel voor opa kopen. Terug om 12 uur', heeft mijn vader geschreven. En dan, met twee dikke strepen eronder: 'OPSCHIETEN MET SCHILDEREN! MORGEN MOET HET HELE HUIS AF ZIJN!!!'

Ik maak een rondje om het huis.

Je hebt geen goede ogen nodig om te zien dat het niet gaat lukken. We zijn nog niet eens toe aan de laatste wand. En als die af is, moeten we van voren af aan beginnen. Met laag nummer twee.

Ik begrijp niet dat mijn vader niet inziet dat het onbegonnen werk is.

Denkt hij soms dat de rest van het huis al van twee lagen verf voorzien is? Zouden we hem kunnen bedotten?

Ik vat een klein beetje moed.

Genoeg om languit in het gras te gaan liggen en in slaap te vallen. Ik word pas wakker als de man van de knieval naast me neerploft.

'Zo, dat misverstand is van de baan', zegt hij tevreden.

'Huh?' zeg ik.

'Ja', zegt hij. 'Zand erover. Even goede vrienden.'

'Zand erover?' Het gebeurt niet vaak, maar dit keer ben ik echt kwaad op hem. 'Even goede vrienden? Man, je gaat op je knieën en geeft haar gouden hartjes! Ze denkt minstens dat je haar ten huwelijk vraagt!'

'Nee, ben je gek, Bud. Selma weet wat voor vlees ze in de kuip heeft & wat ze van me kan verwachten', antwoordt hij relaxed. 'We begrijpen elkaar & halen ons niks in het hoofd. Wat wij tweeën voor elkaar voelen is puur vriendschap.'

'Jerry, je h-h-hebt een b-b-bord voor je k-k-kop!' Ik ben zo opgewonden dat ik begin te stotteren. 'Je b-b-bent zo d-d-dom als het ach-ach-achtereind van een k-k-koe!'

'Dat meen je niet!' zegt hij.

'Ze denkt dat je van haar h-houdt en dat dat g-gedoe met M-M-Maggie maar een g-geintje was', zeg ik. 'Je valt op je k-knieën en geeft haar een h-hartje, idioot! Dat heeft niks met p-puur v-vriendschap te maken!'

Ik ben uitzonderlijk welsprekend, vind ik zelf.

'Sinds wanneer ben je gedachtelezer?' Hij kijkt me een beetje gepikeerd aan.

'Houd toch op!' zeg ik.

'Iets anders', zegt hij plotseling. 'Ten eerste: heb jij mijn sleutelbos gezien? Ik heb hem ergens op een slim plekje neergelegd & de grote vraag is waar. Het is van het hoogste belang dat ik hem vind, want mijn hele bestaan hangt aan die bos, begrijp je? We moeten zo snel mogelijk een zoekactie op touw zetten & ten tweede wordt het tijd dat we die Kanjersnoek vangen, nietwaar? Daar is in feite alles mee begonnen & het zou doodzonde zijn als we hem aan onze neus voorbij lieten gaan, dus...'

'Jerry!' snijd ik hem de pas af. 'We moeten schilderen! We liggen dagen achter op schema en mijn vader springt uit zijn blote vel als we niet op tijd klaar zijn. Die sleutels en die snoek kun je mooi vergeten. Schilderen, schilderen en nog eens schilderen, dat staat ons te wachten.' Ik begrijp niet waar ik al die volzinnen vandaan tover.

'Hm, je hebt gelijk', zucht hij en hij werpt een blik op het huis. 'We moeten onze mouwen opstropen & braaf ons best doen. Maar, wees eens eerlijk, Bud, willen we dat het leven bestaat uit verf & terpentine & zweet of heeft een mens recht op een beetje avontuur?'

Ik zucht.

Ik weet nu al dat ik me laat ompraten en overhalen. Dat ik alles beter vind dan met een kwast op een ladder te staan.

Een paar minuten later zijn we vertrokken.

'Kop op, Bud', zegt Jerry en hij geeft me een schouderklopje. 'De bedoeling is dat we even het bos in wippen om de snoek te vangen & dat we daarna rechtsomkeer maken om aan die laatste wand te beginnen. Je ouders merken nooit dat we even de benen gestrekt hebben & nogmaals, ik vind het een geniaal idee van je om ze wijs te maken dat we overal twee lagen hebben aangebracht. Ik geloof nooit dat je vader de boel zo goed in de gaten heeft gehouden.'

'Maar... eh... als we die Kanjersnoek... eh... vangen, dan... eh... begrijpen ze natuurlijk dat we... eh... weg geweest zijn.' Ik ben weer lekker slecht van de tongriem gesneden.

'Als we die knoert op de keukentafel smakken, dan is alles vergeven & vergeten', zegt Jerry rustig. 'Dan gaan we als helden de geschiedenis in. Je vader en moeder zullen apetrots op ons zijn.'

'Hm', brom ik.

Zodra we tussen de bomen lopen, gebeurt er iets met ons. We worden kalm en ontspannen, alsof de takken en de bladeren zachtjes over onze huid aaien en ons sussen.

We horen een bekend geluid bij de Joekel.

'Durf jij te gaan kijken?' vraagt Jerry.

'Nee, ik... eh... geloof van niet', zeg ik. 'Jij?'

'Nee, dat lijkt me niet zo slim', zegt hij. Hij glimlacht droevig en voelt voorzichtig aan zijn verse blauwe oog. 'Misschien later op de dag. Ik ben ervan overtuigd dat we bij elkaar passen, maar een toffe meid versier je niet in een handomdraai. We moeten lange gesprekken voeren & dat ligt me wel. Heb ik gelijk of heb ik gelijk?'

Hij heeft gelijk. Van kletsen heeft hij kaas gegeten.

'Met de juiste instelling & de juiste timing komt alles op zijn pootjes terecht', zegt Jerry. Hij slaat zijn ogen ten hemel en lijkt op een pastoor die een stilte inlast voor hij aan een lange preek begint. 'Stel, want of het gaat lukken hangt af van een aantal factoren, maar stel dat we de Kanjersnoek vangen & ik geef hem cadeau aan Maggie, dan weet ik zeker dat onze liefde niet meer stuk kan.'

'Je gaat haar... eh... versieren met een vis?' vraag ik en ik schiet in de lach.

'Ja, maar niet zomaar een vis, jongeman. We hebben het over de koning der vissen, de heerser der meren, de natte droom van elke hengelaar & de vrouw die zo'n geschenk ontvangt, weet dat de gever niet alleen een vis, maar zijn grote liefde in haar armen legt. Nu ik erover nadenk, verdwijnt mijn twijfel als sneeuw voor de zon. We gaan hem vangen! Het vergt doorzettingsvermogen & wilskracht & daar heb ik gelukkig geen gebrek aan!'

Jerry ijlt bijna van enthousiasme. Hij beent ervandoor en houdt pas halt als we voor de Diepe staan.

'Hier zit... eh, vrijwel geen vis', zeg ik. 'Dat weet iedereen.'

'Kolder! Als jij Walden net zo secuur had gelezen als ik, dan had je geweten dat je overal vis kunt vangen. Het draait niet om tijdstip, water, temperatuur & visgerei. Het draait om je mentaliteit, Bud. Om te krijgen, moet je alles geven. Moeilijker is het niet', zegt hij en hij heeft zijn lijn al uitgeworpen. Ik volg zijn voorbeeld. De plug plopt in het water en mooie kringen breiden zich uit over de zwarte waterspiegel. Ze doen me denken aan wijzerplaten en ik werp een blik op mijn horloge. Het is halftien. We hebben maar twee uur de tijd.

Een seconde later heb ik beet. Het is niet te geloven.

'Hier zit geen vis, zei je?' grijnst Jerry. 'Het is misschien geen kanjer, maar wedden dat het een vis is?'

Het is een vis. Een zielig hoopje vis dat misschien twee keer zo groot is als het voorntje van maandag.

Ik doe een nieuwe worp. En het blijft wonderbaarlijk, want ook nu heb ik vrijwel meteen een vis aan de haak. Het lijkt alsof ze daar beneden een nummertje hebben getrokken en op hun beurt wachten.

Het is blijkbaar mijn dag vandaag.

In de loop van tien minuten trek ik vijf visjes op het droge. Het hadden er zes kunnen zijn, als de schavuit niet op het laatste moment terug in het water was gesprongen. 'Slechte zaak. Die gaat natuurlijk zijn vriendjes waarschuwen', mompelt Jerry. 'Zeg, ik vraag me af waar de snoeken zitten. Hier niet in ieder geval.'

Ik speur met mijn ogen het meer af en wroet in mijn brein naar het beetje kennis dat ik heb van snoeken. Waar hielden ze ook weer van? Hoe vangen ze hun prooi? Ik zoek naar ondieptes en plekken waar een sluipmoordenaar van zou watertanden.

'Ik denk dat ze daar op een kluitje zitten', zeg ik en ik wijs naar de rietkraag in de verte.

'Dan doen we daar een laatste poging', zegt Jerry en hij is al weg.

'Wacht!' roep ik hem na.

SLIK!

Jerry draait zich om. 'Ja, ik weet het, we moeten terug', zegt hij. 'Maar die snoek heb ik broodnodig om het leven inhoud te geven. Als de buit binnen is, gaat er een wereld voor me open. Je hebt geloof ik geen idee hoeveel die kanjer voor me betekent.'

'Ja, maar...' Ik probeer er een woord tussen te krijgen.

'Bud, kijk om je heen!' zegt hij. Hij verheft zijn stem en klinkt als een religieuze leider. 'De mogelijkheden liggen voor het oprapen. Heb je daar wel eens over nagedacht? Je hoeft maar van gedachten te veranderen, naar links af te slaan in plaats van naar rechts, een broodje met zalm te kopen in plaats van een koffiekoek, een andere cd in je speler te duwen dan die met Zappadeuntjes & je krijgt een zee van speelruimte. Een enkele keer moet je geduld oefenen & hoog durven grijpen, zoals het geval is met de Kanjersnoek. Lid zijn van het leven is niet gratis, beste neef. Alles heeft zijn prijs. Zodra je dat begrepen hebt, kunnen je dagen niet meer stuk.'

Ik ben eigenlijk best tevreden met mijn dag van vandaag. Vijf vissen is niet niks. 'Jerry, luister...' Ik doe een nieuwe poging.

'Het bestaan heeft geen beperkingen! Gebruik je fantasie!' Hij schreeuwt bijna over het water en elke snoek met een beetje verstand tussen zijn kieuwen is al weggedoken tussen de rietstengels op de bodem.

'Ik wil alleen maar zeggen dat je niet te dicht bij de rietkraag moet gaan staan, WANT DAN MAAK JE DE SNOEK AAN HET SCHRIKKEN!!' brul ik.

'Hm', zegt hij sceptisch. Hij zet zijn rugzak op de grond en haalt het boek van Walden tevoorschijn. Werpt een blik op de inhoudsopgave en bladert naar de juiste bladzijde. Volgt de woorden met zijn wijsvinger en knikt. 'Je hebt gelijk, Bud. Het staat hier.'

Hij houdt me Waldens tekst voor, met zoveel eerbied dat je zou denken dat het een heilig geschrift is. Daarna gaat hij door met lezen. 'Bud', mompelt hij verschrikt. 'Hij schrijft ook dat je aan een meer niet moet schreeuwen. Zoetwatervissen hebben een zeer fijngevoelig gehoor. Knoop dat in je oren en praat tegen me zonder te loeien als een misthoorn.'

Ik haal mijn schouders op en sjok achter Jerry aan, die op zijn tenen verder loopt. Ongeveer vijfentwintig meter van het riet houdt hij halt. Ik plof neer, kijk op mijn horloge en krijg de zenuwen bij de gedachte aan de klus die thuis op ons wacht. Mijn vader is op dit moment een zenuwinzinking nabij en ik wil wedden dat hij bezig is om een galg voor ons te timmeren. Maar ik heb geen puf meer om Jerry ernstig toe te spreken. Mijn enige wens is dat hij snel zijn slag slaat.

Ik ga languit in het gras liggen. Sluit mijn ogen en beeld me in dat ik een knots van een hamburger eet terwijl Maggie naast me staat te vissen. De scène is wreed, omdat ik niet verwacht dat ze ooit nog een woord met ons zal wisselen. Jerry heeft het voor ons allebei goed verknald.

Ik schrik op van een schorre kreet.

Ik veer op.

Ik zie Jerry tot aan zijn knieën in het slik staan. Het is een bizar gezicht. Alsof de aarde hem opslokt.

'Help!' roept hij zachtjes. Of hij de vissen niet bang wil maken of dat zijn spraakorgaan verlamd is van angst, is me niet duidelijk.

Hij is waarschijnlijk in een moerasgat gestapt. Zijn onderbenen zijn al weggezonken en nog even en hij is ook zijn knieën kwijt.

Ik steek een hand uit en hij klampt zich vast. Gedraagt zich als een in paniek geraakte drenkeling en sleurt me bijna het gat in.

Maar dat pik ik niet.

105 kilo is hier de baas.

Ik hak mijn hielen in de grond, leun achterover en trek Jerry naar me toe. Er komt steeds meer lichaam tevoorschijn en plotseling klinkt er een vochtige, slijmerige, vieze 'Floep!'

Daar staat mijn neef. Met bruine benen. Een witte smoel. Een piepstem. En nog maar één schoen.

LONG JOHN KRIJGT ERVAN LANGS

We zijn op de terugweg. Jerry loopt voor me uit en bepaalt het tempo. We hebben een handdoek om zijn schoenloze voet gewikkeld en hij strompelt als een piraat met een houten been.

En daarom zingt Jerry een zeeroverslied over Long John en zijn kreupele papegaai. Over de schatten die ze roven, alle steden die ze plunderen en de liters rum die ze soldaat maken.

Zijn stem schalt door het woud als die van een ladderzatte herder die zijn schaapjes roept. Jerry heeft geen zangstem, alleen maar een teveel aan energie. Dat is de reden dat ik hem een solide voorsprong geef. Al na het eerste couplet tuiten mijn oren.

We zijn pas halverwege en Jerry is waarschijnlijk bezig aan vers nummer 37 als er iets door de bosjes komt aanstormen. Jerry hoort natuurlijk geen pip, maar de geluiden van brekende en knakkende takken vertellen mij dat hier geen sprake is van een op hol geslagen bosmuisje. Ik roep naar Jerry dat we worden aangevallen. Hij galmt vrolijk verder. Ik heb het gevoel dat ik meedoe in een horrorfilm en hulpeloos moet toekijken hoe mijn beste en enige vriend fijngeprakt wordt door een gigantisch ondier.

Plotseling heeft Jerry in de gaten dat er iets loos is.
Hij houdt zijn pas in.
Uit het struikgewas duikt een woeste Maggie op.
Ik zweer dat het volgende plaatsvindt: Maggie grijpt Jerry bij zijn kraag. En terwijl hij eigenlijk langer is dan zij, meet hij nu maar één meter twintig.
Ze hijst hem omhoog. Tot hun hoofden zich op dezelfde hoogte bevinden. Daarna sist ze met een stem waar Frankenstein jaloers op zou zijn: 'Als! Jij! Niet! Onmiddellijk! Je! Grote! Bek! Houdt! Dan! Snijd! Ik! Je! Ballen! Eraf!'
Ik dacht dat alleen Jerry de kunst verstond om op elk woord in een zin nadruk te leggen. Maar Maggie kan er ook wat van. Haar stem is één grote klemtoon.
Jerry knijpt zijn ogen dicht en knikt als een poppenkastpop.
'Iemand probeert hier een vis te vangen', vervolgt Maggie ietsje zachter. 'Ik weet niet wat jullie aan het uitvreten zijn, maar...'
'We zingen een zeeroversliedje', piept Jerry.
'Wat?' snauwt ze.
'We zingen een zeeroversliedje', herhaalt hij.
'Ik zou eigenlijk...' Ze zucht, schudt haar hoofd en laat hem zomaar los. Hij legt meerdere meters af en smakt op de grond. Op zijn billen blijft hij op het bospad zitten.
'En jij!?' zegt ze tegen mij. 'Heb jij nog iets op je lever, Bud?'
Ik ben zo verrast over het feit dat ze me bij mijn naam noemt dat ik spontaan begin te glimlachen. En geen woord uit mijn keel krijg.
'Mooi zo!' zegt ze. 'Dan stel ik voor dat de clowns opsodemieteren naar huis. In doodse stilte!'
Ze duikt terug in de struiken en trekt het bos achter zich dicht. Ik vind het een magisch moment.
Ook als die ene tak die ze wegduwt, terugveert en als een zweep tegen de neus van Jerry zwiept. Alsof de tak ook de pest heeft aan herrieschoppers en een duit in het zakje wil doen.
'Au!' zegt Jerry zo hard als hij durft. Hij wrijft over zijn neus, waarop een duidelijke rode striem te zien is.

Het is niet bepaald Jerry's dag.

En spoedig zal blijken dat het noodlot slechts aan een opwarmingsronde bezig is.

GEORG HOLMES

Het is halftwaalf als het vervloekte huis eindelijk in zicht komt. We schieten onze schilderkleren aan en werken ons uit de naad tot de biodieselauto van mijn ouders de oprit op draait. Er gaat een kwartiertje voorbij voor mijn vader achter onze rug opdoemt. Ik vind meteen dat hij zich een tikkeltje vreemd gedraagt. Hij begint niet te tieren. Hij geeft Jerry geen pluimpjes.

Je zou bijna gaan geloven dat zijn gedachten hun baan hebben opgezegd en nu voor een ander stel hersenen werken. Met een diepe zucht verdwijnt hij om de hoek van het huis. Jerry en ik kijken elkaar aan.

'Hier komen we goed vanaf', zegt Jerry zogenaamd opgelucht. Zijn stem trilt.

Ik heb ook de bibberatie gekregen. De grond onder mijn voeten lijkt te deinen, alsof er een aardbeving op til is.

Alles om ons heen trilt. Het gras, het huis, de takken aan de bomen.

We schilderen vier en een halve minuut aan één stuk door. Er zijn vier en een halve minuut verstreken sinds we de eerste trilling waarnamen. Gedurende vier en een halve minuut begaan we geen enkele zonde.

Dan komt mijn vader terug.

Nu heeft hij de aanblik van een pikzwarte lucht waarin een onweer verscholen gaat dat zo hevig is dat Tipling een jaar lang zonder stroom zit.

We tillen ons hoofd op en kijken in twee ogen die doen denken aan hittezoekende raketten.

'Help', fluistert Jerry zachtjes en zijn gezicht heeft dezelfde uitdrukking als toen hij dreigde weg te zakken in het moerasgat. Want mijn vader lijkt het op Jerry gemunt te hebben. Mij kijkt hij nauwelijks aan. Voor het eerst van mijn leven ben ik blij dat mijn ouders me over het hoofd zien.

'Deze zijn van jou, nietwaar?' Mijn vader haalt een grote bos sleutels tevoorschijn.

Jerry zou het misschien ontkend hebben als zijn naam niet met grote letters op de sleutelhanger stond.

'Ja', zegt Jerry. 'Ik was ze al kwijt. Waar lagen ze?'

'Ik heb voor Sherlock Holmes gespeeld', zegt mijn vader en hij probeert te glimlachen. Maar het is de glimlach van een doodgraver.

JERRY LIGT ONDER VUUR

'Ik heb wat rondgesnuffeld in mijn schoonvaders tuin en in het prieel', zegt mijn vader. 'Gek genoeg lagen jouw sleutels onder de tafel in het prieel.'

'Nee toch?' zegt Jerry, minder zelfverzekerd dan we van hem gewoon zijn.

'Ja toch', zegt mijn vader ernstig. 'En toen ik die kapotte bierflesjes nader bekeek, begreep ik plotseling dat het mijn eigen biertjes waren. Er is vrijwel niemand in Tipling die weet waar je dit bijzondere merk op de kop kunt tikken. Wat heb je daarop te zeggen, Jerry?'

Jerry heeft geen commentaar.

'Kan ik concluderen dat jij verantwoordelijk bent voor die wandaden in het prieel?' Mijn vader klinkt diepbedroefd en spinnijdig. Ik ben ervan overtuigd dat hij minder getraumatiseerd zou zijn als ik de boosdoener was geweest.

Jerry knikt zwijgend.

'Eh...' begin ik, aangezien ik vind dat Jerry niet overal in zijn eentje voor hoeft op te draaien.

'Een moment, zoon', zegt mijn vader. 'Jouw rol komt zo meteen aan de orde. Ik ben nog niet uitgepraat met Jerry.'

Jerry laat zijn hoofd zakken. Ik geloof dat er iets uit zijn ooghoek druppelt.

'Je stelt me heel erg teleur, Jerry', zegt mijn vader. 'Dat had ik nooit van jou gedacht.'

Dat zijn woorden die hard aankomen. Er gaat een schok door Jerry heen, alsof hij getroffen wordt door een kogel.

Jerry verliest zijn gezicht en krimpt zienderogen. Hij zakt in elkaar als een sneeuwman in een regenbui.

'Waarom?' zegt mijn vader. 'Waarom doe je ons dit aan?'

Voor Jerry de kans krijgt om te antwoorden en voor ik hem te hulp kan schieten, horen we iemand over het tuinpad benen.

Ugh! Daar hebben we Maggie!

JERRY'S ONDERGANG

Ze stevent vastberaden op ons af. Mijn vader en moeder kijken haar aan alsof ze uit de hemel komt vallen en een handje gaat helpen met het vellen van de vonnissen. Daar lijkt het in eerste instantie niet op, want ze richt zich meteen tot Jerry en zegt: 'Ik bied mijn excuses aan, Jerry.' Ze tilt zijn kin omhoog en bestudeert zijn blauwe oog en zijn rode neus. 'Soms ben ik iets te heetgebakerd. Wat er gisteren gebeurde, daar heb ik spijt van. Ook die episode van daarnet.'

'Het is oké', mompelt Jerry.

'We zaten zo gezellig te praten op dat bankje', zegt ze. 'En toen snapte ik ineens dat je andere bedoelingen had. En die bedoelingen zag ik helemaal niet zitten.'

Maggie bloost. Ze kijkt naar mijn vader, die ingespannen staat te luisteren, en naar mijn moeder. Ook op mij werpt ze een blik waar ik weer eens niets van begrijp.

'We... eh... praten er niet meer over', zegt Jerry.

'Ik vind je echt een leuke knul. Maar je bent gewoon niet mijn type', zegt Maggie en ze geeft hem een aai over zijn wang. 'Je hebt een boel talenten, behalve dan als chauffeur. Autorijden is niet jouw ding.'

Ze probeert hem blij te kletsen, maar met die laatste opmerking duwt ze hem nog dichter naar de afgrond.

'Autorijden?' blaft mijn vader. 'Wanneer heb jij achter het stuur gezeten?'

We zien zijn hersenen diverse data combineren en op eigen houtje een conclusie trekken. 'Nee, het is niet waar!' roept hij. 'Zeg dat het niet waar is!'

Hij grijpt Jerry bij zijn arm en zwengelt hem heen en weer. 'Vertel me niet dat jij dat gedaan hebt!? Dat jij in onze auto gestapt bent en die schade op je geweten hebt!?'

Maggie slaat een hand voor haar mond. 'Wat ben ik toch een oen', fluistert ze voor ze langzaam achteruit begint te lopen richting tuinhek.

Mijn vader is een en al bommenwerper.

Jerry is een en al krater.

De lijkstank bijt in mijn neus.

De vogels fluiten somber en de bladeren ritselen verdrietig. De zomerblauwe hemel krijgt een zwarte waas. Dit is een dag van algemene rouw in Tipling.

Jerry is van enorme hoogte naar beneden geduveld. Van de jongen die mijn ouders vereerden en verafgoodden is niets anders over dan een doodgewone Jerry.

Hij is gedwongen om afstand te doen van de troon en dat is voor hem een gigantische klap. Hij beheerste de kunst om zich overal uit te praten, om iedereen te charmeren en te vermaken met zijn geklets. Nu heeft hij zijn gezicht verloren. Er is niets meer van over.

Ik zou willen dat ik een aantal misverstanden uit de weg kon ruimen. Dat ik mijn ouders duidelijk kon maken dat ze te streng oordelen, dat ze vergeten hoeveel plezier ze aan Jerry beleefd hebben, dat ze moeten denken aan alle boeiende gesprekken die ze met hem gevoerd hebben.

Maar ze lijken wel gehersenspoeld. Ja, iemands auto pakken en zonder rijbewijs achter het stuur kruipen is zowel dom als verboden. Ik begrijp hun reactie. Maar toch...

Het bier had ik gepikt. En die vieze troep in het prieel was mijn schuld. Dat had ik hen kunnen vertellen, als ze met een half oor naar me geluisterd hadden.

Ik kan er niet meer tegen en neem de benen. Mijn vader gaat ondertussen door met het spuien van ongenoegen over ondankbare en achterbakse gasten. Het duurt een eeuwigheid voor ik zijn stem niet meer door de tuin hoor galmen. Aangezien ik niet weet wanneer hij op het idee komt dat hij een zoon heeft die vermoedelijk ook op zijn duvel moet hebben, glip ik mijn kamer in om een tijdje in de kast door te brengen.

De situatie is zo bedroevend dat ik er behoefte aan heb om lange tijd te huilen.

Als ik de kamerdeur achter me sluit, hoor ik een vreemd geluid.

Het komt uit de kast.

Op mijn tenen loop ik naderbij.

Mijn oor verandert in een enorme trechter die ik tegen de kastdeur druk.

Iemand snikt en snottert.

Het is Jerry.

Hij zit in de kast te janken.

Ik heb het recht niet om hier te zijn. Ik moet ophoepelen. Ik ben te veel.

Nee, ik ben Niemand. Niemand maakt dat hij wegkomt. Niemand gaat door met schilderen alsof er Niets is gebeurd of gaat gebeuren.

Niemand bijt zijn tanden op elkaar en wacht op betere tijden.

EEN SOEPZOOTJE

'Waarom maak je geen vissoep? Dat is supergezond en bovendien zijn ze er gek op', zeg ik tegen Jerry als we het hebben over het avondeten. Hij is uit de kast gekomen en heeft zich voorgenomen om een goed figuur te slaan en de sfeer te verbeteren. Met eten kom je volgens mij een heel eind.

'Vissoep? Denk je?' zegt hij met een gebroken stem en een gebroken blik.

'We hebben vijf kleine visjes', zeg ik. 'Dat begrenst de keuzemogelijkheden.'

'Vissoep?' Ook zijn brein ligt er gebroken bij.

'Ja', zeg ik. 'Soep met vissmaak is misschien een betere benaming. Je deelt de vis in mootjes, gooit een blokje bouillon in het water, doet er wat stukjes wortel in en een scheutje room. Bijvoorbeeld. Dat moet lukken, toch?'

'Vissoep?' zegt mijn gebroken neef en hij drentelt met hangende pootjes naar de keuken om aan de slag te gaan.

Mijn moeder komt de keuken in en ziet hem nauwelijks staan. Vraagt niet wat hij gaat maken. Zegt helemaal niets.

Mijn vader loopt langs hem heen, schenkt een kop koffie in, mompelt iets minachtends en verdwijnt weer. Mijn ouders hebben Jerry weggecijferd.

Jerry komt amper boven het aanrecht uit. Je ziet alleen maar een paar handjes die wortels in brokjes hakken. Het mes in zijn hand is groter dan hij zelf en ik duw hem opzij voor hij de kans krijgt om vingertopsoep te maken. Het lijkt me beter dat ik vandaag het heft in handen neem.

Ik schik de ingrediënten op een rijtje op het aanrecht. Snijd de groente klein, maak de vis schoon en zet een pan op het fornuis. Daarna leg ik hem haarfijn uit hoe hij de soep moet voltooien.

'Laat me niet in de steek', fluistert hij als ik op het punt sta om me uit de voeten te maken.

We beleven een droevige avond. Een droevige avond met grimmige gezichten op het terras en een druilerig sfeertje in de keuken. Van Jerry is slechts een schim over.

'Denk je dat het gaat helpen?' fluistert hij terwijl hij in de soep roert.

Ik kijk uit het raam. Mijn vader en moeder hangen als twee lagedrukgebieden in de tuinstoelen. Ze drinken ecologische koffie met een loodgrijze blik in hun ogen. Doen alsof ze de krant lezen, maar zitten zich alleen maar achter het papier te verbergen en alles en iedereen te haten. Jerry bij uitstek.

'Ik doe er een flinke scheut room in', fluistert hij. 'Misschien kikkeren ze daarvan op.'

We proeven van de soep. Hij smaakt naar een beetje groente en een brokje vis, verdund met een grote hoeveelheid warm water. Ik stel me voor dat het afwaswater in een visrestaurant net zo lekker is.

'Als we de tafel nu eens feestelijk dekken?' fluistert Jerry.

We pakken uit met de zondagse soepkommen en het zilveren bestek en citroenschijfjes in de karaf met water en de kristallen wijnglazen en servetten die we tot waaiers vouwen.

De twee donderwolken op het terras doen alsof ze alleen op de wereld zijn. Gaan onverstoord door met het zogenaamd lezen van de krant.

'Ga jij ze roepen?' fluistert Jerry.

Ik steek mijn hoofd naar buiten en knor dat het eten klaar is.

Daar zitten we dan als twee onzichtbare gedaantes tegenover twee depressies die van de soep nippen zonder hem te prijzen of in de pan te hakken. In het verleden zouden ze hebben gejubeld, ook al was het gerecht niet te eten.

De soep is niet te eten.

Mijn vader mompelt iets onverstaanbaars en gaat van tafel.

'Ik ga een blokje om', fluistert Jerry en hij verdwijnt. Misschien in de richting van Selma. Misschien in de richting van het bushokje.

Zelf maak ik van de gelegenheid gebruik om twee pijnpunten te lijf te gaan.

BUDS ZESDE BRIEF AAN STARBOKK

Achteraf zal niemand kunnen beweren dat ik geen kei ben in het lospeuteren van korsten. Zelfs vandaag, waarop al genoeg bloed en tranen gevloeid hebben, bijt ik mijn tanden dapper op elkaar.

Ik zet mijn pc aan en vind een aanmaning van Starbokk in mijn mailbox. Hij herinnert me eraan dat de laatste inzenddatum morgen is en dat het belangrijkste gedeelte van mijn verslag nog steeds ontbreekt.

Ik slaak een zucht, ruk aan de rand van de korst en begin te schrijven:

AAN: Herman_Starbokk@schoolpsychologischedienst.tipling
VAN: bumartin@ishmaelpost.net
ONDERWERP: Zesde verslag

- - - - - - -

Ik wil zweren dat Valen op voorhand even zenuwachtig was als ik. 'Gaat Bud Martin over de bok springen/een mislukte poging doen? Of laat hij het afweten?' Die vragen tolden door zijn kop gedurende de dagen die restten voor de show van start ging. Zeker weten.

Ik had hem het verlossende antwoord niet kunnen geven.

Ik wist niet hoe ik me zou gedragen.

Zelfs niet toen de dag des oordeels aanbrak.

Hoewel... die ochtend besloot ik eerst om niet op te dagen. Zodat Valen me doodleuk en tandenknarsend van de deelnemerslijst moest schrappen.

Even later had ik dat plan verworpen. Ik redeneerde als volgt: voor het eerst van mijn leven had ik mijn eigen zin doorgedreven. Ik was voor mezelf opgekomen. De strijd die ik was aangegaan, moest ik voortzetten. Ook al was het een belachelijke strijd, het was mijn eigen oorlog. Ik mocht niet afhaken voor de laatste ronde uitgevochten was.

Daarom propte ik mijn gymkleren in mijn tas en beende ik rechtstreeks naar school. Valen zag me de garderobe inlopen en zette met een tevreden smoel een vinkje achter mijn naam.

Een sportevenement is een treurig schouwspel. Men rent, werpt, springt, zweet en slechts een handjevol gaat met de eer strijken. De rest verliest. Medailles worden uitgereikt en toeschouwers juichen van vreugde als hun bloedeigen kinderen op de gravelbaan verschijnen. Kortom, het is lachen, gieren, brullen en janken. Voor de liefhebbers van sport.

Het moment naderde dat ik over de bok moest springen.

Ik zag hem van verre staan.

Wit en walgelijk.

Honend en hatelijk.

Ik stond voor de startstreep en Valen stond paraat met de fluit.

'Klaar... af!' riep hij en hij blies uit volle borst.

Ik bleef rustig staan.

Valen keek om zich heen en glimlachte schaapachtig. 'Vooruit, Bud Martin!' riep hij.

Ik had mijn ene voet voor de andere geplaatst. Alsof ik van plan was om een aanloop te nemen. Maar verder verroerde ik geen vin.

Ik had de pest aan de Bok en Valen en het hele sportcircus en liet dat zien door niet te springen. Valen begreep dat donders goed.

Toch riep hij nogmaals dat ik aan de beurt was, nadat hij een verontschuldigende blik op de toeschouwers had geworpen. Er waren er al die begonnen te grinniken.

Ik stond stokstijf, als een etalagepop. Klaar om weg te spurten, maar zonder aanstalten te maken. Met een beleefd lachje om mijn mond keek ik naar Valen, alsof ik hem graag van dienst wilde zijn, maar niet begreep wat hij van me verwachtte.

Ongeveer driehonderd mensen zaten naar me te staren.

Het lukte me om op de been te blijven, vond ik zelf. Ik bleef dapper doorvechten. Ik liet me niet kisten door de Bok en Valen. Ik knokte voor mijn eigen vrije wil.

Toen greep Valen een megafoon. Eerst brulde hij dezelfde commando's, maar toen ik daar nog steeds geen gehoor aan gaf, begon hij me uit te schelden. 'Luie vetzak! Zorg dat je met die dikke kont van je over die bok komt, anders schop ik je eroverheen! Laat zien dat je een vent bent in plaats van een bange schijtluis! Of is dat te veel gevraagd? Zit er soms zaagsel in je kop? Of stront? Wat doe je hier eigenlijk? Ze hadden je al lang van school moeten trappen. Weet je waar jij thuishoort? In een varkensslachterij!'

Enzovoort.

Eerst vond ik het alleen maar komisch. Maar naarmate hij meer remmen losgooide, werd de situatie steeds pijnlijker. Voor mij.

Valen hield pas op met tieren toen de rector hem de megafoon afpakte. Hij probeerde hem aan zijn hand mee te nemen, maar Valen stribbelde dusdanig tegen dat er twee leraren ingezet werden om hem te verwijderen.

Toen waren een aantal toeschouwers al boe aan het roepen.

Tegen mij.

Tegen mij die alleen maar in een oorlog betrokken was geraakt.

Tegen mij die zojuist als winnaar uit de strijd was gekomen. Naar mijn idee.

Het boegeroep nam toe en ze floten me na toen ik de zaal verliet. Alsof het mijn schuld was dat Valen uit zijn vel sprong en mij vernederde.

Ik had de oorlog gewonnen en mijn gezicht verloren.

Ik ging naar huis met het gevoel dat de Bok achter mijn rug in zijn vuistje lachte.

En nog voor ik thuis was, begreep ik dat me maar één ding te doen stond. De oorlog was nog niet afgelopen. We begonnen aan de verlenging.

Met vriendelijke groeten,
Bud Martin.

– – – – – – –

Ik verstuur de e-mail en hoop dat Starbokk ziet dat ik zelfs op een zaterdagavond zit te zwoegen, dat hij het op prijs stelt en begrijpt dat ik mijn uiterste best doe. Nu rest me alleen nog maar het ergste.

DE TWEEDE KLOTEKLUS

Er valt niet veel te zeggen over de rest van deze zaterdagavond. Ik ga op zoek naar Jerry en vind hem in het bushokje, waar hij samen met Selma een zak chocolaatjes zit te legen.

'Ik ga een blokje om', zeg ik en ik voeg de daad bij het woord.

Kan niet tegen de belabberde sfeer die in en om het bushokje heerst.

Maak me uit de voeten en bereid me mentaal voor op de taak die me nu te wachten staat.

Ik zie er als een berg tegenop.

Ik ben er geen type voor.

Dat wil zeggen, het is niets voor een miezerige muis.

Ik haal mijn mobieltje tevoorschijn en staar naar het toestel en sus mezelf met de gedachte dat het maar een gesprek is. Ik hoef de persoon niet aan te kijken. Hoef de verblufte blik in de ogen en de mond die nee zegt niet te zien. Hoef niet als een geslagen hond weg te sluipen. Kortom, het ergste kan me niet gebeuren.

Aan de andere kant, op een dag als deze kun je nergens zeker van zijn. Het zou me niet verbazen als het ergste nog komen moet.

Dan realiseer ik me dat ik Niemand ben.

En niets kan Niemand kwetsen.

Niemand heeft geen gevoelsleven.

En daarom kan bellen geen kwaad. En daarom toets ik het nummer.

Niemand praat met iemand aan de andere kant van de lijn.

Niemand beëindigt het gesprek.

Niemand slentert terug naar het bushokje en snoept van de chocolaatjes en klessebest met Selma over het feit dat ze morgen in de showbusiness zit.

Niemand begrijpt na een tijdje dat ze nog even alleen wil zijn met Jerry. Daarom trekt Niemand zich terug. Hij nestelt zich in zijn hol, luistert naar een Zappacd, leest een paar stripverhalen, vindt het welletjes voor vandaag en kruipt onder de wol.

Niemand slaapt als Jerry met een roodgezoende mond de kamer binnenstommelt.

'Het prieel moeten we vanavond maar overslaan', stelt hij verdrietig vast.

'Mijn idee', mompel ik.

'Koekoe', fluistert hij en hij duikt onder zijn dekbed.

'Koekoe', fluister ik terug.

En daarna laten we de rest van de dag in zijn eigen sop gaarkoken.

Citaat uit
De vis van mijn leven. De jacht op de Kanjersnoek
van Henry Walden.

'Aan het vissen zijn tal van mooie momenten verbonden.

Een ervan is het genot dat je beleeft als je je in de vroege ochtend in de buitenlucht bevindt en het idee hebt dat je de enige mens in het hele bos bent. Dat je bij de natuur hoort. Ook als je hengel en je lijn zich keurig gedragen, krijg je daar een kick van. Voel je dat je één bent met je vistuig, dan spreken we van een derde geluksmoment.

Van dit soort heerlijke belevenissen heb ik door de jaren heen talloze keren kunnen genieten. Maar van alle bijzondere momenten is er slechts één dat ik magisch wil noemen.

Dat is namelijk het moment dat je beseft dat je beet hebt.

Ik heb het niet over de lichte trilling van de lijn. Meestal hangt er dan niet meer dan een minuscuul visje aan de haak, of een losse rietpol.

Nee, ik bedoel de stevige ruk die je voelt als je een vis van formaat te pakken hebt.

Dat is een magisch moment.

Vissen is in feite niets anders dan het wachten op het Magische Moment waarop je beseft dat je de strijd hebt aangebonden met een joekel. En het is aan jou om ervoor te zorgen dat je het gevecht wint en een nieuwe trofee binnensleept.

Ook als de snuiter sterker en slimmer blijkt dan wij, blijft het Magische Moment in ons geheugen gegrift.

Voor dat moment doen we het.

Voor dat moment leven we.'

DE GROTE SNOEK

=

ZONDAG

EEN MAN MET EEN PLAN EN EEN VERKNIPTE MAN MET EEN PLAN

Ik word wakker omdat ik aangevallen word door een roofdier met scherpe klauwen en spitse tanden en een adem die naar rotte eieren stinkt. Ik verdedig me met de ledematen die ik ter beschikking heb en vecht voor mijn leven. Ik ben zelfs bereid om de XXL-droom van mij en Maggie even naast me neer te leggen.

Doodzonde, want op hetzelfde moment besef ik dat het geen beest is dat me levend wil villen, maar Jerry, die aan mijn schouder staat te schudden. In je slaap doet alles groter aan.

'Hé!' grom ik. 'Handen thuis!'

'We moeten de vis vangen', zegt hij en zijn ogen hebben iets bezetens. Alsof iemand achter zijn pupillen met een zaklantaarn in de weer is.

'Je bent niet goed snik', zeg ik. 'Hup, ga terug naar je bed.'

'Vangen we de vis, dan komt alles goed', mompelt hij en hij trekt het dekbed van mijn lijf.

Het doet me denken aan een van de afgelopen ochtenden, maar ik weet niet meer welke. Alle ochtenden met Jerry zijn... uitzonderlijk.

'Hier met mijn dekbed!' roep ik.

Maar Jerry loopt ermee naar de deur en gooit het naar buiten. Nu heb ik pas in de gaten dat hij al aangekleed is en klaar om te vertrekken.

'Kom!' zegt hij. Hij praat als een zombie.

Ik kijk op mijn horloge. Het is zes uur en dat betekent dat we ruimschoots de tijd hebben. Ik heb namelijk een plan gesmeed. Ik ben vandaag een Man Met Een Plan.

Maar nu wordt een Man Met Een Plan in de wielen gereden door een Verknipte Man. Met een Verknipt Plan. Dan moet een Man Met Een Plan wijken.

Jerry heeft mijn mobieltje, mijn portemonnee en mijn horloge in zijn zak gestoken, om er zeker van te zijn dat ik achter hem aan kom, en zegt: 'Ik loop alvast vooruit. Zie je zo meteen.' En hij maakt dat hij wegkomt, voor ik hem ondersteboven draai en leegschud.

Ik doe een poging, maar struikel over zijn matras.

Een Man Met Een Plan kleedt zich vliegensvlug aan, rent naar de keuken, vult zijn vistas met het voedsel dat hij pikken kan zonder dat (ook) zijn moeder haar verstand verliest, giet een halve liter fruitsap in zijn keel en haast zich achter een Verknipte Man Met Een Verknipt Plan aan.

Hij is nergens te zien. Een Verknipte Man heeft vermoedelijk het bos al bereikt. Ik loop de weg af en volg het pad, vraag een eekhoorn en een vlinder naar mijn vriend, en begrijp uit hun antwoord en veelzeggende gebaren dat ze alleen een vreemde vogel hebben zien langskomen.

In de verte zie ik eindelijk een magere figuur door de heidestruiken en het kreupelhout banjeren.

'Wacht!' roep ik en hij tilt zijn arm op en wuift, zonder zich om te draaien of af te remmen.

Ik raadpleeg mijn hart voor ik meer gas geef en er wordt me op het hart gedrukt dat vanaf nu elke extra inspanning op eigen risico is.

Toch schakel ik een tandje hoger. Mijn hart kreunt en mijn borstkas piept, maar het resultaat is dat de afstand tussen mij en een Verknipte Man steeds kleiner wordt.

We komen aan bij de Joekel. Dat wil zeggen, Jerry is er het eerst. Ik zit hem op de hielen, ondanks mijn klaplongen. De volgende paar honderd meter leggen we stapvoets en sluipend af, aangezien we horen dat Maggie in de buurt is.

Neemt die meid nooit een vrije dag? Slaapt ze nooit uit? Vandaag is het nota bene zondag!

Na een tijdje ligt de Joekel achter ons en kan ik eindelijk een zware hand op Jerry's schouder leggen en hem tot stilstand dwingen. Ik durf hem niet in de ogen te kijken. Die zijn me te verwilderd. Te mesjogge. Te angstaanjagend.

'Pauzeren doen we zo meteen', zegt Jerry. 'Als we bij het Echomeer zijn. In de voetsporen van Walden.'

'NEE!' blaat ik.

JERRY WORDT GETROFFEN DOOR DE BLIKSEM

'Ik denk dat Walden iets wist wat wij niet weten toen hij het Echomeer boven de andere meren verkoos', zegt Jerry.

'Je weet zeker ook niet hoe ver dat nog lopen is!?' zeg ik.

'We versnellen onze pas', zegt hij rustig. 'Dat lijkt me niet zo moeilijk voor twee jonge lichamen.'

En hij vervolgt zijn dodenmars.

Ik laat een traan, aangezien er niets anders op zit dan hem te volgen. Ik kijk op mijn horloge en zie dat de tijd nog niet dringt voor een Man Met Een Plan. Maar mijn bui wordt er niet beter op.

Ik open mijn tas en begin te eten.

Als we eindelijk op de plaats van bestemming zijn, heb ik de halve voedselvoorraad achter mijn kiezen.

Het Echomeer ligt verscholen in een vallei, omringd door steile hellingen. Vandaar dat er een prachtige echo weerklinkt als je bijvoorbeeld 'Jerry is gek!' roept.

Het paadje dat naar de smalle oever leidt, begint natuurlijk helemaal aan de andere kant van het meer. Dat betekent dat we eerst tien minuten door de bosjes moeten baggeren voor we aan de afdaling kunnen beginnen. Het is even na achten als we uithijgen aan het meer waaruit Jerry nieuw leven denkt te putten.

De oever bestaat enkel uit grote keien die door de jaren heen naar beneden geduveld zijn. Een knus zandstrandje is hier ver te zoeken. Net als een stukje gras waar je je billen kunt parkeren.

Het Echomeer mag dan geen gerieflijke plek zijn, er heerst wel een betoverende sfeer. Je hebt het gevoel dat de bergen levende wezens zijn en ons in de gaten houden. 'Mensen? Wat moet dat? Jullie hebben hier niets te zoeken!' lijken ze te brommen.

Als vanzelf fluisteren we alleen maar als we iets tegen elkaar zeggen.

Maar zelfs zachte stemmen ergeren de bergen. Het minste geluid ketsen ze terug. Scherpe, snerpende klanken scheren over het water. We persen daarom liever onze lippen op elkaar.

Jerry heeft het vandaag op zijn heupen. Hij barst van de energie en de uitlaatgassen en de zenuwen en de faalangst. En alles moet gelijktijdig geventileerd worden.

Gewoon een lijn uitwerpen lukt hem bij lange na niet.

Hij staat eraan te sjorren alsof het een springtouw is en nog voor de plug het wateroppervlak raakt, begint hij al in te halen.

Hij MOET en ZAL die snoek VANDAAG vangen. En omdat Walden een paar woorden vuil heeft gemaakt aan het Echomeer, weet Jerry ZEKER dat de Kanjersnoek HIER te verkrijgen is. En Jerry denkt dat het een MAKKIE is om hem uit het water te trekken. Hij verwacht bijna dat de snoek als een schoothondje in zijn armen springt.

Arme Jerry. Hij zwoegt en zweet en zwiept maar raak. Het lijkt alsof hij door de bliksem getroffen is en hij van top tot teen elektrisch geladen is.

Ik zie het aankomen.

Jerry ontploft!

DE VLOEK

Het gebeurt nadat hij drie kwartier heeft staan knetteren.

Jerry gedraagt zich plotseling alsof alle spieren in zijn lichaam tegelijk spannen en verslappen. Spannen en verslappen. Hij doet denken aan een marionet die bestuurd wordt door een dronken poppenspeler.

'KOM HIER, STOMME ROTSNOEK!' brult hij ineens over het water. Ik schrik me kapot en laat de hengel bijna uit mijn handen vallen.

'... snoek... snoek... snoek', aapt de echo hem na.

'KANJERSNOEK, HET IS UIT MET DE PRET!' vervolgt hij en hij laat de hengel los. Zet beide handen als een toeter tegen zijn mond. 'WE SPELEN GEEN VERSTOPPERTJE MEER. IK KOM JE HALEN! IK BEN DE BAAS! HOOR JE WAT IK ZEG!? IK BEN DE BAAS & IK HEB HET VOOR HET ZEGGEN! IK BEN DE BAAS HIER & IK DULD GEEN TEGENSPRAAK! VAN NIEMAND!'

De echo maakt er een brij van geluiden van, maar het laatste woord is duidelijk te onderscheiden: '... niemand... niemand... niemand...'

Jerry vat het op als een belediging. 'NIEMAND? WAT IS DAT VOOR GEZEIK? JE SPREEKT MET EEN ZEKERE JERRY STORM & IK VERLANG HET ONDERSTE UIT DE KAN & DAT BEN JIJ, BRUTALE KANJER! JE HEBT EEN GROTE BEK, MAAR WAT ERUIT KOMT, IS ALLEEN MAAR EEN BOEL POEHA!'

'... ha... ha...ha...' klinkt het honend.

'WAT?? GAAN WE DE BAAS UITLACHEN? WACHT MAAR, ONDIER, IK KOM JE EIGENHANDIG DE NEK OMDRAAIEN!'

Voor ik kan ingrijpen, schopt hij de hengel opzij en springt hij van de rots waarop we staan in het water. Het is een sprong van minstens een meter en ik ben bang dat mijn neef kopje-onder gaat. Maar als hij op de bodem belandt, komt het water maar tot zijn enkels. Hij begint te waden en roept: 'EEN MOMENTJE EN JE GAAT ERAAN!'

'Jerry!' Ik probeer hem terug te roepen naar de realiteit. Maar hij is als in trance en heeft maar één doel voor ogen. Het duel. De strijd tussen leven en dood.

Hij loopt steeds verder het meer in. 'KOM TEVOORSCHIJN! ALS JE DURFT! KANJERSNOEK? LAAT ME NIET LACHEN! EEN SIDDERAAL, DAT BEN JE!'

Het water reikt tot aan zijn knieën.

De echo blijft hem jennen en Jerry weet van geen ophouden. Hij brult en tiert en heeft nauwelijks in de gaten dat hij tot aan zijn billen in het water staat.

Hebben de bergen geen andere tint gekregen? Waren ze niet gewoon grijs? Deze loodgrijze kleur doet denken aan de dreigende lucht voor er een zwaar onweer losbarst. Trouwens, lijken de bergen niet hoger dan daarnet? Zien de wanden er niet nog steiler uit? Doen ze niet denken aan een enorme open bek die elk moment de kaken op elkaar kan klappen om ons met kiezen van graniet te verbrijzelen en met een slok water en slijk als twee ballen gehakt naar de diepte te gulpen?

Ik laat me van de rots glijden en loop hem achterna. Moet hem stoppen voor hij een vloek ontketent. Het is niet zo slim om de natuur op stang te jagen. Ik ben niet bijgelovig aangelegd en geef in mijn hart bijster weinig om bossen en bergen. Ik ben automonteur en ik geloof in de dingen die ik met eigen ogen kan zien. Maar op dit moment gieren de zenuwen door mijn keel.

Ik ben bang, omdat Jerry alles wat wild is en geen naam heeft, aan het uitdagen is.

Ik ben bang, omdat Jerry te onvervaard iets te lijf gaat waarvan hij niets weet.

Ik ben doodsbang, omdat ik het gevoel heb dat de bergen om me heen dezelfde macht hebben als de witte Bok, die mij tenslotte klein kreeg. Ik dacht dat ik de sterkste was, maar de Bok trok uiteindelijk aan het langste eind.

Het is alsof alles zich herhaalt. Dit keer heeft de Bok het niet alleen op mij gemunt. Ook Jerry gaat eraan.

Daarom moet ik hem stoppen.

Ik waad hem achterna voor hij met zijn lompe uitlatingen de woede van de witte Bok en de bergen en misschien wel de Kanjersnoek op de hals haalt. Zodat we ongeschonden kunnen terugkeren naar ons veilige muizenhol.

Plotseling gilt Jerry het uit.

En niet omdat hij kwaad is op de snoek, maar omdat het pijn doet.

ECHT WAAR!

Iedereen zal denken dat het relaas dat nu volgt typisch visserslatijn is.

Maar ik zweer dat elk woord ervan waar is.

Ik was erbij. Ik was ooggetuige.

Jerry gilt dus als een speenvarken.

Hij rukt aan zijn ene been, maar het lijkt alsof het muurvast zit.

Hij grijpt mijn arm en doet een nieuwe poging en nu lukt het hem om zijn voet van de bodem los te trekken.

We horen een zuigend geluid.

We zien de voet en het water, dat hevig kolkt.

We schrikken ons wild.

'NEE! AU! HAAL HEM WEG!' krijst Jerry. Hij hinkt op één been door het water, huilt van de pijn en is krijtwit van angst.

In mijn hart hoop ik dat hij op iets scherps getrapt heeft, of dat zijn voet verstrikt zit in een kluwen prikkeldraad. Maar de angst voor de wraak van de natuurkrachten heeft me nog niet losgelaten en ik vrees het ergste. Ik vrees dat dit nog maar het begin is en dat we er allebei aan moeten geloven.

'BUD! HIJ BIJT IN MIJN TENEN!' schreeuwt Jerry radeloos. 'DOE IETS!'

'Het is maar een tak, denk ik', zeg ik. 'Of een boomwortel.' Ik geloof er zelf niets van. Van een stuk hout gaat het water toch zeker niet zo tekeer? Het blijft maar bruisen en opspatten.

Plotseling valt Jerry achterover en precies in mijn armen.

Zijn voet wipt omhoog.

En nu krijg ik het te zien.

Ik zweer nogmaals dat ik de waarheid spreek.

Ik zweeeeeeeeeeeeeeer het.

Ik zweer dat ik de Kanjersnoek zie, want geen enkele andere snoek in deze contreien weegt meer dan twintig kilo, en ik zweer dat hij zijn scherpe tanden gezet heeft in de neus van Jerry's schoen en ik zweer dat hij dat goed kan voelen.

Ik moet er niet aan denken dat zo'n bakbeest aan mijn tenen bungelt.

Jerry begint hevig te spartelen en ik verlies mijn evenwicht en tuimel met neef en al achterover. De snoek hangt nu boven onze hoofden en ik zie hem naar ons loeren met een bikkelharde blik.

Hij haat ons intens en wil dat we subiet oprotten uit zijn water.

Hier heeft hij het voor het zeggen.

Hij heeft zin om ons op te vreten. En het ergste is dat ik bang ben dat hem dat nog gaat lukken ook.

Als hij de schoen maar niet loslaat!
Want dan smakt de snoek in ons gezicht.
Ik ril bij de gedachte aan de tanden die een hap uit mijn wang nemen.
We hebben het over de oervis. Een bloeddorstig overblijfsel uit het tijdperk van de dinosaurussen. Eén grote, glibberige bonk jachtinstinct.
En dan gebeurt het.
Hij laat de schoen los.
De snoek komt op ons af.
Als in een vertraagde film.
We brullen de longen uit ons lijf.
De paniek geeft me het reactievermogen van een poema. Ik verkoop Jerry een harde duw en duik achter hem aan.
Hoor de snoek achter mijn rug in het water plonzen.
Ben als de dood voor mijn billen.
Geloof dat ik zijn hete adem al kan voelen.
Van angst verricht ik een wonder. Eerlijk waar! Ik sleur Jerry uit het water omhoog, slinger hem over mijn schouder en veer overeind. En nu komt het... vervolgens hol ik als een heilige over de waterspiegel.
Maar de snoek heeft mensenvlees geroken en schiet als een torpedo achter me aan.
Hij likt al aan mijn hielen.
Ik ren met een rotvaart naar de oever. Raak het water nauwelijks aan.
De snoek doet een aanval op mijn achterwerk, maar komt net een seconde te kort.
Hij heeft de smaak te pakken en hapt nu naar Jerry's benen, die als warme satéstokjes voor zijn neus bungelen.
Maar ik ben zowel Superman als Batman.
Ik ben een 105 kilo zware libelle die over het water scheert.
Ik presteer een aanloop waarop gymleraar Valen apetrots zou

zijn. Ik dender op de oever af met Jerry op mijn schouders. Hij joelt als een cowboy tijdens een rodeo.

Ik zie de rotsen naderen en in mijn ogen krijgen ze de gestalte van de witte Bok.

De snoek is nu zo dichtbij dat ik hem hoor watertanden.

Ik geef alles.

Ik zet af en zweef als een dubbele kampioen hoog- en verspringen door de lucht.

En kom keurig op mijn pootjes op de oever terecht. Met Jerry op mijn rug.

Sla me dood als het niet waar is.

Ik weet dat vissen niet kunnen praten. Maar deze kan het wel. Hij zegt: 'Dit was maar een spelletje. De volgende keer is het menens. Met andere woorden: wegwezen en weg blijven!' Hij grijnst als een maffiabaas en verdwijnt in de diepte.

Ik pluk Jerry van mijn rug.

'Bedankt...' zegt hij stilletjes.

En dan bekijken we zijn voet. Er komt bloed uit.

EEN STERVENDE MAN

De hele neus van zijn schoen is weg. Alsof iemand hem er met een bijl heeft afgehakt.

En in het gapende gat zie ik de sok van Jerry.

En zijn grote teen.

Daar komt het bloed vandaan.

Ik knoop de veter los en trek de schoen voorzichtig van zijn voet. Jerry gaat op zijn rug liggen. Hij kermt en jammert en even geloof ik dat ik moet overgeven. Eerste hulp verlenen aan iemand die zijn grote teen verloren heeft, is niet mijn ding.

Maar als ik de teen uitgepakt heb, sla ik een opgeluchte zucht.

'Hoe erg is het, Bud?' vraagt hij zielig. 'Ik heb bijna geen gevoel meer in mijn voet. Heeft hij... al mijn tenen... opgegeten?' Hij knijpt zijn ogen dicht en mompelt: 'O, moeder. Ik ga sterven. Het is afgelopen met me.'

'Nee, hoor', stel ik hem gerust. 'Je hebt eigenlijk geluk gehad.'

'Wat bedoel je?' Hij gaat rechtop zitten en ziet er bijna boos uit. 'Hier lig ik & ben op sterven na dood & de grond kleurt rood van mijn bloed & waarom je de ambulance nog niet gebeld hebt, mag Joost weten, want hier moet bloed bijgetankt worden, hoewel het de vraag is of terminale patiënten bloed wordt toegediend & nu we het er toch over hebben, Bud, vergeet niet dat ik gecremeerd wil worden, want ik ben als de dood om bij bewustzijn te komen in een houten kist onder de grond. Crematie, Bud, knoop het in je oren! & wat de poespas eromheen betreft, neem jij de leiding maar van me over. Als je wat Zappa wilt spelen, dan doe je dat maar. Ik vind alles oké, behalve anjers. Veel rozen & tulpen, daarmee zit je altijd goed. À propos, Zappa, je mag al mijn vinylplaten hebben. Mijn ouders geven niks om muziek & verder moet je ervoor zorgen...'

'Jerry', zeg ik en ik knip met mijn vingers voor zijn ogen. 'Je hebt maar een klein schrammetje op je teen.'

'Een klein schrammetje!' zegt hij woedend. 'Hier liggen we te sterven en meneer heeft het over schrammetjes. Een beetje respect voor mijn weinig benijdenswaardige situatie, alsjeblieft!'

'Kijk maar', zeg ik en ik wijs.

We bestuderen de gewonde teen van Jerry. De snoek is waarschijnlijk met een paar tanden langs het topje van de teen geschuurd. Het heeft aardig gebloed, maar nu is er alleen nog maar een sneetje van hoogstens een centimeter zichtbaar.

'Dat... noemen we... een geluk... bij een ongeluk', zegt hij teleurgesteld. Want hij ziet de hoofdrol in een tragedie aan zich voorbijgaan. Hij had de smaak al te pakken en droomde ervan om het eerste dodelijke slachtoffer te zijn van een snoekgerelateerd ongeval.

Hij krabbelt overeind en gaat op de voet in kwestie staan. Het blijkt zeer te doen. Heel erg zeer. Hij hinkt en slaakt kreetjes.

Ik schuif de schoen aan zijn voet en we beginnen aan de terugweg.
Ik kijk op mijn horloge. Een Man Met Een Plan heeft nog steeds tijd over. Het moet lukken.

EEN MAN MET EEN VERHAAL

We sukkelen vooruit. Eerst gebruikt Jerry mij als leuning. Hij strompelt en struikelt en gedraagt zich als een clown. Dan vinden we een stok waaraan hij zich kan vastklampen. Hij wordt er niet rustiger op.

De beet heeft hem hyper gemaakt. Hij is veranderd in een Verknipte Man Met Een Verhaal. Niet zomaar een verhaal, maar een XXL-verhaal. Want hij is het levende bewijs van het bestaan van de Kanjersnoek. En als de mensen hem niet geloven, dan kan hij hen doorverwijzen naar mij. Meneer is de grote baas en ik zijn boekhouder.

'Aan hoeveel mensen is hij verschenen?' vraagt hij. Hij tilt zijn armen omhoog alsof hij God aanroept. 'Aan een handjevol, Bud! & Jerry Storm is niet alleen een van de gelukkigen, hij munt tevens uit vanwege het feit dat hij de Kanjersnoek met gevaar voor eigen leven uit de diepte heeft gelokt! Hebben we het over moed of hebben we het over moed?'

Jerry maakt er een heldenepos van. En om de haverklap moeten we halt houden om de kapotte schoen en de gewonde voet te bewonderen.

'Die schoen belandt op een voetstuk', beweert hij in volle ernst. 'Op het metalen plaatje laat ik schrijven: "Gesneuveld in de strijd tegen de Kanjersnoek" en natuurlijk mijn naam en de plaats en datum van het grote gebeuren.'

Mijn kop tolt als ons huis in zicht komt.

Ik ben blij dat Jerry na de aanvaring met de snoek zijn oude ik heeft hervonden. Hij barst weer van zelfvertrouwen en charisma en positieve energie.

Dat alles kunnen we goed gebruiken.

Want van de weg zien we dat mijn blote vader loopt te ijsberen in de tuin.

Om de paar meter werpt hij een blik op het huis.

Mijn al even blote moeder zit op het terras koffie te drinken en hem aan te horen.

Om de paar seconden zien we haar verwoed knikken.

Je hebt niet veel fantasie nodig om te begrijpen waar ze het over hebben. Er wordt naar het huis gewezen en naar de blikken verf en naar de ladder die tegen een muur staat.

Nog even en ze hangen posters van onze gezichten op. Van die posters met 'Gezocht. Dood of levend'.

Nee, het zijn geen leden van onze fanclub.

We staan een paar minuten naar hen te kijken. 'Ze zien er een tikkeltje gestrest uit', zegt Jerry bezorgd en ik begin te twijfelen aan zijn magische krachten.

Maar ik ben nog steeds een Man Met Een Plan en ik voel me voor de verandering relatief zeker van een relatief gunstige gang van zaken. Ik kijk weer op mijn horloge. Het is nog een klein beetje te vroeg en om de tijd te doden reik ik hem iets eetbaars aan uit de vistas.

Terwijl we kadetjes met ham in onze mond proppen, zien we dat mijn ouders steeds meer beginnen te lijken op wespen die in de gaten hebben dat hun nest wordt geplunderd.

Ik werp een blik op de wijzerplaat. Het is zover.

'Kom, we gaan ons gezicht laten zien', zeg ik. 'Ik denk niet dat ze ons durven vermoorden.'

Het is alsof ik een startschot geef. Jerry is blijkbaar nog steeds een borrelende energiebron en hij kijkt me opgetogen aan. 'Nee, ben je gek. Zodra ik aan mijn verhaal begin, hangen ze aan mijn lippen!'

VOOR WAT, HOORT WAT

We slenteren de tuin in en mijn vader komt op ons af alsof hij van de krijgsraad is en we naar de muur gesleept worden, waar het executiepeloton op ons wacht.

'Wat halen jullie in...' begint hij en dan hagelen de ernstige aanklachten en bittere teleurstellingen op ons neer. Mijn vader is een vuurspuwende vulkaan en hij bedelft ons onder zo'n dikke brij vloeken en verwensingen dat ik me afvraag welke zoekmachine hij heeft geraadpleegd.

Maar gaandeweg raakt hij uitgepraat. Er ontstaan steeds grotere intervallen tussen de explosies en de scheldpartijen. Plotseling krijgt hij de schoenen van Jerry in het oog en ziet hij dat er een stukje mist.

'Ik ben aan de dood ontsnapt', zegt Jerry. 'Maar dat is niet het belangrijkste. Ik heb iets fantastisch meegemaakt, iets waarvan je oren toeteren...'

Het lijkt bijna doorgestoken kaart of afgesproken werk. Maar ik zweer dat wat er nu gaat gebeuren enkel en alleen door een Man Met Een Plan geënsceneerd is.

Op hetzelfde moment horen we luid getoeter en zien we een bus afremmen en voor de oprit halt houden.

Mijn vader spert zijn ogen open alsof we bestormd worden door wezens uit de ruimte. Zijn ogen puilen zo ver uit dat ik bang ben dat ze uit hun kassen knikkeren. En het ergste heeft hij nog te goed.

Want uit de bus springt het ene knappe, gespierde meisje na het andere. De aanvoerster van de TIGERS OF TIPLING stapt als laatste uit. Ze beent met verende tred op ons af en zegt: 'Is dit het huis dat geschilderd moet worden?'

Een Man Met Een Plan knikt en bloost van blijdschap.

Dan pas merkt ze mijn blote vader op. 'Olala', grijnst ze.

Mijn vader, die gewoonlijk niet op zijn mondje gevallen is, kan geen woord uitbrengen. Met een vuurrood hoofd verdwijnt hij naar binnen.

‘Vinden jullie het niet te groot?’ vraag ik. ‘Hebben jullie er wel zin in?’

‘Voor wat, hoort wat’, antwoordt de aanvoerster en ze gebaart naar het team. Het gazon verandert in een warboel van meisjes die van kleren verwisselen, elkaar dingen toeroepen, haren onder caps proppen en vrolijk heen en weer dartelen.

JERRY SPANT DE KROON

Jerry wordt er een beetje dol van. Van de tijgerinnen die aan het schilderen zijn geslagen. Het stikt van de meisjeskrullen en meisjespaardenstaarten en meisjeswipneuzen en meisjeswangen met verfspatten, van de bruine meisjesdijen en meisjesknieën en spieren en spieren en nog eens spieren, en van de lange, sterke lichamen.

Jerry wordt er eigenlijk erg dol van. Hij kwijlt, hij zweet, hij knipoogt tegen de ene, flirt met de andere, maakt er drie tegelijk het hof, raaskalt en krijgt iedereen aan het lachen.

Het lijkt alsof we deelnemen aan een popfestival en al dagen aan het feesten en nachtbraken zijn. Mijn vader is weer van de partij en hij loopt keurig in de kleren gestoken rond met een dienblad met ijskoude limonade. De hele man straalt van genoegen.

Mijn moeder heeft zich ook aangekleed en trakteert de tijgerinnen op waterijs uit de vriezer.

Limonade, ijs en zonneschijn. Het geluk lijkt niet op te kunnen, maar dan haalt een van de meisjes een knoert van een stereo-installatie uit de bus. Even later galmt de funky soul uit de luidsprekers. De kwasten worden neergesmakt en de tijgerinnen beginnen te dansen. Jerry en ik doen mee. Mijn vader pakt mijn moeder beet en probeert zich op de maat te bewegen. Als je niet beter wist, zou je denken dat we een muziekvideo aan het opnemen zijn. Het hele gazon golft van de dansende lichamen. Er wordt gebreakdancet en geshaket en gerockt. Kwasten dienen als microfoons, verfblikken als bongo's en het huis trilt op zijn grondvesten.

Jerry spant de kroon. Hij kwaakt als een kikker en kronkelt als een vis. Als blijkt dat hij met dat nummer succes oogst, imiteert hij alle vissen die hij kent. Hij is achtereenvolgens zalm, forel, baars en voorn. De muziek verstomt als hij aan de snoek bezig is. En weer mag hij van geluk spreken, want hij was maar een haartje verwijderd van een hartstilstand.

Het huis wordt in recordtempo geschilderd en mijn vader huppelt en glundert als een kind op pakjesavond.

Plotseling slaat hij zijn armen om Jerry heen. Hij geeft hem een dikke knuffel en zegt dat alles vergeven en vergeten is. Mijn moeder voegt zich bij de twee en kust mijn neef liefdevol op zijn wangen en biedt haar excuses aan en bedankt hem voor alles wat hij voor hen gedaan heeft. Hij begint te blozen. 'Het was me een waar genoegen', mompelt hij.

'Niet zo bescheiden, jongen', zegt mijn vader. 'Het was een geniaal idee om de TIGERS OF TIPLING in te huren. Als ik geweten had dat je deze verrassing aan het voorbereiden was, had ik je nooit al die standjes gegeven. Ik verheug me nu al op het gezicht van...' Hij slikt de rest van de woorden in, maar het kost me geen moeite om te raden dat hij popelt om het verbaasde gezicht van zijn dierbare schoonvader te zien.

'Zand erover', zegt Jerry joviaal.

'Een grote berg', beaamt mijn vader.

'Wil je wat uit het leven halen, dan moet je niet bij de pakken neerzitten', kwaakt Jerry met een knipoog die voor mij bedoeld is.

'Die meisjes zijn echt goud waard', zegt mijn moeder. 'Dat schilderen is trouwens goed voor hun armspieren. Alleen hopen dat ze zo meteen een coolingdown doen.'

De sfeer is zo fantastisch dat ik me niets aantrek van het feit dat Jerry met de eer gaat strijken. Het doet me echt niets. Het enige wat telt is alle vrolijke smoelen en het huis dat binnenkort in een nieuw jasje steekt. Het is geweldig. Magisch. Iets wat eigenlijk niet in mijn leven thuishoort. En toch gebeurt het.

'Wat gebeurt hier?' vraagt een stem achter me.

AFSCHEID NR. 1

'Selma!' schrik ik. Haar was ik helemaal vergeten.

Ze staat stomverbaasd en met een koffer in haar hand naar de bedrijvigheid te kijken. Ik was vergeten dat ze bestond. Dat ze weg zou gaan. Dat ze de wijde wereld in zou trekken om haar droom waar te maken, om een droom van een meid te worden. Bij die gedachte word ik op slag vreselijk verdrietig.

Ze kijkt naar mij en naar Jerry, die om de tijgerinnen dartelt, en dan laat ze de koffer los en ze werpt zich in mijn armen. 'Ik wil niet weg!' huilt ze. 'Ik wil hier blijven en een rustig en vertrouwd leven leiden en elke avond met jou in het bushokje zitten en altijd in Tipling blijven wonen.'

Ik heb natuurlijk zin om te antwoorden dat ze niet hoeft te vertrekken en dat ik het best vind om mijn avonden samen met haar in het bushokje door te brengen.

Maar in plaats daarvan houd ik haar van me af zodat ik haar kan aankijken en zeg ik luid en duidelijk: 'WAT EEN ONZIN! Wat zei je tegen mij op de televisie tijdens de Fat-Intro? Wie niet waagt, niet wint! Selma, je hebt een kans gekregen en je waagt het niet om af te haken!'

'Als jij mijn voorbeeld volgt', zegt ze stilletjes. 'Als jij ook een waaghals wordt.'

'Ja, oké', zeg ik voor de sier.

'Je moet het beloven', zegt ze en ze neemt mijn hoofd in haar handen. 'Eerlijk beloven!'

Ik probeer weg te kijken. Mijn ogen durven de hare niet te ontmoeten. Maar ze dwingt me gewoon en ik knik voorzichtig en antwoord: 'Ik beloof het.'

‘Fijn’, zegt ze. ‘Je ziet me wel terugkomen. Als een verliezer, of als een winnaar. We zien wel.’

Ze kijkt om zich heen en zoekt Jerry. Zeker weten.

‘Hij is weer eens over zijn toeren’, zeg ik.

‘Mmm’, mummelt ze en ze glimlacht even. Ik hoor een heel klein beetje verdriet in het gemummel. Ze laat me bij de koffer achter en gaat Jerry vangen. Hij laat zich bijna niet beetpakken. Alles aan hem wil druk doen en in touw zijn. Maar als hij ziet dat Selma hem vasthoudt, slaat hij zijn armen om haar heen.

Hij wil haar op haar mond zoenen, maar ze weert hem af en wijst naar haar wang.

Daarna kijkt ze ietwat bedremmeld. Ze geeft hem een aai over zijn arm.

Houdt nog steeds een beetje van hem. Weet dat hij te wispelturig is en dat hij zich niet laat vangen. Dat ze hem niet moet vangen. Omdat Jerry iemand is die het best gedijt als hij vrije teugels heeft. Geef je alles om zo’n persoon te vangen, blijf je met lege handen achter.

Ik denk dat ze er zo over denkt als ze hem staat te aaien. Plotseling pakt ze de koffer van de grond, ze geeft me een haastig kushandje en draaft naar de bushalte om haar bus te halen.

Jerry kijkt haar na. Even denk ik dat hij haar achterna zal hollen, of iets naar haar gaat roepen. Want hij opent zijn mond.

Maar dan wordt hij weer meegesleurd door de muziek en alle meisjes om hem heen. Hij laat zich gaan.

Ik daarentegen...

WATJE BUD

Ik ben niet goed in afscheid nemen. Ik ben er zelfs erg slecht in. Vooral als iemand zoals Selma vertrekt. Het doet pijn in mijn borstkas. En aangezien iedereen om me heen alleen maar danst en schildert en drinkt en lol trapt, wordt een Man Met Een Plan een Klein Watje dat wegsluipt naar zijn veilige hol.

Watje Bud verwdijnt als sneeuw voor de zon. Als een druppel dauw op een bloemblad. Als de zee bij eb. Bud lost op in het niets. Bud laat amper sporen na. Hij kruipt in de kast, waar het donker en somber en stil is.

Even donker, somber en stil als onder mijn huid. In mijn binnenste.

Ik zit precies drie minuten te treuren als er op de deur geklopt wordt.

Ik rol met mijn ogen en zeg: 'Wat is er, Jerry?'

'Kom uit die kast, joh', zegt Jerry. 'We hebben gasten & dolle pret & per slot van rekening heb jij deze party georganiseerd.'

Ik zet de deur op een kier. 'Dat maakt niet uit.'

'Wat heb je?' vraagt hij. 'Mis je Selma nu al?'

'Nee... eh... ja, een beetje', antwoord ik.

'Of zit je met die brand in je maag?'

De seconden trippelen door de kamer en nemen de tijd. Ik staar hem verbaasd aan. Nog meer seconden volgen en ik open eindelijk mijn mond: 'Hoe weet je dat, van die brand?'

'Ik weet alles. Koppie koppie', antwoordt hij vaag en hij tikt tegen zijn slaap.

Van deze zaak kan hij niets weten. Behoort hij niets te weten. Er zijn niet veel mensen die ervan weten. De rector, de politie, mijn ouders en Selma. Zou Selma het hem verteld hebben?

'Heeft Selma haar mond voorbijgepraat?' vraag ik.

'Selma?' Hij kijkt me verwonderd aan. 'Je moest eens weten wat voor een toffe & trouwe vriendin je hebt. Ik heb geprobeerd om haar uit te horen, maar ze hield haar lippen stijf op elkaar.'

'Dan heb je het van mijn ouders', zeg ik zonder het zelf te geloven.

'Ben je gek.' Jerry schudt zijn hoofd.

'Dan begrijp ik er niets van', zeg ik.

'Geeft niet', zegt hij. 'Maar nogmaals, ik weet alles & ik stel voor dat je die Starbokk het laatste stuk van je verslag stuurt.'

'Je hebt mijn pc gehackt, vuile klootzak!' grom ik.

'Niet alleen weet ik alles, ik kan ook alles', antwoordt hij met een zelfingenomen smoel. 'Nou? Zou je er niet aan gaan beginnen? Ik weet zeker dat je je als herboren voelt als die klus de wereld uit is.'

'Ik... eh... heb geen zin', mompel ik suf. 'Je weet alles, maar je begrijpt er geen klap van.'

'Ik weet alles & ik kan alles & ik begrijp alles', kakelt Jerry opgewekt. 'Zullen we de pc dan maar aanzetten?'

'Nee, blijf eraf!'

'Jij dicteert en ik typ', zegt hij en hij zet de pc aan.

'Vergeet het', zeg ik en ik sta op het punt om de kastdeur dicht te trekken.

'Ik blijf bij je logeren tot het verslag af is', zegt hij. 'De grote vraag is of je het ziet zitten om je manische neef nog een paar dagen over de vloer te hebben.'

'Jezus...' zucht ik en ik kruip uit de kast.

'Hoorde ik een ja?' Hij grijnst.

BUDS ZEVENDE BRIEF AAN STARBOKK

AAN: Herman_Starbokk@schoolpsychologischedienst.tipling
VAN: bumartin@ishmaelpost.net
ONDERWERP: Zevende verslag

- - - - - - -

Kun je zo van de kaart zijn dat je niet meer kunt uitmaken wat slim is? Of wat dom is? Ik denk het. Ik geloof dat ik mijn verstand verloor na dat sportevenement.

Ik dacht dat ik gewonnen had toen Valen de zaal verliet en ik overbleef. Maar ik had niet met de Bok gerekend. Ik kreeg het gevoel dat hij mij nog steeds stond uit te lachen en dat niet Valen maar de Bok me voor paal zette. En toen ik dat merkte, besefte ik dat ik nog steeds niet gewonnen had.

Ik raakte helemaal de kluts kwijt, omdat ik bang was dat de Bok me nooit van mijn leven met rust zou laten.

Ook al was dit een van mijn laatste schooldagen. Ook al zou ik nooit meer een voet in die gymzaal zetten. Ik was er namelijk van overtuigd dat de Bok zou opduiken op mijn nieuwe school. En later in de garage waar ik ging werken. En op de kamer die ik zou huren.

Hij zou me altijd blijven achtervolgen.

Zo dacht ik erover toen ik mijn gymkleren in mijn tas propte.

Toen ik naar de toespraak van de rector zat te luisteren.

Toen ik naar huis liep.

Toen ik in bed kroop.

Ik kreeg de gedachte niet uit mijn hoofd.

Ik wist dat ik het gordijn maar opzij hoefde te schuiven, om de Bok buiten op straat te zien.

De gedachte maakte me gek.

En de gekte ging met mij aan de haal. Ik zag in de Bok niet alleen mijn eigen mislukking, maar al het slechte in de wereld. Met de Bok om me heen zou het verkeerd met me aflopen. Met de Bok om me heen werd mijn leven een nachtmerrie.

Ik zag maar één oplossing. Eén van ons moest eraan.

De Bok moest dood, of ik.

Ik vond het geen moeilijke keuze.

Ik kan het niet op een andere manier uitleggen dan dat ik gek was en in mijn eigen gedachten geloofde.

Die avond nog trok ik mijn jas aan. Ik pakte de tweeliterfles met spiritus waarmee mijn vader de barbecue aansteekt en liep naar het schoolgebouw.

De Bok of ik. De Bok of ik.

Het was een strijd tussen mij en het kwaad. Ik voelde me niet als een ridder of een redder of een jonge knaap met een mooie missie. Integendeel. Ik had er de pest in omdat ik opgezadeld was met dit vuile werkje, omdat ik toevallig voor deze rotklus was uitverkoren. Niemand zou me er na afloop voor bedanken, maar dat betekende niet dat mijn daad waardeloos was. Ik wist heel zeker dat ik de wereld zou helpen. En dat ik mijn eigen leven kon redden.

De Bok of ik. De Bok of ik.

Ik wist dat de conciërge de bovenste ramen in de gymzaal op een kiertje zette om de stank van tenenkaas en zweet weg te werken. Ik had alleen maar een ladder nodig om binnen te komen.

En daar in de duisternis stond de Bok naar me te grijnzen. Samen met zijn witgeschilderde vriendjes.

Ik was gek, volslagen kierewiet.

Ik was bezeten.

Zonder het te beseffen.

Ik liep naar de hoge deuren waardoor je op het sportveld achter het gebouw terechtkomt. Ik schoof de deuren opzij.

Ik duwde de Bok en het paard en de andere toestellen naar buiten.

'Dit ga je niet durven', mekkerde de Bok tegen mij.

'Je bent een geboren lafaard, Bud Martin', hinnikte het paard.

'Als je zo meteen als een bange schijtluis naar huis rent, komen we achter je aan', klepperde de springplank.

'Bek houden!' siste ik en ik goot de fles spiritus leeg over mijn witte vijanden.

Toen begonnen ze te smeken om genade. Om vergiffenis.

'Watjes', hoonde ik.

Ze probeerden me wijs te maken dat als ik mijn plan zou uitvoeren, ze een vloek over me zouden uitspreken. Dat ik nooit meer één minuut rust zou beleven. Dat ik me de rest van mijn leven zou voelen als een miezerige muis.

'Jullie doen maar', lachte ik schamper en ik stak een lucifer aan.

Toen werd het ineens vreselijk stil op het sportveld. Alleen de wind kon je horen ruisen. Een ijle zomerwind met een vlaagje staal. Een kille noordenwind die door je kleren woei. Ik keek naar de witte toestellen. Voor de laatste keer van mijn leven.

Toen gooide ik de lucifer weg.

Ik gooide hem boven op de Bok.

Dacht een glimp op te vangen van vlijmscherpe tanden toen de vlammen oplaaiden en mijn vijanden vuur vatten.

Het was een vuur zonder hitte. Het was een koude vuurzee die aangewakkerd werd door een koude wind. Het was een kampvuur, een levensecht kampvuur.

Ik was nog steeds gek en voelde me bevrijd. Had me in geen maanden zo gelukkig gevoeld. In de vloek geloofde ik niet. Ik geloofde alleen in mezelf en in mijn overwinning. Ik tuurde in het vuur en de tranen van blijdschap stonden in mijn ogen.

Tot een harde hand mij bij mijn schouder greep en mijn lichaam een slag draaide.

De harde hand werd geholpen door meerdere harde handen om me op mijn buik op de grond te smijten en mijn armen tegen mijn rug te drukken. Nieuwe harde handen deden me handboeien om. Maar omdat ik niet tegenstribbelde, werden de handen iets zachter. En met die zachte handen hesen ze me overeind.

'We zijn van de politie', zei een stem. 'Je bent aangehouden. Begrijp je wat we zeggen?'

En nu had ik door dat de stem dat al een paar keer gezegd had, zonder dat ik had gereageerd. De man die sprak, dacht vast dat ik gek was, maar niet op de manier waarop ik gek was. Echt gek, dacht hij. Geestelijk gestoord. Een pyromaan.

We reden naar het politiebureau terwijl de brandweer het vuur begon te blussen. Ze kwamen hoe dan ook te laat. Van de witte toestellen waren alleen maar smeulende en stinkende kooltjes over.

Ik herinner me weinig van mijn verblijf op het politiebureau. Ik heb een vaag beeld van een agent met een vriendelijke stem die vroeg wat er gebeurd was. Ik weet dat er ook een psycholoog aanwezig was. En ik zal de kop koffie die ik daar kreeg nooit vergeten, omdat het kopje zo lekker warm was en de koffie zo goed smaakte.

Wat ik me het beste herinner, was de komst van mijn vader. Nee, niet zijn komst en ook niet wat hij zei en hoe we samen naar huis zijn gegaan... Ik herinner me alleen zijn ogen. De woedende, wanhopige, bezorgde, vreemde, teleurgestelde ogen, de en-dit-is-mijn-zoon-blik die ik nooit meer van mijn netvlies zal kunnen verwijderen.

Het was die blik van mijn vader die me in een muis veranderde. En vanaf dat moment rustte er daadwerkelijk een vloek op mij. Een vloek die mij tot een muis doemde. Bij de blik van mijn vader werden de woorden van de Bok bewaarheid. Ik was geen winnaar. Ik zou nooit een winnaar worden. Ik zou mijn leven lang nederlagen lijden.

Zo is het gegaan.

Met vriendelijke groeten,

Bud Martin.

PS Het is trouwens over. Ik ben niet gek. Niet op dit moment.

\- - - - - - -

Jerry kijkt me niet aan. Hij wacht. Tot ik knik. Hij drukt op 'Verzenden'. En de klus is geklaard.

'Dat was dat', zegt hij. 'Nu kun je relaxen.'

Het vreemde is dat ik het verschil al voel.

BUD WORDT XXL

Dit was al een dag vol verrassende gebeurtenissen, van voorvallen die veel weg hebben van visserslatijn, leugens, grootspraak en fabeltjes, maar die toch plaatsgevonden hebben.

Echt waar.

Ik zweer het.

En nu overkomt me dus weer iets ongelooflijks.

Iets waar je met je pet niet bij kunt.

Het gebeurt niet geleidelijk aan, niet zoals wanneer de eerste stralen van de lentezon je gezicht langzaam ontdooien. Het heeft meer weg van een lawine. Het voelt alsof er in mijn binnenste een enorme berg rotsblokken naar beneden dondert. En daar waar alle keien lagen, kun je als je goed kijkt een klein hol zien. Een hol waarin iets beweegt. Het zou best eens een muis kunnen zijn. Hij rekt zich uit, strekt en buigt zijn benen, wappert met zijn tenen, schudt zijn vingers los en staat op. Hij recht zijn rug en maakt zich lang. Heel lang. Heel erg lang. Wat een muis leek, blijkt een reus te zijn. Een enorme reus, genaamd Bud XXL Martin.

Het is een bizar, bevrijdend gevoel. Ik moet baantjes trekken en heen en weer banjeren om een beetje aan mijn lichaam te wennen.

Het lijkt wel alsof ik twee maanden lang in een plastic zakje heb gelegen. En nu ik eindelijk uit mijn krappe verpakking kruip, merk ik dat ik in de tussentijd ben aangekomen.

Ik zweer dat ik zelfs tijdens deze magische metamorfose twee centimeter langer word. En dikker, helaas.

Ik moet oppassen dat ik niet met mijn kop tegen het plafond knal. Mijn kamer is gekrompen en ik snak naar meer ruimte en lucht. Met Jerry op sleeptouw wandel ik naar buiten, waar de muziek zijn warme, zwoele armen om mijn hals slaat.

Mijn heupen schommelen en de tijgerinnen schilderen en het huis straalt van blijdschap en mijn vader danst op het dak en mijn moeder staat op haar handen op de schoorsteen. Ik kijk en kijk naar alles wat schittert en glanst en deint en draait als een carrousel uit een sprookje. Terwijl het allemaal echt is. Ik zweer het!

Ik voel dat ik groei als onkruid in een regenbui en ik roep: 'Geef me de vijf!'

'Prima!' hijgt Jerry hysterisch achter mijn rug. 'Maar het kan beter. Doe er een schepje bovenop!'

Ik neem een forse hap lucht en schreeuw: 'GEEF ME DE VIJF!'

De muziek dendert en dreunt en Jerry danst met de aanvoerster van de tijgerinnen en draait zich naar me om en roept: 'Je bent niet hebberig genoeg, Bud! Het leven heeft meer te bieden!'

Ik bundel al mijn krachten en vul mijn longen barstensvol lucht en bal mijn vuisten en recht mijn rug, die nog langer is dan een paar minuten geleden (ik zweer het!) en brul: 'IK BEN BUD MARTIN! IK BEN XXL! GEEF MIJ MAAR ALLES!'

De tijgerinnen drommen om me heen. Ze stampen met hun voeten en zingen in koor: 'GEEF HEM GEEN VIJF! GEEF HEM GEEN ZES! GEEF HEM ALLES!'

Heus.

Het is 100% waar.

AFSCHEID NR. 2

Het moment is aangebroken voor het tweede afscheid.

Het huis is af en ziet er als nieuw uit en mijn vader is in de zevende hemel. De tijgerinnen zijn vertrokken nadat ze ons eerst allemaal een kusje hebben gegeven en mij hebben gevraagd of ik af en toe een kijkje onder de motorkap van de bus wil nemen. Toen ik zei dat ik binnenkort langs zou komen, kreeg ik een knipoogje van de aanvoerster. Ik had nooit gedacht dat ik kon flirten, maar ik knipoogde zonder te blozen terug. Jep!

Nu zitten we op het terras en drinken een glas limonade voor Jerry op de bus stapt.

De voorgaande zomers was ik altijd bijzonder in mijn nopjes als hij eindelijk ophoepelde. Maar deze keer zie ik op tegen het afscheid.

Ik weet dat ik geklaagd en gemopperd en gezanikt heb over alles wat hij in zijn hoofd haalt tijdens een logeerpartij. Als ik terugkijk, vind ik echter dat we een toffe tijd achter de rug hebben. Zeg maar 100% onvergetelijk.

Mijn ouders zitten hem als vanouds op te hemelen en hoewel Jerry met volle teugen geniet van het gefleem, is hij zo ruiterlijk om hen te vertellen dat het inhuren van de meisjes mijn idee was. Mijn vader lijkt eindelijk over een paar oren te beschikken. En in zijn ogen zie ik niet langer minachting en teleurstelling. In plaats daarvan kijkt hij me aan met een bijna trotse dit-is-mijn-zoon-blik. Geloof ik.

Het geeft me een goed gevoel.

Een gevoel waarmee ik lang kan doen.

Het afscheid nadert en Jerry en ik slenteren naar het bushokje.

We praten over de komende herfst, dat wil zeggen het Zappafestival in Kepler, dat altijd in de tweede week van september plaatsvindt. Het is vaste prik dat we van de partij zijn, zoals het altijd vaste prik is dat we de hele Zappacollectie in de speler duwen als Jerry bij mij op bezoek is. Het gekke is dat we dit keer nauwelijks naar muziek hebben geluisterd. Maar het waren dan ook gekke dagen. Te gekke.

De vraag is of Jerry er ook zo over denkt. Als we de bus horen naderen, zie ik in ieder geval iets glinsteren in zijn ooghoeken. En ik krijg het ook te pakken. Het voelt alsof ik afscheid neem van een broer die ik nooit meer ga zien. Ik heb zin om zodra ik thuis ben in mijn kast te kruipen.

Maar ik doe het niet.

Ik ga nooit meer in die kast zitten.

Jerry slaat zijn armen om mijn hals als de bus voor de halte stopt en de deur openklapt.

Dan draait hij zich bruusk om en stapt hij in de bus. Dezelfde chauffeur als een week geleden zit achter het stuur. 'Krijg de klere!' gromt de man nijdig.

'Relax', zegt Jerry rustig en hij legt zijn geld neer.

'Jij', zegt de chauffeur en hij kijkt Jerry kil en indringend aan, 'gaat helemaal achterin zitten! En tijdens de hele rit houd je je bakkes potdicht!'

Jerry begint naar achteren te lopen, maar als de bus met een schok optrekt, schiet hij als een kogel langs de laatste zitplaatsen. Met zijn manische smoel tegen de achterruit geplakt en wild wuivende handen verlaat hij Tipling.

Ik voel me verlaten. Maar ik ben nog steeds een Man Met Een Plan.

ALLES

Een Man Met Een Plan gaat niet rechtstreeks naar huis als de bus vertrokken is. In plaats daarvan blijft hij nog een aantal minuten in het bushokje zitten mijmeren over Jerry. Misschien mijmert hij ook een beetje over Selma. Afscheid op afscheid. De meesten vertrekken, een enkeling blijft achter.

Ik blijf. Voorlopig. Tipling Vakschool, richting automechanica, wordt mijn volgende halte, als Starbokk tevreden is met mijn verslag. En dat is hem geraden.

Maar het zijn niet dat soort zaken waarmee een Man Met Een Plan zich bezighoudt.

Hij denkt aan het leven als muis.

En hij veert overeind. Je kunt aan hem zien dat hij doelgericht is. Je kunt ook aan hem zien dat hij een beetje trilt, dat hij zich even afvraagt of het een slim idee is, maar dan worden zijn stappen vastberaden.

Een Man Met Een Plan beent op zijn bestemming af.

Een man als hij zoekt het bos op.

Hij kan niet anders.

Hij gaat naar het bos met één doel voor ogen, één gedachte in zijn hoofd.

Hij weet zeker dat hij Maggie bij de Joekel aantreft. Een man als hij is nog steeds bang voor de Joekel. Hij is bang voor Maggie. Hij is bang voor een boel dingen. Maar toch gaat hij erheen.

Hij gaat erheen met Een Plan.

Hij wil Maggie ontmoeten. Hij weet niet hoe het afloopt. Maar je hoeft niet bij voorbaat te denken aan alles wat mis kan gaan en pijn kan doen. Soms moet je het er gewoon op wagen.

Hij gaat erheen omdat zij er is. Mooie Maggie is daar en zelfs al heeft een dikzak nog nooit iets van wereldbelang gepresteerd, een dikzak als hij wil toch een poging doen.

Ik wil Maggie ontmoeten en mijn lijn naar haar uitwerpen.

Ik zal stotteren en stamelen, maar alles geven.

Ik zal XXL uit de kast halen.

Ook iemand als ik wil iets uit het leven halen.

Iets? Ik ben niet gek.

Ik maak een toeter van mijn handen, vul mijn longen barstensvol lucht en brul: 'GEEF ME ALLES!'

DEZE VIS VAN EEN BOEK
HEEFT OOK EEN STAARTJE

EEN KINDEREI-BOEK

Ik voorzie mijn verhalen vaak van een nawoord. Korte staartjes die betrekking hebben op de body van het boek. Op die manier geef ik een verhaal de kans om een laatste keer met zijn staart te zwiepen voor de lezer uit het zicht en in een ander boek verdwijnt.

Er zijn mensen die denken dat je in een nawoord alles gaat uitleggen. Maar ik trek alleen maar kleine stukjes vel van het verhaal. Vergelijk het met het wegschrobben van de schubben van een vis voor je hem met kop en staart boven een vuurtje roostert.

Dit boek is XXL op tal van manieren.

Het is een kinderei in boekvorm.

Wat ik er belangrijk aan vind, is dat het onder meer gaat over alles wat het leven te bieden heeft. Er is zo veel wat we willen beleven, waarvan we willen proeven, waaraan we willen ruiken. De pest is dat we zo weinig tijd hebben, omdat ons eigen leven maar van korte duur is.

Misschien moeten we leren om ons in bochten te wringen, als een vis. Misschien is het de bedoeling dat we meerdere levens tegelijk leven. Dat van de visser, de vis en het viswater. Je kunt blijven steken in de eerste de beste manier van leven. Dat kan, maar het hoeft niet. Het leven is als een menu. Je bestek neerleggen na het voorgerecht is misschien niet zo slim.

Dit boek is geen zelfhulpboek. Het is een mootje van mijn eigen vis.

VISVISVISVIS VISVISVISVIS VISVISVISVIS VISVISVISVIS VISVIS

Het verhaal gaat ook over vis. Ik heb me in vis verdiept. Over vis gelezen, vis gegeten, geprobeerd te vissen, vis op de bladzijden gemorst, over vis nagedacht. Maar eigenlijk weet ik verdomd weinig over vissen en het vissen. Kil me niet als het boek krioelt van de visfouten.

Want dan stuur ik de Kanjersnoek op jullie af. En spreek ik een snoekvloek over jullie uit. En schrik niet als er midden in de nacht een bek vol tanden uit de wc-pot opduikt om in jullie je-weet-wel te bijten.

Het is trouwens waar dat hij mensen gebeten heeft. Het is ook waar dat hij verzot is op alles wat je niet in een vismaag zou verwachten.

Ik zweer het!

INSPIRATIES

In mijn leven spelen twee klassieke Amerikaanse romans een belangrijke rol. Dat zijn Herman Melvilles *Moby Dick* en Jack Kerouacs *On the road*.

In beide boeken heb ik een boel inspiratie opgedaan voor ik zelf een poging deed om een flietertje van ons bonte bestaan te belichten.

Wie een kijkje in bovengenoemde boeken neemt, zal dingetjes vinden die ook in mijn tekst voorkomen. Dat wil nog niet zeggen dat ik een herkauwer van oude boeken ben. Beschouw mij liever als een pijltje dat wijst naar boeken van wereldbelang.

Lees ze! Ik zweer dat ze de moeite waard zijn.

ZAPPA

Frank Zappa was een creatieve en veelzijdige Amerikaanse musicus die zijn grote neus in tal van genres stak. Hij was een Jerry op muzikaal gebied. Altijd rusteloos op zoek naar nieuwe melodieën en uitdrukkingsvormen.

In dit boek heeft hij niet veel plaats gekregen. In het volgende boek doe ik hem meer eer aan!!

HET VOLGENDE BOEK

Hier komt een trailer en een teaser van de opvolger: XXL is namelijk het eerste van de twee boeken over Bud en Jerry. Het tweede deel gaat niet over het bonte leven en een boel vissen. Integendeel.

Wie zich afvraagt wat dat betekent, moet maar gaan vissen. Ik ben zo gesloten als een oester. Voorlopig.

JON EWO
Oslo, zomer 2007